Déshabillez-vous

D1469148

Guy Saint-Jean Éditeur
3440, boul. Industriel
Laval (Canada) H7L 4R9
450 663-1777
info@saint-jeanediteur.com
www.saint-jeanediteur.com

. . . .

Catalogage avant publication de Bibliothèque et Archives nationales du Québec et Bibliothèque et Archives Canada

Ouellette, Sylvie, 1964-

   [*Healing passion*. Français]

   Déshabillez-vous

   Traduction de: *Healing passion*.

   ISBN 978-2-89455-634-4

   I. Saint-Germain, Michel, 1951- . II. Titre. III. Titre: *Healing passion*. Français.

PS8579.U427H4214 2013   C813'.54   C2013-940366-3
PS9579.U427H4214 2013

. . . .

Nous reconnaissons l'aide financière du gouvernement du Canada par l'entremise du Fonds du livre du Canada (FLC) ainsi que celle de la SODEC pour nos activités d'édition. Nous remercions le Conseil des Arts du Canada de l'aide accordée à notre programme de publication.

© Guy Saint-Jean Éditeur inc. 2013
Conception graphique : Christiane Séguin
Traduction : Michel Saint-Germain
Révision : Alexandra Soyeux

Distribution et diffusion
Amérique : Prologue
France : Dilisco S.A. / Distribution du Nouveau Monde (pour la littérature)
Belgique : La Caravelle S.A.
Suisse : Transat S.A.

Dépôt légal — Bibliothèque et Archives nationales du Québec, Bibliothèque et Archives Canada, 2013
ISBN : 978-2-89455-634-4
ISBN ePub : 978-2-89455-635-1
ISBN PDF : 978-2-89455-636-8

Imprimé et relié au Canada

 Guy Saint-Jean Éditeur est membre de l'Association nationale des éditeurs de livres (ANEL)

SYLVIE OUELLETTE

Déshabillez-vous

roman érotique

Traduit de l'anglais par
Michel Saint-Germain

Guy Saint-Jean
ÉDITEUR

Chapitre un

Dix petits orteils fixaient malicieusement Judith au travers d'un rectangle découpé dans le drap vert menthe, telle une famille de marionnettes mignonnes à croquer; des personnages si insolites qu'elle en était distraite.

À première vue, ces deux pieds paraissaient plutôt sobres, assez robustes, mais nettement féminins, et leur peau ridée était jaunie par un désinfectant iodé. Seuls les orteils semblaient d'humeur à rire.

À l'autre bout de la table d'opération, le visage de la patiente était dissimulé derrière un autre écran vert pâle, maintenu en place au moyen d'un appareil suspendu au plafond. Le reste du corps était entièrement recouvert d'un drap stérilisé, et les jambes étaient relevées en vue de l'opération chirurgicale.

D'où elle était, Judith ne voyait que le sommet de la tête d'Édouard Laurin, l'hypnotiseur assis au chevet de la patiente. Mais elle entendait sa voix chaude, calmante et lancinante qui remplissait la pièce.

— Vos pieds ne vous appartiennent plus, dit-il lentement en roulant les *r* et en faisant bien résonner chaque mot. Nous les avons empruntés et, dans un moment, nous allons vous les redonner, tout beaux, tout neufs.

Judith ne put réprimer un gloussement nerveux. C'était sa première journée au travail et, déjà, elle était dépassée par la nature inhabituelle de la Clinique Dorchester, une clinique de chirurgie esthétique qui prodiguait des traitements de pointe à sa clientèle aisée, triée sur le volet, et offrait un séjour confortable dans un édifice moderne surplombant Holland Park, un des quartiers parmi les plus cossus de Londres.

Aujourd'hui, lady Austin, la riche veuve de lord Austin, le magnat du transport, se faisait remodeler les pieds. La patiente était une habituée, car elle avait séjourné à la clinique pas moins de huit fois en cinq ans, d'abord pour le visage, puis le nombril. Elle avait également subi une série longue, diverse et futile de procédures chirurgicales, cherchant constamment à éviter que son corps révèle son âge réel et trahisse cinq décennies d'usure. Cette fois, elle prétendait ne plus aimer l'allure de ses pieds, qu'elle trouvait fort vieillis lorsqu'elle parcourait les plages sablonneuses de quelque île exotique éloignée, ou le pont du yacht d'un de ses riches amis.

Pour sa part, Judith se disait qu'au fond, ces pieds n'étaient probablement que le reflet des années de torture consenties à de multiples marathons d'achats impulsifs dans les boutiques de renom.

Les pieds des gens de la classe de lady Austin étaient faits pour être dorlotés. Il n'était pas étonnant que ces orteils soient d'aussi bonne humeur.

Le coût de l'opération et du séjour à la clinique allait probablement dépasser le salaire annuel du personnel affecté à cette patiente, mais c'était en général le cas de tous les clients. Ici, ils pouvaient s'acheter un nouveau corps, exquis, taillé sur mesure.

Judith était impressionnée par les installations. Tout l'équipement était haut de gamme, neuf et luisant. Une douce odeur de chèvrefeuille embaumait l'air, ce qui changeait joliment de l'habituel désinfectant des autres cliniques.

Une musique suave émanait d'un haut-parleur camouflé dans le plafond. La teinte orange pâle des tuiles de céramique, au plancher comme aux murs, donnait à la pièce une ambiance agréable et tranquille, assez différente, elle aussi, du vert standard des blocs opératoires habituels.

L'atmosphère était chaleureuse et confortable, et Judith n'avait qu'à fermer les yeux une seconde pour se croire dans un luxueux salon de beauté plutôt que dans un hôpital.

Fraîchement diplômée de l'école d'infirmerie, elle avait eu la chance d'être embauchée tout de suite. Ses consœurs de classe qui avaient également postulé à la clinique étaient, pour la plupart, mortes de jalousie en apprenant que Judith avait décroché le poste.

Une clinique prestigieuse et un salaire en conséquence. Pas mal, pour un premier emploi. Par-dessus le marché, tout le monde était si charmant, si jeune et si beau; le personnel de la clinique semblait refléter la nouvelle image que les clients voulaient s'offrir en venant ici. Lors de l'entrevue d'embauche, on avait fait comprendre à Judith de façon assez peu subtile qu'elle devait largement son emploi à son joli visage et à son anatomie. Mais comme il s'agissait un contrat de trois mois, elle devait tout de même démontrer ses compétences d'infirmière.

Aujourd'hui, elle allait participer pour la première fois à une opération au cours de laquelle la patiente n'était pas anesthésiée, mais hypnotisée. Alors que l'on endormait lady Austin, Judith avait un peu l'impression d'être transportée, elle aussi, par la voix d'Édouard. Elle avait de la difficulté à disposer les instruments en vue de l'opération, à se concentrer sur le protocole à suivre.

Le tintement du métal semblait plus fort que d'habitude, même s'il ne pouvait tout à fait enterrer les paroles qui parvenaient encore à ses oreilles, vu la diction d'Édouard, et surtout ses *r* en cascades dans sa gorge.

— Vous allez rester ainsi, détendue et reposée, jusqu'à ce que je vous dise d'arrêter, poursuivit-il.

Judith poussa un soupir de soulagement. Lady Austin était en transe, mais paradoxalement, tout à fait éveillée.

— Je crois que nous sommes prêts, garde Stanton.

Ces paroles, prononcées d'un ton plus spontané, la firent sursauter. Il lui fallut plusieurs secondes pour s'apercevoir qu'elles lui étaient adressées.

En regardant dans la direction d'où elles venaient, elle vit apparaître, au-dessus de l'écran vert pâle, un visage souriant surmonté d'un casque de chirurgien d'un ton assorti. Les deux yeux bleus qui la fixaient étaient si pâles et délavés qu'ils semblaient irréels, comme ceux d'une poupée de porcelaine. Édouard n'était pas beaucoup plus âgé qu'elle, mais son ton de voix et son assurance manifeste lui conféraient une autorité indéniable.

Judith se sentit rougir, ridiculement, comme une adolescente sous le regard d'un enseignant irrésistible. Elle laissa tomber un scalpel. Le tintement qu'il produisit sur le plancher de céramique la ramena à la réalité.

— Les médecins devraient arriver dans un moment...

Le reste de sa phrase se perdit dans le brouhaha de l'équipe opératoire, qui entrait.

Tel un ballet magique, trois personnes, portant blouse, coiffe et masque d'un vert assorti, s'avancèrent autour de la table et de la patiente, sans prononcer une seule parole, méticuleuses et assurées, presque robotiques.

Lorsqu'on alluma les lampes fortes au-dessus de la table d'opération, le reste de la grande salle disparut dans l'obscurité, la lumière intense absorbant toute la pièce, sauf la patiente et le personnel de service. Presque en même temps, la musique qui avait créé cette confortable atmosphère parut s'évanouir elle aussi, conjuguant le silence et l'obscurité.

Judith se joignit à l'équipe et prit place à la droite du docteur

Robert Harvey, le chirurgien en chef. Il se retourna vers elle. Sa bouche était cachée sous son masque, mais ses yeux lui souriaient.

— Vous êtes la nouvelle infirmière... Mademoiselle Stanton, n'est-ce pas? Bienvenue à la Clinique Dorchester. J'espère que vous aimerez travailler avec nous.

Sa voix chaude et grave, au ton velouté, rappelait celle d'un annonceur radiophonique de fin de soirée.

Cette proximité la troubla. Les yeux noirs et perçants la fixèrent intensément pendant que, les doigts tremblants, elle attacha son masque derrière son cou. Par réflexe, elle détourna le regard en rougissant.

— Sommes-nous prêts? demanda le médecin à la ronde.

Tout le monde hocha la tête d'un signe affirmatif.

— Alors, commençons.

De l'autre côté de la table d'opération, deux autres médecins l'assistaient, un homme et une femme. Judith ne les reconnut pas, mais eux aussi la saluèrent en lui souriant des yeux. Le regard aussi fixe que celui de Harvey. Et tout aussi intense.

Judith se sentit gênée. Peu de temps auparavant, elle avait affronté une série d'examinateurs qui voulaient évaluer ses connaissances, forcer son cerveau à retrouver et à recracher tout ce qu'elle avait appris à l'école d'infirmières. Ces interrogatoires serrés avaient été difficiles, mais elle les avait passés haut la main.

Aujourd'hui, cependant, les yeux des chirurgiens l'examinaient différemment. Elle était perplexe, incapable de deviner ce qu'ils attendaient d'elle, intimidée par leur regard pénétrant et puissant. On aurait dit qu'ils cherchaient à atteindre son âme même; qu'ils ne se souciaient pas de ce qu'elle savait, mais voulaient plutôt découvrir qui elle était. Cela devint bientôt intolérable, et elle ravala nerveusement sa salive.

L'atmosphère devint tendue lorsqu'elle les regarda à son tour. Était-ce leur façon de faire sentir leur autorité ? Une infirmière novice contre trois chirurgiens d'expérience... Quoi d'autre attendaient-ils d'elle ? Habillés de façon identique, d'une couleur uniforme de la tête aux pieds, complètement dissimulés, pendant un moment ils parurent presque menaçants, anonymes. Le temps sembla se figer un moment, tout comme Judith.

Lorsque le docteur Harvey lui tendit la main, elle mit quelques secondes à comprendre que c'était sa façon de lui demander le scalpel. Les yeux des chirurgiens étaient encore posés sur elle : ceux de Harvey, noirs comme des billes de marbre, et ceux des assistants, deux paires d'émeraudes assorties. Lorsqu'elle réagit, ils se tournèrent toutefois vers la tâche à accomplir, et semblèrent l'oublier complètement.

Presque aussitôt, elle cessa d'être l'objet de leur curiosité. Le sortilège était rompu. Comme s'ils avaient tiré d'elle ce qu'ils voulaient, et dont elle n'avait aucune idée, ils l'écartaient en silence.

Pendant les quatre heures qui suivirent, Judith vécut comme dans un rêve l'opération se déroulant devant elle, spectatrice plutôt que participante. À l'occasion, les chirurgiens la regardaient, mais brièvement, et elle arrivait sans effort à déchiffrer leurs questions silencieuses.

Elle répondit rapidement et exactement à chacune de leurs demandes en leur tendant les instruments qu'il leur fallait pour appliquer leur compétence à cette paire de pieds, pour en transformer les extrémités rugueuses et fatiguées en joyaux délicats, dignes d'un mannequin de mode.

Tout ce temps, le cliquetis des instruments ne fut interrompu que par la voix d'Édouard, toujours réconfortante, encore envoûtante, qui gardait la patiente sous son charme et imprégnait de son effet relaxant toute la pièce.

Judith était si concentrée et si absorbée qu'elle fut presque surprise de constater que la procédure tirait déjà à sa fin. On aurait dit que le tout s'était déroulé en quelques minutes à peine.

À la demande d'Édouard, lady Austin se mit à fredonner un vieux chant traditionnel: c'était ainsi qu'il la faisait graduellement sortir de transe. Inconsciente de ce qui se passait dans la pièce, la patiente n'avait pas prononcé un mot de toute l'intervention.

Judith aida Édouard à pousser la table de la salle d'opération à celle de réveil. Les portes se fermèrent derrière lui et lady Austin, mais le travail de Judith n'était pas terminé pour autant: il lui restait à mettre les instruments de côté pour le personnel d'entretien. Elle se retourna et revint dans la grande salle. Les lampes de forte intensité étaient éteintes et la pièce semblait tout aussi intime qu'avant, bien que plus grande, une fois la table écartée.

Les médecins s'échangeaient des commentaires sur l'opération, sans lui accorder d'attention, ou du moins, pas d'une façon aussi évidente qu'avant l'opération. Alors qu'ils retiraient leurs gants, le claquement du latex couvrait leurs paroles. De concert, ils enlevèrent aussi leur casque et leur masque.

À ce moment, Judith reconnut la docteure Elizabeth Mason, une brune volubile et fougueuse avec qui elle avait fait connaissance lors de son entrevue. Très chaleureuse ce jour-là, la docteure Mason n'avait pourtant pas adressé la parole à Judith de toute l'opération. Pourquoi? Un seul mot d'encouragement aurait peut-être tout changé. Si elle était demeurée silencieuse d'un bout à l'autre — comme bâillonnée par son masque chirurgical —, sa voix forte compensait à présent ce mutisme. Des perles de rire se répercutèrent dans la pièce, amplifiées par le vide et les murs de céramique. Toutefois, elle n'adressa aucune parole à la nouvelle infirmière.

L'autre assistant était un jeune homme blond auquel Judith n'avait pas été présentée, mais elle se doutait que c'était le docteur Tom Rogers, l'un des chirurgiens orthopédiques. D'un physique juvénile, il avait une apparence frêle et délicate. Il paraissait assez gentil, mais pas très viril, à tout le moins. Sa voix aiguë et geignarde était fort irritante. Ses cheveux d'un blond roux étaient fins comme ceux d'un bébé, droits et taillés en carré, d'une seule longueur, juste au-dessus des oreilles. Un joli garçon, du genre mignon. Pas de quoi s'exciter.

Les deux assistants continuaient à bavarder tout en se dirigeant vers la sortie. Il ne restait plus que Harvey. Judith sentit palpiter son cœur lorsqu'elle se rendit compte qu'elle était seule avec lui et qu'il la fixait encore, son sourire maintenant à découvert.

Lorsque les assistants furent sortis, tout redevint silencieux dans la salle d'opération. Judith ne pouvait absolument plus l'éviter, à présent. Elle se sentait mal à l'aise, mais quelque peu flattée par sa façon de la regarder, non plus menaçante, mais plutôt amusée, presque amicale. Elle se remit aussitôt à rougir.

C'était idiot, qu'y avait-il de si gênant à être seule avec un homme ? Mais il y avait bien plus que cela, de toute évidence. Sans masque ni casque, Robert Harvey était incroyablement séduisant. La jeune trentaine, il était déjà un chirurgien prestigieux. Grand, les cheveux noirs, il rappelait vaguement à Judith ces acteurs d'une beauté quasi invraisemblable qui jouaient justement les chirurgiens à la télévision. Dans la vraie vie, toutefois, elle n'avait pas rencontré d'aussi bel homme depuis le début de son entrée dans le monde médical.

Il se jucha sur un tabouret et s'empara d'un tube de caoutchouc mince et translucide qui se trouvait sur la table, puis en examina la longueur tout en le tordant avec les doigts.

— Vous travaillez vite, dit-il simplement, sa voix se réverbérant dans la pièce vide.

Incapable de parler, Judith ne répondit pas. Ses mains se

mirent à trembler alors qu'elle disposait les instruments dans un bassin de liquide désinfectant. Tout comme lorsqu'il la regardait si intensément à son entrée dans la salle, il produisait sur elle un effet étonnant, difficile à définir. Par chance, elle avait réussi à garder l'indispensable maîtrise de ses mains durant l'opération.

Sans la quitter une seconde des yeux, le docteur Harvey continua de jouer avec le tube de plastique, et, lentement, l'enroula plusieurs fois autour de ses doigts, avant de le nouer.

Judith regarda avec curiosité ce jeu de dextérité, fascinée à la vue de ses mains, de leur mouvement. Curieusement, cela lui faisait le même effet que la voix hypnotique d'Édouard, peut-être même davantage.

Durant l'opération, ces mains lui avaient paru autres à travers les gants de latex, comme des outils solides et souples. À présent, elle les voyait pour ce qu'elles étaient vraiment : les longs doigts minces semblaient doux et caressants, tout comme la voix de l'homme.

Sentant les yeux du médecin la dérober tels deux rayons chauds explorant son corps, Judith souhaita soudain, follement, qu'il laisse ses mains suivre le même parcours, elle désirait sentir ces doigts expérimentés tressauter sur sa peau nue tout comme ils jouaient avec les tubes de caoutchouc.

Elle s'obligea à regarder ailleurs, à détourner les yeux du spectacle captivant. Elle avait les pieds lourds comme du plomb, mais elle trouva la force de bouger, essayant désespérément de paraître détachée, de se concentrer sur chacun de ses propres mouvements. Elle se retourna et rassembla le linge souillé, qu'elle laissa tomber dans la corbeille près de la porte.

Elle sentit les yeux de l'homme la suivre, ainsi que le poids de ce regard. Bizarrement, elle eut l'impression qu'il fixait en fait sa poitrine. Durant cette exigeante opération, Judith avait eu très chaud. Des demi-lunes de sueur s'étaient formées sous ses seins, en accentuant la rondeur potelée. C'était précisément ce que Harvey regardait, elle n'en avait pas le moindre doute.

Ses mamelons durcirent malgré elle contre le rude coton empesé de sa blouse verte, et Judith rosit encore davantage. Si Harvey continuait de la regarder ainsi, elle ne pourrait plus lui cacher l'effet qu'il lui faisait.

Puis, il lui parla, et Judith fut si troublée qu'elle n'entendit pas vraiment ses paroles, mais perçut uniquement la mélodie de sa voix. Les joues brûlantes de gêne, elle leva les yeux. Il lui sourit.

— Êtes-vous toujours aussi silencieuse?

— N... non... parvint-elle à répondre en se retournant, incapable de supporter cette douce torture.

Elle s'en voulait de réagir ainsi, même si elle était flattée par cette façon qu'il avait de la regarder.

Elle n'avait pas l'habitude de recevoir autant d'attention, surtout de la part d'un tel homme. Jusqu'à présent, tous les médecins avec lesquels elle avait travaillé, même les plus compétents, n'arrivaient même pas à retenir son nom.

— Alors, je vais demander qu'on vous affecte à mon équipe pour toutes les opérations, conclut-il. Je suis sûr que nous travaillerons bien ensemble.

Judith ne savait pas trop quoi penser, incapable de comprendre la véritable raison de cette requête. Voulait-il qu'elle fasse partie de son équipe pour sa compétence, ou tout simplement pour avoir l'occasion de la déshabiller du regard aussi souvent que possible?

Sans un mot, il se laissa glisser du tabouret en un mouvement silencieux et félin. Il s'éloigna aussitôt, la regardant par-dessus son épaule et lui souriant une dernière fois avant de disparaître.

Chapitre deux

Judith se coula dans le long corridor silencieux du sixième étage, le son de ses pas étouffé par l'épaisse moquette, son uniforme blanc réduit à une ombre blafarde dans le clair-obscur des lumières du soir.

Elle passa devant une série de portes de chêne massif, de couleur pâle, numérotées à la suite. Bien entendu, la Clinique Dorchester ne comptait aucune salle commune; uniquement des chambres individuelles.

Vues du couloir, toutes les portes étaient identiques, ce qui était déconcertant, déroutant, même. Judith se sentait perdue. Dans d'autres cliniques, seules les chambres des patients étaient numérotées, et les salles de bain étaient différenciées par des panneaux; les salles de traitement étaient munies de très grandes portes, et les placards, de portes étroites. Et dans la plupart des cas, les portes des chambres et des salles restaient toujours ouvertes.

Numérotées de 1 à 30 sur chacun des six étages, les portes restaient fermées, ce qui donnait à l'endroit l'allure d'un hôtel, assurant un maximum d'intimité aux patients. Mais si cela rehaussait leur confort, c'était contrariant pour Judith. Avec le temps, elle parviendrait à se figurer derrière quelles portes se trouvaient quels patients.

Tandis qu'elle progressait le long du couloir, le silence sembla s'amplifier. Baissant les yeux, elle remarqua que ses pieds étaient devenus deux taches blanches sur le tapis foncé. Elle n'avait jamais vu cela; c'était sans doute la seule clinique du monde à avoir de la moquette dans les couloirs...

Elle s'arrêta devant la dernière porte à droite et, de nouveau, consulta la plaque, puis entra dans la chambre. Accompagnée par le couinement ténu de ses chaussures sur le plancher de chêne, elle s'avança jusqu'au lit situé à l'autre extrémité de la pièce.

Une minuscule lampe halogène jetait une lueur verdâtre vers le plafond. Lady Austin était étendue à l'aise, comme si elle se reposait dans son propre lit. Seule touche insolite, la masse de bandage entourant ses pieds formait un ballot grossier qui contrastait malencontreusement avec sa robe de nuit en soie ivoire.

Avant de rentrer chez elle, Judith devait prendre une dernière fois la tension artérielle de sa patiente. Sa première journée de travail s'était avérée plus longue que prévu, et elle avait le dos tendu et les pieds fatigués. Mais dans quelques minutes, elle allait enfin pouvoir partir.

Lady Austin remua en s'éveillant, leva les yeux vers l'infirmière et sourit, encore sonnée par les médicaments qu'on lui avait administrés.

Judith ouvrit l'un des tiroirs de l'unité murale, prit le manchon du tensiomètre, l'attacha au bras nu de la dame et posa le stéthoscope dans le pli du coude. Le manchon gonfla légèrement lorsque Judith pressa la pompe, et pendant une minute, le son qui envahit ses oreilles l'isola du reste de la pièce. Elle sentit une présence derrière elle, puis le docteur Harvey apparut dans le cercle de lumière entourant le lit. Sa blouse blanche forma une grande tache claire dans l'obscurité. De toute évidence, il était venu, lui aussi, examiner sa patiente.

Le cœur de Judith accéléra lorsqu'elle se rappela leur brève conversation du matin dans la salle d'opération, même si cela lui apparaissait soudain comme des années plus tôt. Leur échange n'avait duré que quelques minutes, mais elle était restée figée sous l'œil scrutateur du médecin. Était-ce purement son imagination, ou avait-il vraiment tenté de deviner les contours de son corps sous sa pâle blouse verte ?

Elle n'arrivait pas à se faire une idée. Sa voix si sensuelle, si séduisante, avait peut-être, dans l'esprit de Judith, changé un simple bavardage en flirt.

Ce soir encore, il parlait à lady Austin d'une voix basse, captivante et chaude, probablement pour lui donner l'impression qu'elle représentait pour lui davantage qu'une paire de pieds.

— Nous devrions enlever les bandages dans quelques jours, lui dit-il en s'approchant juste derrière Judith. Donc, si tout se déroule comme prévu, vous pourrez rentrer dès vendredi...

Une fois de plus, Judith fut si troublée par le son de cette voix qu'elle cessa de se préoccuper de ce que Harvey disait pour seulement souhaiter qu'il ne s'arrête plus de parler.

Même si elle l'avait cherché des yeux toute la journée, elle ne l'avait pas revu depuis l'opération. Mais elle l'avait imaginé dans chaque recoin. Son cœur s'était invariablement emballé à la vue de toute silhouette vaguement familière dans un couloir bondé. Et chaque fois, elle s'était trompée, déçue. À présent, il était vraiment là, à seulement quelques centimètres.

Figée entre le lit et lui, elle n'osait pas se retourner pour le regarder, pas même détourner le regard dans sa direction. Mais qu'est-ce qu'il regardait, lui, par-dessus son épaule ? Venait-il s'assurer qu'elle prenait bien soin de sa patiente ? Ou sa visite était-elle tout simplement destinée à réconforter lady Austin pour l'aider à se détendre avant de s'endormir ?

Harvey était entré et avait parlé à la patiente. À présent, il semblait avoir fini, et lady Austin, les yeux fermés, se rendormait graduellement. Pourquoi donc restait-il, alors ?

Nerveuse et troublée, Judith fut incapable de lire la tension artérielle sur le cadran minuscule. Elle dut recommencer à pomper le manchon, maladroitement. Surprise, presque pétrifiée, elle sentit alors les mains de Harvey soulever doucement sa robe. D'abord, les doigts du chirurgien remontèrent lentement son uniforme blanc pour exposer ses fesses enveloppées dans le mince coton de sa minuscule culotte.

Envahie d'une douce chaleur, Judith tenta désespérément de contenir l'accès de nervosité qui s'éleva à sa gorge. En écoutant le sifflement du sang dans le stéthoscope, elle aurait cru entendre son propre sang courir dans ses veines.

Sans même voir Harvey, Judith ne pouvait plus avoir aucun doute sur ses intentions. Elle n'arrivait toutefois pas à penser clairement, n'ayant pas même la force de se retourner pour le regarder. De ses mains, il étudiait lentement la forme charnue de son derrière, comme un aveugle palpant le monde obscur qui l'entoure. Déjà, la peau de Judith faisait écho à la chaleur palpitante de son toucher.

Au fond d'elle, des sensations longtemps oubliées firent surface : la première fois qu'un garçon avait soulevé sa robe, la première main qu'elle avait sentie lui caresser les fesses. Elle avait l'impression de ne pas avoir été touchée depuis si longtemps… Que faire ? Encourager son comportement et peut-être avoir affaire à quelque chose de plus audacieux, ou lui demander avec tact d'arrêter ?

Puis, les doigts pénétrèrent sa culotte si aisément qu'ils semblaient être à leur place. Ces mêmes doigts devant lesquels elle s'était émerveillée, plus tôt ce jour-là, caressaient maintenant la peau douce de ses fesses. Elle ne pouvait plus lui demander d'arrêter… Ses jambes tremblaient d'excitation.

— Docteur, je pense que nous devrions laisser dormir lady Austin, parvint-elle à murmurer.

Les mains tremblantes, elle détacha le manchon du tensiomètre et l'enroula pour le remettre dans le tiroir, avec le stéthoscope.

— Très juste, garde, répondit Harvey dans son oreille, la chaleur de son souffle lui caressant le cou, alors qu'il retirait lentement ses mains de la culotte. Cependant, j'aimerais discuter de sa feuille de température avec vous, si vous avez une minute.

— Bien sûr, dit Judith en regardant sa montre. J'étais justement sur le point de rentrer, mais si vous voulez me parler, je peux prendre un moment.

L'instant était parfait, ce qu'elle vit comme un bon signe, tout en se demandant s'il voulait vraiment parler…

Elle ne pouvait oublier le regard qu'il avait eu dans la salle d'opération, et sa caresse aussi intime, à présent. Il voulait sûrement plus qu'un bavardage amical, cette fois-ci. Judith savait qu'elle n'aurait probablement pas la force de refuser l'invitation.

Il ne se retourna pas lorsqu'ils sortirent de la chambre pour se retrouver dans la semi-obscurité du couloir. Au lieu de tourner à gauche, vers la station des infirmières, il ouvrit la porte de la cage d'escalier et descendit plusieurs volées de marches.

Judith suivit docilement quelques pas derrière la blanche silhouette, sans vraiment savoir à quoi s'attendre ni rien oser espérer, jusqu'au sous-sol. Elle continua silencieusement à sa suite, et il s'arrêta à une porte marquée « Salon des médecins ».

— Ils sont tous partis, à cette heure-ci, dit Harvey en ouvrant. Nous ne serons pas dérangés.

Judith hésita un moment à entrer. La seule lumière venait de la porte ouverte et donnait au salon des médecins l'apparence d'une salle d'attente luxueuse, avec des meubles de cuir, des tables en verre, des coussins partout, et une grande bibliothèque le long du mur du fond. Plus loin, cela devenait obscur, et il était quasi impossible de deviner la taille réelle de la pièce.

Harvey la fit entrer, la poussant en douce à l'intérieur, les mains sur ses épaules.

— De quoi vouliez-vous me parler, exactement ? demanda-t-elle sans se retourner.

Elle était excitée, mais craignait d'être prise en flagrant délit en ce lieu interdit aux infirmières.

— Eh bien, d'abord, je n'aime pas votre façon de prendre la tension artérielle des patients. Je crois que vous avez besoin d'un petit stage de mise à niveau.

Sans allumer, il l'emmena à l'arrière du salon, vers un sofa de cuir où il la fit s'asseoir. Une fois la porte refermée derrière eux, dans la lumière laiteuse du verre givré, Judith distinguait tout juste son profil dans l'ombre. Puis, il s'assit à côté d'elle.

— D'abord, il vous faut le bon équipement, dit-il, sortant un stéthoscope de la poche de sa blouse blanche.

De l'autre main, n'utilisant que le bout de ses doigts, il commença à défaire lentement la série de boutons de l'uniforme de Judith, s'arrêtant au milieu de son ventre.

Sous sa robe, Judith sentit l'air frais de la pièce à mesure que sa peau se dénudait, et ses mamelons réagirent à la fois à la différence de température et à l'excitation. Le médecin était sur le point de l'examiner...

Lorsqu'il lui posa entre les seins la surface plate du stéthoscope, elle fut saisie par le froid du contact. Elle frissonna nerveusement.

Bien sûr, elle savait que ce « stage de mise à niveau » n'était qu'une astuce qui menait probablement à autre chose qu'à ses devoirs d'infirmière. À un autre moment, elle aurait tenté de l'arrêter, mais ce soir-là, elle ne semblait plus maîtriser son propre corps. Elle était également surprise par sa propre façon de répondre à cette invitation éhontée et d'avoir volontairement suivi le médecin. Le désir qui commençait à poindre dans le creux de son ventre l'étonnait et l'effrayait à la fois.

Le souvenir du regard du médecin sur son corps lui était resté toute la journée, et ne faisait qu'augmenter son envie de le retrouver. Elle se sentait fortement attirée et même si, dans un lointain recoin de son esprit, quelque chose lui disait que cela manquait totalement de professionnalisme, son corps était à présent tout à fait disposé à obéir à n'importe quelle demande.

Elle sentait déjà le feu monter de son entrecuisse. Jusqu'ici, elle n'avait fréquenté que des hommes de son âge. Et sans être de beaucoup son aîné, le docteur Harvey était déjà un chirurgien prestigieux; il était son supérieur, bien sûr, mais il était tout à fait irrésistible. Elle n'avait jamais été aussi attirée par un homme — après tout, elle avait fait sa connaissance le matin même —, mais ce soir-là, elle était avide de céder à son charme.

Il posa une main au bas de son dos, tout en maintenant doucement, de l'autre, le stéthoscope sur sa poitrine. Son visage n'était qu'à quelques centimètres du sien; dans l'obscurité, il paraissait encore plus séduisant. Dans le flou de la pénombre, elle distinguait ses fins sourcils, son nez longiligne, ses lèvres foncées.

Elle avait le cœur battant, et il l'entendait à coup sûr. Elle n'avait pas à parler pour révéler son excitation; son corps disait tout. Elle sentit son visage rougir, et la chaleur s'étendre de son cou à son abdomen, jusqu'à son sexe.

Après un moment, il laissa tomber le stéthoscope, et la regarda d'un sourire amusé. Lentement, sa main pénétra sous sa robe, et du bout des doigts, lui caressa doucement les seins à travers la dentelle blanche du soutien-gorge.

Fermant les yeux, Judith émit un faible soupir. Son toucher

était brûlant. Elle le sentit se rapprocher et lui mordiller doucement le coin de la bouche, augmenter la pression de ses doigts sur
ses mamelons érigés, et envoyer directement des vagues délicieuses à son bas-ventre. Dans le creux de son menton, elle sentait
ses lèvres douces et charnues, tout aussi chaudes que ses doigts.

Des souvenirs d'adolescence lui revinrent lorsqu'elle posa une
main sur la hanche du médecin et, maladroitement, glissa l'autre
sous la blouse blanche, caressant de ses doigts tremblants le dos
musclé. Elle se sentait un peu idiote, car elle ne savait pas
vraiment quoi faire. Quelqu'un pouvait toujours entrer dans la
pièce, mais elle ne voulait pas partir.

Il posa sa langue sur le menton de Judith, et descendit
graduellement. Sa chaleur humide laissait sur la peau de la jeune
femme une trace fraîche qui faisait monter le feu en elle. Elle
savait qu'elle devait répondre à ce geste, mais comment ? Il s'attendait sûrement à plus que de la passivité devant la caresse. Par
contre, lorsqu'elle voulut lui déboutonner sa chemise, il l'arrêta.

— N'oubliez pas, garde : ce soir, c'est moi qui donne le cours.

Elle ne répondit pas, et céda. Elle n'avait peut-être rien à faire,
après tout. Peut-être valait-il mieux le laisser prendre les devants,
tout simplement. Au fond, c'était beaucoup mieux ainsi.

La poussant lentement jusqu'à ce qu'elle pose le dos sur le
sofa, il lui prit doucement les chevilles et lui souleva les jambes,
qu'il plaça derrière lui en s'agenouillant par terre. Puis, il glissa
les deux mains sous sa robe et lui massa le ventre, lui caressa les
seins, lui frotta les mamelons.

Judith tourna la tête de côté, appuyant sa joue brûlante
contre le cuir frais. Ce toucher devint de plus en plus chaud sur
sa peau sensible. Ces mains, à nouveau... Elle les imaginait
autant qu'elle les sentait sur son corps. Ce soir, elles opéraient
une autre sorte de magie, qui n'exigeait aucun instrument
sophistiqué et qui l'apaisait, d'une façon toute particulière.

Les pinces glissèrent de ses cheveux, et sa chevelure paille déboula sur le cuir sombre. Sa propre image apparut derrière ses paupières fermées : une figure blanche et virginale qui n'attendait que d'être prise.

Lorsque le chirurgien se pencha doucement sur elle, l'abdomen appuyé contre ses cuisses, elle sentit sa chaleur à travers le mince coton de son uniforme et voulut immédiatement se défaire de cet obstacle encombrant. Comme s'il lisait dans ses pensées, il remonta les mains pour faire glisser la robe de ses épaules et, du bout des doigts, dégrafa l'avant de son soutien-gorge.

Ses seins généreux se dressèrent, les mamelons d'aplomb, enfin libérés de la contrainte qui les avait retenus prisonniers. L'air frais de la pièce ne suffit pas à calmer la chaleur de leur excitation. Judith voulait désespérément sentir la peau nue de l'homme sur la sienne.

— Excusez-moi, docteur, hasarda-t-elle d'une voix timide, mais je voudrais juste déboutonner votre chemise.

Il rit doucement, surpris par le ton enfantin de sa voix. Après tout, elle n'était qu'une nouvelle recrue. Une infirmière compétente, sans aucun doute, mais à peine sortie de l'école.

— Laissez, dit-il. Je vais m'en occuper moi-même.

Se redressant, il retira sa blouse blanche et la jeta sur un fauteuil. Sa chemise suivit. Le stéthoscope avait mystérieusement disparu.

Les yeux de Judith s'étaient rapidement habitués à l'obscurité de la pièce. Du moins, elle voyait la large poitrine du docteur Harvey, parsemée de boucles noires et serrées. Son excitation redoubla. Elle n'avait fréquenté que des garçons au torse glabre, et la pensée de se perdre dans cette broussaille veloutée nourrit soudainement son désir pour l'homme.

Il resta agenouillé sur le plancher, à côté du sofa. D'instinct,

Judith souleva les hanches et, d'un mouvement vif, retira sa robe, puis enleva délicatement son soutien-gorge, et les jeta nonchalamment.

Enfin, il posa sa tête sur la poitrine de Judith, et sa langue se mit à danser sur ses seins, d'abord doucement, puis, à mesure que montait son impatience, en lui titillant les mamelons. Ses mains continuèrent de trembloter au-dessus de son corps, l'une sur son ventre et l'autre sur ses cuisses.

Judith crut s'évanouir d'excitation. Naturellement, elle écarta légèrement les jambes. Sa vulve était si humide que sa rosée coulait abondamment entre ses fesses et le cuir du sofa, sa culotte saturée incapable de tout l'absorber. Elle était chaude et moite, et sa suave odeur flottait doucement vers ses narines dilatées.

Judith sentit tous ses sens au summum de l'excitation. Elle émit un autre soupir, un peu plus bruyant. Elle savait que c'était un jeu dangereux, que n'importe qui pouvait entrer dans la pièce. Cependant, son uniforme était maintenant sur le plancher, elle avait perdu de vue son soutien-gorge, et sa petite culotte était trempée de sa chaude rosée. Elle ne voulait pas vraiment partir, du moins pas maintenant.

« C'est fou », se dit-elle.

Elle ne s'était jamais sentie aussi bien, pas même la fois derrière la grange avec Jon, le printemps précédent, alors qu'elle était retournée chez elle durant la relâche de mi-session. Elle sourit dans l'obscurité. En comparaison, Jon n'était qu'un gamin, un petit gars. Il ne savait rien des besoins d'une femme. Le docteur Harvey, par contre...

Il émit un soupir sonore en la regardant, presque nue sur le sofa, les jambes écartées, les seins soulevés par chaque respiration, sa longue chevelure blonde contrastant avec le cuir brun. Il se pencha lentement, puis ses doigts fins attrapèrent l'élastique de la culotte et la retirèrent.

Il était impressionnant, car il la surplombait, à demi-nu, les yeux brillant dans l'obscurité de la pièce. Son pantalon arborait la bosse révélatrice : l'organe poussait pour sortir à sa rencontre.

Judith voulut jouir de cette chaleur, se vautrer sans retenue contre le cuir. Elle ferma les yeux et, du bout des doigts, se caressa les seins, joua un certain temps avec ses propres mamelons, agréablement surprise de leur gonflement, puis glissa lentement les mains sur son ventre jusqu'à ce qu'elles se posent sur la face interne de ses cuisses.

Elle leva les yeux vers Harvey et lui sourit. Elle ne s'était jamais caressée devant un homme. Mais ce soir, elle se sentait audacieusement à l'aise, elle savait qu'il était excité à la vue de ses mains papillonnant sur son propre corps. Il se contenta de la fixer un moment, le même sourire amusé encore sur ses lèvres, jusqu'à ce qu'elle lui tende les bras, arquant le dos.

Il la fit se redresser puis s'asseoir dans un fauteuil pivotant, à un mètre du sofa. Cette fois, le cuir sembla glacial sur sa peau nue, et elle frissonna. Cependant, la sueur de son corps forma rapidement une mince pellicule entre sa peau et le cuir lisse, et elle sentit son corps glisser en bougeant, le mouvement amplifié par le bercement du fauteuil. Elle avait chaud, très chaud, la peau à présent allumée par le feu de son excitation.

Harvey s'agenouilla devant elle. Ils étaient maintenant plus près de la porte, et elle le voyait mieux. Elle prit plaisir à le voir lui écarter légèrement les jambes et palper le doux intérieur de ses cuisses.

Insérant son majeur dans son vagin humide, il en caressa lentement la paroi interne en un mouvement circulaire.

— Vous êtes détendue, dit-il. C'est très bien. Très bien.

Sa voix n'était plus qu'un simple murmure. Judith sentait son souffle chaud sur sa vulve, et sa bouche n'était plus qu'à quelques centimètres de sa chair. Elle voulait qu'il l'embrasse là, elle voulait lui prendre la tête pour la rapprocher de son sexe, mais elle n'osait pas le lui demander. Elle écarta les jambes autant qu'elle le put, espérant qu'il réponde bientôt à sa silencieuse invitation.

— Vous avez une bonne odeur propre, dit-il en rapprochant sa bouche. J'aime les filles gentilles et propres.

Sa phrase à peine terminée, sa langue commença à sonder ses replis délicats. Au moment où il la toucha, Judith secoua ses hanches en un spasme de surprise et de joie.

Puis, sa langue s'enfonça en elle alors que son pouce tremblotait sur son clitoris, sa main doucement serrée contre son monticule frisé. La sensation de la langue douce et humide, et des mouvements sensuels qui la découvraient lentement, méthodiquement, était exaltante. Elle savait qu'elle atteindrait bientôt l'orgasme là, contre sa bouche. Déjà, elle ne pouvait étouffer ses bruits de jouissance, un mélange de cris et de gémissements.

Le pouce de Harvey libéra le bouton durci de Judith et il lui souleva les cuisses sur ses épaules, appuyant son visage contre son buisson odorant, en longues lampées fougueuses, grognant bruyamment tout en savourant sa moiteur.

À présent, Judith ne pensait plus, et laissait plutôt réagir son corps. Croisant les chevilles derrière la tête de l'homme, elle rapprocha ses genoux, l'obligeant à la sonder de plus en plus profondément de la langue.

Son derrière baignait maintenant dans un mélange de salive et de coulis d'amour, son corps faisait des bruits de succion en remuant le fauteuil, en glissant, en se balançant d'avant en arrière et de côté, comme un fragile esquif pris dans la tempête de leur exaltation.

Soudainement, elle sentit le besoin irrésistible de pointer les orteils, et contracta tous les muscles des cuisses, les mollets vite durcis, douloureux sous l'effort. L'orgasme déferla à partir de ses genoux, grimpa le long de ses jambes et atteignit rapidement le fond de son bassin. Elle serra les mains, et ses ongles égratignèrent le cuir fin des accoudoirs.

En jouissant, elle poussa un gémissement bruyant et rejeta sa tête en arrière, essoufflée et épuisée. Elle ne ressentait que le pur délice, sans plus s'inquiéter de la venue d'un visiteur. Son plaisir semblait s'être emparé de tout son corps et de son esprit, les envoyant dans une autre dimension. Elle n'avait plus l'impression d'être assise sur un fauteuil de cuir, mais de flotter au-dessus, sans rien toucher. Dans une brume, un flou, elle vit se lever Harvey. Le sourire avait disparu de ses lèvres, mais ses yeux brillaient maintenant d'une nouvelle lumière. De toute évidence, son désir à lui n'avait pas été apaisé; il n'en avait pas encore fini avec elle.

Avec un mouvement fluide des poignets, il ouvrit sa ceinture, laissa tomber son pantalon, et se dressa, soudain complètement nu devant elle. Il resta un moment immobile et elle admira sa peau bronzée, sa poitrine velue. Son membre érigé était si rigide que le bout lui arrivait presque au nombril, et le gland pourpre luisait dans la pénombre de la pièce.

Comme en rêve, Judith tendit le bras, saisit la queue à deux mains et la serra doucement. Celle-ci était telle une tige de fer enveloppée dans une fine couche d'un doux tissu, la peau fluide et mobile sous ses doigts, le centre dur et inflexible. Un moment, elle la sentit palpiter dans ses mains, sa dureté enrobée de velours irradiant la chaleur et la douceur.

Presque immédiatement, il lui saisit les poignets, et l'obligea à lâcher prise. Puis, il lui écarta les bras, comme s'il ne voulait pas se faire toucher, et elle resta passive sous sa domination. S'arc-boutant sur le dossier du fauteuil, il souleva ses genoux sur les accoudoirs, puis éleva son bassin vers le visage de Judith en lui ramenant les mains vers ses fesses avant de pousser son organe dans sa bouche.

Au départ, la taille du membre faillit l'étouffer, mais le fait de le tenir dans sa bouche lui donna une sensation de pouvoir, comme si son plaisir à lui dépendait maintenant d'elle. Déjà, elle sentait une veine palpiter sur sa langue alors que le gland glissait dans un va-et-vient le long de son palais, compact et arrondi comme un petit coussin. Il était doux et chaud, et la fente minuscule laissa échapper quelques gouttes de liquide au goût nouveau et agréable, un peu salé.

Elle le laissa tout simplement bouger dans sa bouche tout en faisant courir ses doigts sur les fesses de Harvey. À présent, elle réagissait instinctivement, lui égratignant doucement le derrière avec ses ongles, pendant que dans sa bouche, sa langue tentait de caresser le sillon de son gland.

— C'est nouveau pour vous, fit-il remarquer. Mais je vois déjà que vous avez du potentiel.

En réponse, elle glissa une main sous ses couilles, les découvrant et les caressant de façon hésitante, du bout des doigts. Elles étaient petites et fermes, comme deux billes de marbre enserrées par un scrotum velu, doux et soyeux.

Le ventre plat de l'homme lui frôla le nez à maintes reprises; elle aimait son arôme, un parfum propre et musqué qui était également nouveau, son cerveau incapable d'associer ce parfum viril à des sensations antérieures.

Dans sa bouche, la prune sembla grossir, et des gouttes minuscules s'écoulaient librement par la fente. Excitée par la réaction que causait la caresse de sa langue, elle se mit à le sucer ardemment, et cela lui parut tout naturel. Elle s'empara à deux mains de sa queue, sans qu'il tente de l'arrêter, cette fois.

Il avait raison, elle n'avait encore jamais fait cela. Elle était censée être une bonne fille, et dans son village natal, les bonnes filles se réservaient pour leur futur mari. Cette pensée la fit presque rire. Elle ne connaissait aucun garçon qui demanderait à sa femme de lui faire une chose pareille !

Elle fut étonnée de découvrir qu'elle avait autant de pouvoir sur le plaisir d'un homme. Elle lui serra fermement la queue et se mit à sucer avec force le gland gonflé, et, prise d'une faim étrange, s'obligea à pomper davantage à mesure qu'il se mit à haleter. Elle se sentait forte avec, dans sa bouche, cette queue dure et veloutée, qui palpitait sur sa langue. Puis, une autre montée de chaleur se manifesta entre ses jambes : elle en voulait plus.

Harvey aussi. Le souffle rapide, il lâcha le dossier du fauteuil pour lui caresser les cheveux, et gémit bruyamment sous la jouissive étreinte de sa bouche avide. Elle le sentait palpiter sur sa langue, continuait de sucer et de lécher le gland pourpre, et souhaitait l'avaler complètement, ou presque. Tendant la main pour à nouveau lui caresser les couilles, elle les sentit se rétracter et se demanda s'il était sur le point d'atteindre l'orgasme. La pensée de recevoir sa semence dans sa bouche était à la fois excitante et effrayante.

Soudain, il se retira. Pour Judith, ce fut totalement inattendu, et un peu décevant, car elle avait hâte de le découvrir davantage et de savoir si sa bouche pouvait l'amener au summum du plaisir. Un moment, elle crut avoir fait quelque chose de mal, mais il la rassura d'un sourire.

— Vous apprenez vite, dit-il en descendant laborieusement du fauteuil. Vous méritez une mention spéciale pour votre enthousiasme.

À nouveau, il se tenait debout devant elle. Elle caressa des yeux sa silhouette musclée, son ventre plat, ses hanches étroites, ses cuisses fermes. En effet, il était fort séduisant, et c'était probablement le meilleur professeur qu'une femme pût vouloir rencontrer. Et maintenant, il était avec elle… Elle voulait tant le sentir en elle, être prise par un homme qui savait ce qu'il faisait, et non par un garçon de ferme à peine pubère.

Harvey s'agenouilla et lui saisit les hanches, la tirant vers lui. Très lentement, il la pénétra. Encore plus lentement, il se mit à bouger. Judith trouva extrêmement agréables ces poussées sans hâte, si différentes des coups rapides et saccadés de ses ex inexpérimentés. Elle gémit doucement, et se sentit comblée à maintes reprises.

— Je ne jouirai pas avant vous, dit Harvey sur le ton d'une promesse.

— Ça ne devrait pas être bien long, avoua-t-elle.

Elle sentait déjà monter en elle un autre orgasme, et la queue ferme rallumer la réaction que la bouche avait déjà déclenchée. Il glissa ses poignets sous les jambes, en faisant glisser le dos de ses cuisses laiteuses le long de ses avant-bras pour les nicher confortablement dans le pli de ses coudes.

Son mouvement prit alors de l'élan, une fois de plus accompagné par le balancement du fauteuil. L'orgasme de Judith revint très rapidement et soudainement, presque violemment. Elle ne put réprimer un cri, et tant pis si le monde entier pouvait l'entendre.

— Totalement dépourvue d'inhibitions, murmura-t-il à voix basse. Que c'est beau, voir une femme prendre son plaisir à la limite.

Ses poussées s'intensifièrent tout en accélérant. Il se pencha et prit un sein dans sa bouche. Sa succion était forte et il lui mordilla brièvement le mamelon. Judith cria de nouveau, jouissant de cette rude caresse. Puis, il lâcha prise avec un grognement, la tête jetée en arrière. Ses yeux exorbités fixaient le vide, et sa bouche était grande ouverte. À chaque coup de son membre, des cris sortaient de sa gorge, plus forts, plus sonores, et se réverbéraient dans la pièce.

Un ultime hoquet accompagna son orgasme et il retomba sur elle, sans vie, comme si son plaisir avait emporté toute son énergie. Un moment, sa tête se posa sur ses seins, le souffle de sa bouche et de son nez lui frôlant doucement le mamelon.

Judith enfouit son nez dans les cheveux de son amant, des cheveux qui avaient la douce odeur de l'été. Du bout des doigts, elle lui frôla la joue et lui embrassa le front. Elle sentait son miel déborder d'elle, doux et chaud, comme un cadeau.

— Merci, murmura-t-elle.

Il leva lentement les yeux vers elle et sourit:

— Tout le plaisir est pour moi, garde.

Il resta immobile pendant que le feu se retirait lentement du corps de Judith. Elle était épuisée, mais heureuse. Elle aurait pu rester éternellement ainsi, retenant son chaud corps de mâle dans ses bras. Par contre, après seulement quelques secondes, il se leva et tituba vers la salle de bain.

— Je crois que je vais prendre une douche, dit-il d'un ton ensommeillé, la regardant par-dessus son épaule. J'espère que nous aurons bientôt l'occasion de collaborer à nouveau. Encore une fois, bienvenue à la Clinique Dorchester.

Il disparut derrière la porte. Bientôt, elle entendit couler la douche. Elle se leva et ramassa ses vêtements, ses jambes la portant à peine. À plus d'un égard, sa première journée à la clinique avait été une révélation. Cela ne ressemblait en rien aux endroits où on l'avait envoyée durant ses stages de formation...

À mesure que son cerveau recommençait à fonctionner, elle comprit que ce qui venait de se passer était à peine croyable. Elle était étonnée de sa propre réaction, de la facilité avec laquelle elle s'était laissé séduire. Mais comment aurait-elle pu refuser?

Elle regarda autour d'elle, soudainement inquiète. Ce n'était pas du tout professionnel, surtout le premier jour au travail! Si quelqu'un les avait surpris, elle aurait pu perdre son emploi. Elle ne pouvait tomber ainsi entre les pattes d'un médecin, aussi séduisant fût-il. Elle ne pouvait prendre un tel risque.

Déshabillez-vous

Elle s'assit à nouveau, la chair encore chaude du toucher de Harvey, le corps épuisé par le plaisir qui venait de la secouer. Cette première fois serait aussi la dernière. Il le fallait.

Chapitre trois

Judith ouvrit son sac de sport et en retira la serviette. Encore haletante depuis sa séance de jogging, elle se sentait détendue, énergique et prête à entamer sa deuxième journée de travail. Elle était également contente de s'être bien débrouillée pour retrouver son chemin dans les rues passantes du sud-ouest de Londres.

En ce début de matinée, le vestiaire des infirmières était désert. La case de Judith se trouvait au milieu de la dernière rangée, assez loin de la porte principale, mais à proximité de la salle de repos. En tout, il y avait une soixantaine de longues boîtes métalliques peintes en rose, chacune munie d'une plaque indiquant le nom de son occupante.

Assise sur le banc de bois, Judith enleva son t-shirt et ses leggings humides, et les plaça dans un sac plastique. C'était une bonne idée, courir pour se rendre au travail. Le vestiaire des infirmières disposait d'une grande salle de douches, donc elle pouvait se rafraîchir avant son quart, pour se défaire de la poussière qui lui collait à la peau à mesure qu'elle traversait l'arrondissement de Hammersmith au pas de course. De plus, arriver tôt lui permettait aussi de récupérer de cette course de huit kilomètres.

Elle tourna lentement le coin pour entrer dans la salle des douches. Le carrelage de céramique blanche était rafraîchissant sous ses pieds endoloris. Les douches étaient disposées dans une grande salle commune, plutôt que dans des cabines indivi-duelles, comme au gym. Ce matin, Judith en était la seule occu-pante, et pouvait choisir n'importe laquelle des neuf douches qui longeaient le mur du fond. Elle en cibla une au milieu, et tourna le petit robinet.

La pomme de douche émit un jet puissant qui la trempa aussitôt de la tête aux pieds, massa ses jambes endolories, et calma ses joues encore en feu. Elle fit couler dans sa paume quelques gouttes de shampooing, avec lesquelles elle peigna ses cheveux humides, qu'elle fit ensuite abondamment mousser. Son parfum de papaye était également rafraîchissant et récon-fortant, et la mousse épaisse glissait, comme des serpents gras et blancs, sur son cou et ses seins, pour s'accumuler au monti-cule touffu, au bas de son abdomen.

Ses doigts savonneux passèrent entre ses jambes, et leur bout glissa tendrement sur les replis doux et sinueux de sa vulve. En une fraction de seconde, son clitoris réagit en se redressant, soulevant sa pointe minuscule sous la caresse savonneuse.

Judith soupira. Les images de la veille lui revenaient à l'esprit après avoir hanté son sommeil pendant toute la nuit. Malgré la culpabilité qu'elle avait ressentie après le départ de Harvey, elle souhaitait qu'il revienne la hisser à nouveau au summum du plaisir. La prochaine fois, si elle en avait la chance, elle ne reste-rait pas passive... S'il y avait une prochaine fois.

En y réfléchissant, elle avait tout réglé. Tout serait parfait s'ils pouvaient se rencontrer après le travail, afin que personne ne s'en aperçoive. Ce serait fort risqué, il leur faudrait être très discrets.

Cela voulait dire, aussi, qu'ils auraient une liaison! Elle, Judith Stanton, fraîchement diplômée, entretenir une aventure avec le docteur Robert Harvey, le chirurgien renommé! Incroyable!

Sans compter qu'il avait peut-être plusieurs amantes parmi le personnel. Elle n'était pas stupide au point de croire qu'elle était la seule infirmière à avoir jamais été amenée au salon des médecins. Par contre, elle le partagerait avec joie si, en retour, il la gardait satisfaite.

Allait-il la désirer de nouveau ? La veille, avait-il été vraiment satisfait de leur rencontre lubrique, ou était-ce dû uniquement à l'excitation d'avoir fait une nouvelle conquête ?

Elle refit tendrement le parcours de la langue de Harvey sur sa chair soyeuse, insérant deux doigts dans son vagin, se caressant le clitoris avec le pouce. En se contractant, sa chatte happa aisément ses doigts, et son corps céda doucement à l'excitation restée en elle, constante, depuis la veille.

Ayant su d'instinct comment la satisfaire, Harvey semblait tout à fait lui convenir et susciter dans son corps des réactions qu'elle-même n'avait jamais soupçonnées. D'un autre côté, il y avait le danger d'être découverte. Pouvait-elle risquer son emploi pour quelques minutes de plaisir, si intense fût-il ?

C'était une décision ardue. S'il s'approchait à nouveau pendant les heures de travail, elle aurait à combattre son désir. D'un autre côté, elle le sentait encore à l'intérieur de sa chair, et serait prête à faire n'importe quoi pour se retrouver dans ses bras.

Tout cela était tellement contradictoire ! Normalement, elle se serait bien passée de ce genre de réflexion, car elle détestait les dilemmes ; mais à présent, elle n'y pouvait rien. Son esprit vagabondait malgré elle, ses pensées restaient impossibles à refréner, et le souvenir augmentait son excitation.

Ses doigts se mirent à danser d'eux-mêmes sur sa vulve. Déjà, leur rythme accélérait, et Judith se pénétra profondément, caressant le centre même de son trésor touffu, sentant approcher l'orgasme.

— Je parie qu'elle est en train de penser à Harvey ! s'écria derrière elle une voix inattendue.

Judith se retourna soudain, surprise de voir qu'elle n'était pas seule, après tout, dans le vestiaire des infirmières.

La salle des douches était pleine de vapeur de l'eau chaude qui coulait à gros bouillons du mur, mais elle voyait nettement deux silhouettes blanches, deux consœurs qui la fixaient d'un air espiègle.

Elle avait la main droite encore agrippée à son vagin, les doigts avalés par la caverne palpitante, et l'autre main posée sur ses seins gonflés. Soudain, elle eut honte et se retourna vers le mur, ramenant rapidement ses deux mains vers sa tête en faisant semblant de se laver les cheveux. Depuis combien de temps étaient-elles là ? Qu'avaient-elles vu ?

— Une bonne recrue, poursuivit la fille derrière elle, d'une voix forte. Je me demande si elle a déjà subi son initiation...

L'autre infirmière éclata de rire :

— D'après ce que j'ai entendu dire, elle s'est déjà tapé Harvey; pas mal, pour une première journée.

Elles eurent toutes les deux un rire rauque, presque un grognement. Judith ne répondit pas, car elle voulait désespérément qu'elles s'en aillent et la laissent seule. Leurs paroles la rendaient furieuse. Qui étaient-elles ? Et comment savaient-elles pour son batifolage avec le docteur Harvey ? Elle continua de se rincer les cheveux en espérant les voir disparaître bientôt.

Mais elle les entendit plutôt rire de plus belle en s'approchant d'elle. Une petite main saisit le robinet et le tourna pour augmenter le débit d'eau chaude. Soudainement prise au piège, Judith se retourna pour partir, mais la grande fille la poussa contre le mur. Son esprit tourbillonna, affolé, et maintenant qu'elles étaient plus proches, elle se rappela les avoir vues la veille au matin.

Tania et Jo, deux infirmières du quart de nuit; à cette heure-ci, elles quittaient probablement le travail. Elles semblaient prendre un grand plaisir à maintenir Judith plaquée contre le mur de céramique mouillé, pour l'empêcher de bouger.

— Qu'est-ce que vous voulez? demanda-t-elle, soudainement agacée par leur comportement et un peu craintive. Lâchez-moi.

Les deux autres continuèrent à ricaner, tout en la maintenant collée au mur. Tania était ravissante, avec ses longs cheveux lisses, noir jais, et son regard perçant. Grande et mince, elle maintenait le bras de Judith d'une poigne de fer, ses doigts fins serrés sur la peau douce.

— Te lâcher? dit-elle d'un ton sarcastique. Mais ma chère, on vient de faire connaissance. Il serait impoli de ne pas aller plus loin, maintenant. N'est-ce pas, Jo?

Jo était plus petite, pâle, blonde et voluptueuse. Très jolie, mais l'air artificiel, probablement à cause de tout son maquillage. Les deux femmes étaient la nuit et le jour, cependant elles semblaient toutes les deux cruelles, chacune à sa façon.

Judith aurait voulu qu'elles disparaissent ou, du moins, qu'elles la libèrent. L'eau chaude qui giclait de la pomme de douche produisait un nuage de vapeur et éclaboussait leurs uniformes. Elles n'allaient sûrement pas rester beaucoup plus longtemps. Toutefois elles semblaient prendre plaisir à tourmenter la pauvre Judith. De toute évidence, elles savaient comment s'y prendre.

— Alors, que penses-tu de Harvey? lança Jo. Il est bon baiseur, non? As-tu aimé sentir ses mains sur toi? Moi, oui... As-tu aimé sa façon de te caresser les seins?

Elle laissa lentement ses doigts parcourir les seins de Judith, les tenant tour à tour d'une main, lui titillant les mamelons, qui la trahirent en faisant saillie.

— Bien, dit Tania en fixant les globes gonflés. Je vois qu'on peut tirer quelque chose de toi, ma jolie. On se demandait justement comment t'accueillir à notre façon.

Elle posa sur la joue de Judith un baiser fort, presque violent, et ses lèvres minces glissèrent rapidement jusqu'à sa bouche. Entre-temps, Jo continuait de titiller les seins de Judith, les caressant doucement, presque amoureusement, tandis que ses doigts jouaient avec les gouttelettes d'eau qui perlaient encore sur la peau blanche.

Judith était pétrifiée. Les femmes la caressaient contre sa volonté, mais étonnamment, elle ne pouvait s'empêcher d'être excitée par leur comportement. Jamais de sa vie elle n'avait senti la caresse d'une femme, même si elle soupçonnait qu'elle n'était pas si différente de celle d'un homme. Et dans une certaine mesure, sa colère était contrebalancée par sa curiosité.

— Tu as des seins merveilleux, mon amour, lui murmura Jo à l'oreille. Tu nous laisses goûter ? Tes mamelons semblent délicieux. Voyons ce qu'ils peuvent supporter.

Elle saisit la pomme de douche pour en diriger le jet sur les mamelons de Judith. L'eau rebondit sur sa poitrine en une pluie d'aiguilles bouillantes qui la pinçaient. Judith haleta sous la douce torture. Tania et Jo rirent à nouveau.

— Crois-tu qu'on finira par l'avoir ? demanda Tania avant de s'emparer de la bouche de Judith et de l'envahir de sa langue.

Jo continuait à murmurer à l'oreille de sa victime :

— Une bonne langue, non ? Aimes-tu sa façon de te posséder, agréablement rude ? N'aimerais-tu pas sentir cette langue ailleurs sur ton corps ?

Elle continua un moment de caresser les seins de Judith.

— Ici ? Je sais que tu aimerais ça.

Sa main glissa vivement sur le ventre de Judith jusqu'à ce que ses doigts disparaissent sous le monticule touffu.

— Ou bien ici ? Elle lèche bien, elle sait exactement comment te faire jouir rapidement. Ou bien lentement, si c'est ce que tu préfères. Mais aujourd'hui, tu n'es pas en mesure de nous dire ce que tu aimes. C'est nous qui décidons.

Judith ne put répondre. Ses genoux vacillaient, faiblissaient rapidement. La bouche de Tania était collée à la sienne, sa langue serpentant sur ses lèvres. Jo continuait de parler à l'oreille de Judith, couvrant à peine le bruit du jet d'eau.

— Combien de fois Harvey t'a-t-il fait jouir ? A-t-il commencé par te lécher avant de te prendre avec sa délicieuse queue, ou l'inverse ? Je ne saurais te dire combien de fois j'ai atteint l'orgasme sous sa langue. Il est si habile... Mais tu sais, Tania est tout aussi bonne, sinon meilleure...

Les deux femmes s'abaissèrent en même temps et leurs doigts prirent d'assaut la vulve palpitante de Judith, étirant à la limite la caverne moite, créant une sensation pénible, mais agréable en bougeant lentement à l'intérieur, découvrant la douceur des parois de la cavité. Judith se sentit céder sous leur toucher.

Malgré sa colère, elle était excitée et réagit d'une façon délirante aux caresses de ses tortionnaires. Elle ne savait si ce n'était dû qu'à leur toucher, ou aux images qui lui venaient en écoutant la litanie de Jo. C'était peut-être une combinaison des deux, accentuée par ses souvenirs de la soirée précédente.

Tania était très forte et dominatrice, et sa bouche maîtrisait encore la jeune recrue.

— Laisse-la te sucer la langue, conseilla Jo d'une voix sensuelle. Tu auras une meilleure idée de ce que ce sera lorsqu'elle se mettra à lécher ton magnifique clitoris...

À ce moment, Judith réalisa qu'elle répondait malgré elle aux baisers de la grande fille : leurs langues étaient entortillées, leurs lèvres scellées dans une étreinte passionnée. Sa colère s'évanouissait progressivement, et donnait encore plus d'espace à son excitation croissante. À présent, elle n'était retenue que par la force des filles qui la plaquaient au mur. Elle se sentait encore quelque peu irritée, mais proche de l'orgasme. Cette combinaison de colère et d'excitation, elle ne l'avait jamais sentie, et elle en était d'autant plus fébrile.

Elle n'arrivait pas à savoir si elle aimait ou si elle détestait, ni si elle voulait qu'elles arrêtent ou qu'elles continuent. Sa respiration devint laborieuse, son cœur battait furieusement, ses jambes faiblissaient.

Elles la dégagèrent un peu, et Judith glissa le long du mur pour s'affaler sur le sol de carreaux. À présent, l'eau tombait à quelques centimètres d'elle, mais pas sur son corps, ce qui la soulageait quelque peu. Jo s'agenouilla derrière elle, hissant la tête et les tresses humides de Judith sur ses cuisses, saisissant à pleines mains ses deux seins, la retenant prisonnière.

Mais à présent, Judith ne songeait même plus à s'échapper. Même si elle n'approuvait pas leur approche cavalière, son excitation était telle qu'elle cédait malgré elle à leur assaut.

Jo se pencha pour saisir les mamelons de Judith dans sa bouche.

— Ils sont tellement gros, tellement succulents, soupira-t-elle.

Elle cessa de parler, le temps de leur faire une sucette rapide et goulue. Entre-temps, Tania s'était agenouillée entre les jambes de Judith, et sa bouche fila vers le bouton raide qui attendait sa récompense avec impatience.

— Attends, dit Jo. Goûte ça d'abord.

Tania sourit malicieusement et s'approcha de sa cible. Ses doigts longs et minces entourèrent rapidement les seins lourds tandis qu'elle pinçait un mamelon entre ses lèvres. La sensation était si forte que Judith ne put s'empêcher de crier de douleur.

— Tu n'aimes pas ça ? demanda Jo. C'est une bien bonne paire de lèvres. Quand je lui dirai, elle va commencer à te lécher et à te sucer le clito comme tu ne l'as jamais senti. Crois-moi, pas un homme sur cette planète ne peut le faire aussi bien qu'elle.

C'est d'ailleurs à cause de ça qu'elle a décroché son poste ici...

Penchées au-dessus d'elle comme des vautours affamés, les deux femmes s'occupaient maintenant de ses seins. Judith ne pouvait bouger, parce qu'elles la retenaient avec leurs corps, mais plus probablement parce qu'elle espérait qu'elles respectent leur promesse de la faire jouir.

La bouche de Tania lui picorait vivement les mamelons, alternant avec rythme et énergie entre les deux pics érigés. De temps à autre, ses dents les frôlaient aussi, lançant un éclair de plaisir et de douleur dans l'abdomen de Judith jusqu'à la fente de son entrecuisse, ce qui ne faisait qu'augmenter son excitation.

Jo n'utilisait que sa langue, caressant les seins entiers en les léchant longuement et méthodiquement. De temps à autre, Judith sentait leurs joues se frotter contre sa tendre peau, tellement plus douce et plus agréable que la rude peau d'un homme. Même leurs mains étaient plus douces, malgré leur façon parfois brusque de la caresser. Elle s'aperçut alors qu'une femme savait peut-être mieux comment faire plaisir à une autre femme...

Judith se mit à hoqueter, de plaisir plus que de colère. Ses tortionnaires étaient habiles, mais elle était un peu inquiète du pouvoir qu'elles semblaient détenir sur elle.

— Maintenant, ordonna Jo avant de se pencher pour s'emparer une fois de plus des mamelons de Judith.

Tania descendit, la bouche changeant de cible, passant en un éclair des seins à la vulve de Judith. Immédiatement, ses lèvres minces saisirent comme une pince d'acier le clitoris gonflé, le faisant réagir et durcir encore davantage.

Judith hurla. La sensation était intense et pénible, comme une morsure, mais elle envoyait aussi dans tout son corps une vague de plaisir qui la faisait trembler de façon incontrôlable. Une seconde plus tard, Tania dégagea complètement son emprise. Judith était quelque peu soulagée, mais son corps était terriblement déçu. Elle gémit bruyamment. Jo éclata de rire.

— Qu'est-ce que tu penses de ça ? demanda-t-elle d'une voix forte. Je t'ai bien dit qu'elle était bonne, non ? Alors, veux-tu qu'elle te fasse jouir ? Hein ?

Judith se mit à pleurer. Elle était épuisée, elle voulait qu'on la soulage, que ses assaillantes la fassent jouir, mais elle avait trop honte de ses désirs pour le leur demander.

— Ça suffit ! cria une autre voix.

Soudain, Tania et Jo levèrent la tête. Sans force sur le sol glissant, Judith continuait de pleurer. À l'entrée de la salle des douches se tenait madame Cox, la superviseure des infirmières. Fin trentaine, assez grande et bien galbée, avec des cheveux noirs et frisés, elle était fort belle. Avec sa peau pâle et ses lèvres d'un rouge somptueux, elle ressemblait à une vedette du cinéma des années quarante. Malgré sa beauté classique, elle était sévère et stricte même si elle parlait généralement à voix basse, donnant presque toujours des ordres, comme maintenant. Judith avait entendu dire d'une collègue que malgré cette attitude revêche, la femme avait le respect et même l'appréciation de tout le personnel infirmier. Ce matin, cependant, elle semblait furieuse de ce qui se passait dans les douches.

Tania et Jo se levèrent d'un air penaud, leurs uniformes trempés. Étendue et immobile sur les carreaux de céramique, l'épaule à quelques centimètres du jet d'eau, Judith les regardait à travers ses larmes. Les deux femmes ressemblaient à des vampires lubriques, à deux vagues silhouettes perdues dans un nuage de vapeur, mais leurs mamelons dressés restaient fort visibles à travers leurs uniformes mouillés. Une fraction de seconde, Judith ne put s'empêcher d'être attirée par leurs seins gonflés. Si seulement madame Cox n'était pas entrée, elle aurait peut-être eu l'occasion de les caresser, elle aussi…

— Vous connaissez l'une autant que l'autre la consigne

concernant les nouveaux membres du personnel, dit madame Cox aux filles. J'espère que vous vous retiendrez, à l'avenir. Vous passerez à mon bureau avant votre quart de ce soir. Maintenant, partez.

Les deux silhouettes dégoulinantes sortirent de la pièce toujours embuée.

Judith se releva lentement, légèrement soulagée, mais le corps encore excité, et vexée de ne pas avoir joui. Madame Cox se dirigea vers elle et ferma le robinet.

— Je suis désolée, dit-elle sèchement. J'espère qu'elles ne vous ont pas fait mal. Elles seront punies, si ça peut vous consoler.

Judith continuait à sangloter, plus de frustration que de soulagement.

— Avez-vous joui? demanda madame Cox, sur le même ton.

Judith leva les yeux, étonnée. Pourquoi lui demandait-elle une chose pareille? La question était directe, neutre, mais si incongrue que Judith en perdit un moment la parole. Cependant, le ton de la voix de sa supérieure exigeait une réponse.

— N... n... on, bégaya-t-elle.

Madame Cox se dirigea vers elle avec détermination et passa rapidement un bras autour de la taille nue de l'infirmière, la retint fermement et glissa l'autre main entre les jambes de Judith.

Judith était trop surprise pour dire quoi que ce soit. Le toucher de la femme n'était pas vraiment doux; un peu vigoureux, mais agréable. Elle sentait déjà remonter son excitation. Rapidement, les doigts experts stimulèrent le clitoris gonflé et raide, glissant rapidement en aller-retour sur la vulve humide, transformant une fois de plus Judith en marionnette dévergondée.

Judith glissa les bras autour du cou de la femme et y nicha timidement sa tête. Son plaisir s'accrut, et monta jusqu'à éclater en elle, enfin libéré. Son orgasme fut long et fort, comme un raz-de-marée. Judith gémit doucement alors que sa tête retombait sur l'épaule de madame Cox, ses larmes rapidement absorbées par la mince étoffe de l'uniforme de la superviseure.

— Voilà, dit madame Cox en dégageant la taille nue de son étreinte. Maintenant, allez travailler, vous avez des patients à soigner.

Elle se retourna et disparut, laissant Judith seule dans le vestiaire, repue, mais bien perplexe.

Chapitre quatre

Judith avait les bras si faibles qu'elle arriva à peine à soulever son imperméable pour l'accrocher au portemanteau. Appuyée contre le mur, elle retira ses chaussures sans les délacer, en arrachant chacune au moyen de l'autre pied, trop fatiguée pour se pencher.

Elle les repoussa dans un coin et elles se cognèrent bruyamment contre le mur, puis rebondirent dans des directions différentes, le soulier gauche disparaissant sous la table du téléphone, tandis que le droit se nichait derrière le porte-parapluie. Judith les regarda en soupirant. Ces chaussures neuves n'allaient pas durer longtemps si elle n'en prenait pas meilleur soin. Pas de problème : maintenant qu'elle avait un emploi, elle allait pouvoir s'en payer chaque mois. Et puis cette paire n'était pas de la plus grande qualité. Le cuir épais manquait de souplesse, refusait de s'adapter à la forme de ses pieds, et lui torturait les talons après quelques heures. Et il était déjà taché de sang, à cause d'une seringue défectueuse.

Sous ses pieds endoloris, le tapis du hall d'entrée était beaucoup plus doux, et elle remua un peu les orteils. Elle se sentait mieux, mais à présent, n'avait qu'une envie : soulever les jambes.

En se dirigeant vers sa chambre, elle enleva machinalement la pince qui retenait ses cheveux, et sa crinière blonde enfin libre rebondit sur ses épaules en une cascade de boucles pâles. C'était tout un soulagement, car elle détestait devoir attacher ses cheveux.

Pour une étrange raison, son sac à main était plus lourd qu'à son départ, le matin. Elle l'avait porté à grand-peine en grimpant les trois volées de marches qui menaient à son logement. Le lendemain, avant d'aller au travail, elle devrait passer son contenu en revue pour en retirer les choses inutiles.

En franchissant la porte de la cuisine, elle remarqua qu'il y avait quelqu'un. Elle savait déjà que ce n'était pas Brenda, sa colocataire, mais probablement l'un de ses nombreux copains qui venaient constamment à l'appartement, et qui ne s'attardaient jamais longtemps. Ne voulant pas vraiment rencontrer celui-ci, Judith jeta néanmoins un coup d'œil furtif.

À moitié caché derrière la porte ouverte du réfrigérateur, la tête renversée, il buvait du lait à même le contenant. Un filet de gouttes fines et pâles dévalait son cou et sa poitrine nue. Il ne semblait pas la remarquer. Judith se dit qu'elle allait devoir prendre son café noir le lendemain matin, et se dirigea vers sa chambre.

En ouvrant la porte, elle tourna légèrement la tête pour jeter un dernier coup d'œil, et vit l'homme disparaître dans la chambre de Brenda. Elle s'aperçut alors qu'il était complètement nu. Elle ne voyait que son dos, large et musclé, et une paire de fesses serrées, rondes et fermes. Elle ne le connaissait pas — de toute évidence, ce mec était nouveau sur la liste de Brenda.

Elle entra dans sa chambre et soupira en refermant la porte derrière elle, jetant son sac dans un coin avant de s'effondrer à plat ventre sur le lit. Une autre dure journée de travail! Au milieu de la semaine, elle était déjà épuisée.

Des heures à circuler dans les couloirs, à rencontrer le personnel, à s'acclimater aux installations, à assister dans la salle d'opération. Ses journées seraient probablement plus faciles lorsqu'elle connaîtrait tout le monde et tout l'équipement.

Elle se retourna lentement sur le dos et se leva avec effort.

Lorsqu'elle alluma sa lampe de chevet, la faible ampoule jeta une lueur bleue dans la petite chambre. Avec un soupir de fatigue, elle se mit à déboutonner son uniforme, dont le coton blanc paraissait encore étonnamment propre au toucher. Elle allait devoir en acheter d'autres, en plus des chaussures.

Selon les règlements de l'établissement, toutes les infirmières devaient s'habiller en blanc de la tête aux pieds, jusqu'aux sous-vêtements, mais n'avaient pas à porter le bonnet ni l'uniforme bleu marine de la plupart des infirmières britanniques. Selon la direction, l'uniforme blanc créait une atmosphère moins clinique mais tout de même professionnelle, comme en Amérique, la Mecque de la chirurgie esthétique, où le personnel porte du blanc. En fait, un grand nombre des politiques de la clinique reproduisaient celles des établissements américains et donnaient au personnel infirmier l'allure d'esthéticiennes visagistes.

Lorsque sa robe tomba au sol, Judith fixa son reflet presque nu dans le miroir. Elle se reconnut à peine, mais trouva son image fort agréable.

Son soutien-gorge était tout neuf, en dentelle mince renforcée de cerceaux métalliques, et agrafé entre les seins, ce qui les remontait en accentuant leur galbe, et laissait timidement paraître les cercles bruns de ses mamelons. Sa culotte assortie, agréablement douce et dentelée, révélait un tout petit peu la touffe de boucles blondes. Son porte-jarretelles complétait l'ensemble et retenait des bas blancs transparents, même si on ne l'obligeait pas à en porter. Néanmoins, Judith avait essayé d'en porter pour la première fois aujourd'hui, et se sentait nettement plus jolie ainsi. Le blanc lui allait bien, contrairement à ce qu'elle avait pensé, vu sa peau laiteuse.

Soudain, elle ne voulait plus se rhabiller, mais tout simplement regarder cette jolie fille qui la fixait dans le miroir. Était-ce la fille que Robert Harvey avait caressée, à peine quelques soirs auparavant? La même qui s'était soumise à une douce torture dans la salle des douches, l'autre matin? À présent, Judith se sentait différente, et semblait même le paraître un peu...

Encore aujourd'hui, elle avait été plutôt mal à l'aise au travail. Tous les gens qu'on lui avait présentés la regardaient fixement, peut-être un peu trop longtemps, la déshabillaient des yeux en l'évaluant rapidement de la tête aux pieds, et semblaient étudier son corps avec un intérêt à peine déguisé.

Ou alors n'était-ce que son imagination en cavale? Elle devait admettre que, même si elle était parfois déroutée, tout le monde était fort sympathique et accueillant. Parfois peut-être un peu trop. Cela l'effrayait et l'excitait, paradoxalement.

Elle avait commencé son nouvel emploi d'une façon tout à fait inhabituelle, sa sensualité éveillée et mise au défi dès le départ. Maintenant, l'esprit clair, elle voyait la situation avec réalisme. Cet épisode avec Robert Harvey puis l'autre avec Tania et Jo n'étaient que des coïncidences. Ces baiseurs cherchaient probablement à l'ajouter à la liste de leurs conquêtes, à impressionner les nouvelles recrues. À l'avenir, il lui suffirait de les éviter. Mais en aurait-elle la force?

Tania et Jo, ce n'était pas vraiment un problème, sauf si on lui donnait le même quart qu'elles. Cela viendrait tôt ou tard, mais elle s'en occuperait en temps et lieu. Robert Harvey, c'était une autre histoire. Elle ne l'avait pas du tout vu aujourd'hui, mais elle devrait bien travailler avec lui, tôt ou tard. Qu'allait-il se passer? Allait-il tenter de la séduire à nouveau? Elle l'espérait... Ou peut-être pas... Elle ne savait plus.

Quant à madame Cox, elle n'avait rien d'inquiétant. La superviseure avait sans doute senti que Judith avait besoin de donner libre cours à son plaisir, ce matin-là dans la salle des douches. Elle avait tout simplement procuré à la jeune infirmière l'orgasme qu'il lui fallait. Mais Judith ne pouvait se débarrasser de l'étrange sentiment qui l'avait envahie, et qu'elle gardait. La femme avait eu une façon tellement froide, presque clinique, de donner du plaisir à la jeune infirmière, comme si cela faisait partie de son emploi. Étrangement, Judith en avait encore envie, comme si les rudes caresses de la femme lui avaient donné le goût d'en avoir plus...

Elle se regarda de nouveau dans la glace. Elle voyait bien qu'elle était très jolie, mais aussi plutôt novice en matière de plaisir physique. Même à l'adolescence, les quelques jeunes hommes qu'elle avait fréquentés craignaient presque de la toucher, par peur du rejet. Certains la traitaient comme un trophée à conquérir et ne s'intéressaient qu'à leur plaisir, jamais au sien.

Elle avait besoin d'un homme, d'un vrai, comme Harvey. Son corps avait envie d'être amené au sommet du plaisir, de vivre de nouvelles sensations, de découvrir le contentement. Sa chair se languissait de savoir combien elle pouvait en prendre.

De la chambre de Brenda, de l'autre côté du couloir, provenaient les bruits familiers que Judith entendait presque chaque soir : des gémissements et des grognements. Elle soupira.

Brenda, insatiable, apparemment incapable de passer une nuit seule, recevait une série d'hommes dans son lit. Cela agaçait Judith. Mais par moments, elle ne pouvait s'empêcher d'être excitée par les bruyants ébats sexuels. Au point qu'elle ne savait plus si elle en avait assez des cris retentissants de Brenda, ou si elle était tout simplement jalouse, du fait d'être toujours seule.

Elle s'étendit sur le lit et ferma les yeux, imaginant que c'était elle qui jouissait. Elle s'imagina la chaleur du corps d'un homme l'enveloppant dans une étreinte réconfortante, comme un nuage vaporeux. Involontairement, elle se tortilla sur l'édredon ; son excitation s'éveillait en elle, et ses doigts initiaient graduellement leur danse sur sa douce peau.

Elle le voyait grand, magnifique, puissant. Un amant imaginaire, incroyablement séduisant, ne désirant que son plaisir à elle, esclave de ses désirs. Comme d'habitude, il n'avait pas de visage, ou plutôt, il en avait plusieurs. Parfois noir, parfois blond, toujours parfait dans sa beauté masculine. Bien sûr, ses muscles étaient fermes et sa peau, chaude et douce. Mais par-dessus tout, il était à elle, à elle seule, un des nombreux hommes imaginaires qui lui avaient ainsi rendu visite dans son lit.

Des rires s'élevèrent dans la chambre de Brenda. Judith ne savait pas exactement ce que faisaient ces deux-là, mais ils semblaient prendre leur pied. Soudain, elle ne fut plus agacée, ni furieuse : à présent, elle comprenait. Elle voyait que Brenda et elle avaient quelque chose en commun, qu'elles étaient sœurs dans leur quête de jouissance.

Judith guidait à présent les mains de son amant invisible sur ses seins couverts de dentelle, le pressant de les caresser délicatement, de chatouiller doucement ses mamelons, le poussant à les égratigner de ses ongles, à les torturer jusqu'à ce qu'ils deviennent rigides au point de percer le tissu délicat. Ses mamelons étaient beaucoup plus sensibles lorsqu'on les stimulait à travers la dentelle...

Puis, elle lui montra comment caresser le dessous de ses seins, en l'incitant à les tenir délicatement, sans jamais cesser de s'occuper des pointes dressées. Il la touchait d'une façon exquise, comme toujours, et elle gémissait doucement, les lèvres serrées.

Sa vulve eut une réaction rapide, et même immédiate, lorsqu'elle fit descendre sa main pour vite en sentir la moiteur. Elle ne lui permit pas de glisser les mains sous sa culotte, pas tout de suite. Il devait d'abord la toucher à travers le tissu. Tout comme ses mamelons, sa tige minuscule voulait être caressée indirectement, doucement effleurée jusqu'à la soumission.

Elle gémit et serra les jambes, la tendre peau qui dépassait de ses bas blancs lui étreignait doucement les doigts et la main, la retenant prisonnière. Avec son pouce, son amant imaginaire commença d'abord par explorer en douce la chaleur de sa chair, puis rapidement insista sur son clitoris gonflé, et le frotta avec force sur sa longueur, écrasant ses replis encore couverts par la culotte. Sa main s'empara au complet de sa chatte trempée, essayant d'y entrer à travers le gousset de sa culotte, ses doigts tentant désespérément de traverser celle-ci pour en atteindre directement la moiteur. Sa paume continuait de masser son monticule, et l'écrasait, ne s'arrêtant que tout près de son clitoris palpitant.

À présent, Judith imaginait le visage de l'homme légèrement appuyé contre sa poitrine, sa langue s'insinuant à l'intérieur du bonnet du soutien-gorge en abaissant laborieusement le tissu pour dénuder un mamelon gonflé. Il le prit d'abord entre ses lèvres serrées et le pinça délicatement, jouant délicieusement avec, jusqu'à ce qu'il devienne long et ferme. Puis, il le saisit doucement entre ses dents, en laissant leurs arêtes pointues égratigner sa raideur, pendant que sa langue voletait au-dessus, comme un papillon.

Judith grogna, faisant écho aux sons provenant de la chambre de Brenda. Elle ouvrit les yeux et fixa un moment le plafond, soudain avide de presser son corps nu contre le stuc rude et froid, de sentir chaque saillie piquante gratter la peau chaude de ses seins, de ses hanches, et même les replis moites de sa vulve... Mais elle était tout de même beaucoup plus à l'aise étendue sur l'épais édredon, le corps enveloppé de chaleur et de douceur. Et c'était tout à fait normal ; personne n'était assez fou pour atteindre le plaisir avec quelque chose de rude et de douloureux.

Après un moment, elle souleva la tête et regarda à nouveau son reflet dans la glace. Bien sûr, elle était seule. Comme d'habitude, son amant imaginaire avait disparu dès qu'elle avait ouvert les yeux. Elle ne voyait plus qu'une créature dévergondée, étendue à demi nue sur un épais édredon, un sein à découvert, un mamelon rigide serré entre ses ongles roses, l'autre main enfouie entre ses jambes.

Dans la lueur bleue de la lampe, sa peau semblait encore plus blanche et parfaitement soyeuse, la douce courbe de ses cuisses agréable à l'extrême. Plus elle se regardait dans la glace, plus elle s'excitait à la vue de sa propre image, comme si elle observait une autre femme, magnifique et séduisante. C'était donc ce qu'elles avaient vu, celles qui l'avaient approchée et caressée d'une façon si désinvolte...

Elle se redressa et s'assit face au miroir, les pieds posés à plat au sol. Lorsqu'elle dégrafa son soutien-gorge par le devant, ses seins jaillirent, ronds et gonflés, écartant la dentelle pour révéler des mamelons durs, dressés, démesurés. Elle remua les épaules de façon lascive, regardant les courroies glisser doucement le long de ses bras, jusqu'à ce qu'elles encerclent ses poignets. Elle fut surprise de sentir autant de chaleur se dégager du mince élastique, sachant que ça ne pouvait provenir que de sa propre peau brûlante.

Puis, elle jeta vivement sa tête vers l'avant, et ses boucles blondes se posèrent en plein sur ses seins gonflés. Elle les saisit à deux mains et les rapprocha, les frotta et les enveloppa de sa chevelure, puis se pinça les mamelons entre le pouce et l'index à travers les mèches dorées.

Ses cheveux paraissaient rugueux sur sa peau tendre, mais elle appréciait plutôt cette sensation légèrement piquante. Elle s'en servit pour se caresser les seins en les pétrissant lentement, sans se quitter des yeux dans la glace. Sa peau se réchauffait sous ses mains, et cette chaleur se répandait à travers son corps en suivant un délicieux parcours qui descendait jusqu'à sa chatte palpitante.

Ses jambes écartées révélèrent une tache humide à son entre-cuisse. Le mince tissu de sa culotte n'était pas assez épais pour arrêter le flux de sa rosée, alors que son excitation continuait de monter. Elle laissa brièvement échapper ses seins pour détacher ses bas afin d'enlever sa culotte, car soudainement, elle voulait voir son propre buisson humide.

Ses doigts tremblaient d'impatience en défaisant chacune des agrafes. Elle ne se donna même pas la peine d'enlever son porte-jarretelles ni ses bas. En secouant les hanches, elle retira sa culotte trempée, révélant les poils dorés de son mont, sombres et frisés par l'humidité, agglutinés et ornés des perles de sa propre rosée. Au milieu ressortait son clitoris raidi, gonflé, luisant comme le reste de ses replis rose foncé. Elle passa une langue nerveuse sur ses lèvres.

Si seulement elle se trouvait avec un vrai homme... Elle le ferait maintenant s'agenouiller devant elle, les mains attachées derrière son dos, et lui demanderait de lécher sans fin sa chair. Il serait son esclave, et devrait satisfaire tous ses désirs, sinon...

Elle se pencha et, du bout de son majeur, frôla doucement son clitoris. Il était dur comme de l'acier, doux et luisant. Son propre toucher la fit trembler, comme si ses doigts étaient chargés d'électricité. De nouveau, elle ferma les yeux et imagina que sa main était la bouche de son amant. Elle savait qu'il allait bientôt rugir de désir devant son buisson parfumé, le lécher à longues caresses, vouloir la goûter en entier. Sa langue allait ensuite se frayer un chemin jusqu'au fond d'elle, découvrant sa caverne soyeuse, se perdant dans sa chaleur palpitante.

Judith leva de nouveau les yeux, et regarda ses doigts disparaître en elle, avidement aspirés par sa chair. Elle voyait presque son propre bourgeon devenu rigide se contracter sous la force de l'orgasme qui montait.

Elle voulait se regarder jouir, mais la vague de plaisir qui commençait à la secouer lui compliquait la tâche, car elle l'obligeait presque à fermer les yeux...

Elle continua toutefois d'observer son propre orgasme, en voyeuse, ce qui rendait son plaisir encore plus intense. Elle vit les muscles de ses jambes se tendre rapidement, ses genoux trembler sous l'effort. C'est seulement lorsqu'elle vit sa vulve moite se contracter avec force au bout de ses doigts qu'elle se laissa aller, balayée par son plaisir, s'effondrant sur le lit dans un bruit sourd.

Se tournant sur le côté, elle tira un coin de l'édredon par-dessus son nombril. Elle n'avait pas la force d'enlever ses bas, cela pouvait attendre. Le corps encore chancelant de la vague qui venait de la secouer, elle était complètement épuisée. Le seul fait de se glisser sous la couette représentait un effort insurmontable.

De l'autre côté du couloir, elle entendit Brenda hurler de plaisir. Ses lèvres se convulsèrent pour former un léger sourire, alors qu'elle sombrait dans un sommeil sans rêves.

Chapitre cinq

Mike Randall. Judith n'en croyait pas ses yeux. L'athlète olympique devenu vedette du cinéma était allongé à seulement quelques centimètres d'elle, la jambe gauche enveloppée de la cheville à la hanche dans un énorme plâtre. Elle déposa la feuille de température sur la table de chevet et l'examina de plus près avant de remonter la couverture.

Il était superbe. Encore sous sédation, il avait le souffle régulier, et des soupirs sortaient parfois de ses lèvres pulpeuses, finement écartées. Sa jambe droite était légèrement repliée, la cuisse ferme et couverte de fins poils dorés, le mollet parfaitement sculpté.

Seules les fines courroies d'un string noir retenaient la poche ballonnée qui muselait ses organes sexuels. Comme des fils de soie, de fins poils pubiens débordaient de l'ourlet. Son ventre plat était strié comme une planche à laver, ce qui mettait en valeur le carré de sa poitrine. Le corps était uniformément bronzé, ferme et invitant.

Des images couraient dans l'esprit de Judith : les Jeux olympiques, trois ans auparavant. Son corps musclé, triomphant, franchissant la ligne d'arrivée, sa virilité manifestement confinée dans le lycra moulant, bleu marin, du short de course, il arriva premier au 400 mètres haies, les bras et la poitrine en sueur.

À son retour au pays, il avait été pris d'assaut par des hordes de femmes qui se jetaient sur lui, hystériques, certaines vêtues de façon aguichante, s'écriant sottement qu'elles voulaient un enfant de lui. Il était l'idole de tous; son sourire aurait pu faire fondre une statue. Par la suite, il était devenu une vedette du cinéma, tournant de façon éhontée de torrides scènes de lit, exhibant sa chair ferme, bandant ses muscles, volant souvent la vedette à ses partenaires féminines, ces prestigieuses actrices qui auraient volontiers renoncé à leur cachet pour se retrouver au lit avec lui, même devant la caméra.

Et maintenant, il était endormi, presque nu, en plein devant Judith. Elle était chargée de s'occuper de lui toute la journée, pour l'aider à récupérer après une opération chirurgicale à la suite d'un accident de motocyclette. Les chirurgiens allaient s'assurer qu'aucune cicatrice ne mettrait sa carrière en péril. En tant qu'infirmière, Judith allait s'assurer qu'il ne manquerait de rien.

Elle vérifia les consignes au tableau et prit sa tension. Il dégageait un arôme masculin, musqué, invitant. C'était probablement l'une de ces luxueuses eaux de Cologne pour hommes pour lesquelles il avait fait de la publicité à la télévision. En posant le stéthoscope sur le pouls au creux de son bras, elle laissa le bout de ses doigts caresser légèrement les solides biceps de l'athlète, et suivre le sillon du coude.

Il ouvrit légèrement les yeux et la regarda.

— Salut, murmura-t-il avec un sourire endormi, ce célèbre sourire, riche et invitant.

Judith se sentit envahie par un soudain élan de chaleur.

— Salut, répondit-elle en rougissant bêtement.

Il regarda la main qu'elle gardait posée sur son bras.

— J'aime ton toucher. Vas-tu bien prendre soin de moi?

— Bien entendu.

— Promis?

— Promis.

Il ferma les yeux et pencha la tête de l'autre côté. Judith laissa tomber le stéthoscope, mais ses doigts poursuivirent leur parcours un moment, sentant la courbe de ses biceps, l'arrondi de l'épaule, puis s'arrêtant à la base du cou. Sa peau était chaude et veloutée.

Sa respiration régulière lui indiqua qu'il s'était rendormi. Une agréable tentation monta en elle. Il avait reçu des médicaments très forts, et il ne se souviendrait sans doute de rien au réveil, ou tout au plus, il allait se dire qu'il avait rêvé. Quel mal y avait-il à ce que Judith laisse errer sa main ?

Plus entreprenante, elle glissa avec précaution son avant-bras sous la mince couverture, en suivant la pente de son torse dénudé. Il n'eut aucun mouvement en retour.

Sa peau était souple sur le muscle ferme, et le large mamelon se contractait déjà sous son toucher. Elle le caressa légèrement de la paume, laissant sa chaleur irradier dans son poignet. Ses doigts suivirent le tracé de son muscle pectoral, la crête dure et prononcée, puis entreprirent de caresser l'autre. De ce côté, son mamelon était déjà durci, mais semblait se froncer à nouveau sous ses doigts.

Elle ne le quittait pas des yeux, à l'affût de signes de réveil, mais elle fut rassurée de n'en voir aucun. Le cœur battant, elle se mordit nerveusement la lèvre. C'était dangereux, car il pouvait tout de même s'éveiller à tout moment.

Comme elle ne voyait pas ce qu'elle touchait, elle avait d'autant plus envie de continuer, mais cela lui donnait l'impression d'être très téméraire, à caresser ce corps endormi sans qu'il le sache...

L'occasion était cependant trop belle. Déjà, ses doigts avaient repris leur parcours le long de l'abdomen, rebondissant sur les sommets et les vallées du ventre finement strié. Elle s'arrêta lorsqu'elle sentit le début d'une longue enfilade de poils soyeux qui, elle le savait, allaient mener à l'épais buisson qui se trouvait juste au-dessus de ses organes génitaux.

« Ça va un peu trop loin », se dit-elle. Elle commença à retirer sa main, le caressant tout aussi lentement au retour. À cet instant, elle s'aperçut qu'elle le désirait. Un si beau corps...

Elle soupira. Il avait probablement affaire à un assez grand nombre de femmes, pourquoi voudrait-il d'elle ? Et puis comme il était sous ses soins, elle ne devait rien espérer de lui. À regret, elle se retourna et partit s'occuper de ses autres patients.

* * *

— Je suis désolé d'apprendre que vous partez demain, dit la voix de derrière le rideau couleur pêche.

Judith était entrée en silence dans la chambre, mais s'arrêta en reconnaissant le fort accent d'Édouard Laurin, le spécialiste de l'hypnose médicale. Le lit de lady Austin était caché derrière le rideau, mais la lumière du soleil couchant provenant de la fenêtre y projetait les ombres de la patiente et d'Édouard. De son point d'observation, Judith y voyait des ombres chinoises : deux silhouettes, l'une étendue sur le lit, appuyée sur des oreillers, l'autre debout à côté.

Elle devait examiner lady Austin, lui appliquer aux pieds une lotion médicamenteuse et lui administrer une nouvelle dose d'analgésiques. Par contre, le rideau tiré indiquait peut-être qu'ils ne voulaient pas être dérangés. Elle hésita un moment. Devait-elle leur faire savoir qu'elle se trouvait dans la chambre avec eux, ou se contenter de sortir en silence ? Le couinement de ses chaussures sur le plancher allait-il trahir sa présence ?

— Je suis désolée de vous quitter, dit lady Austin d'un ton enfantin. Je me rappelle ma dernière visite ici, c'était tout aussi difficile...

— Ma chère, répondit-il, croyez-moi, je suis tout aussi désolé que vous. Par contre, vous ne partez pas tout de suite et je suis là, maintenant, n'est-ce pas ?

Judith était sur le point de se retourner pour partir en douce, mais figea en le voyant se pencher pour embrasser la femme. Elle dut se secouer pour se convaincre qu'il n'y avait aucun doute sur ce qui se passait derrière le rideau. Elle les vit nettement tirer la langue pour se donner une caresse sensuelle, sans que leurs lèvres se touchent tout à fait. En même temps, Édouard abaissa la couverture, et ses mains parcoururent la poitrine de lady Austin. Judith était sidérée par tout ce spectacle, qui semblait si irréel.

— Déshabillez-vous pour moi, gémit à nouveau lady Austin, sur le ton d'une enfant gâtée.

Judith vit la silhouette d'Édouard se lever et rapidement se déshabiller. Il commença par enlever ce qui, conclut Judith, devait être la blouse blanche qu'il portait, même s'il n'était pas médecin. D'un vif mouvement du poignet, il parvint ensuite à se débarrasser de sa cravate et à déboutonner sa chemise.

En même temps, Judith vit aussi la patiente soulever sa jaquette par-dessus sa tête. Ses seins, même refaits ou faux, étaient prestement dressés, comme ceux d'une adolescente, les mamelons raides et empressés.

Une seconde plus tard, Édouard laissait tomber son pantalon. L'ombre de son corps nu était très impressionnante; sa queue en érection était longue et massive. Sur le rideau, l'image était si claire que Judith distinguait la crête du gland, une prune énorme et gonflée.

Elle lécha ses lèvres sèches. Même si elle l'avait vu assez souvent dans la salle d'opération, elle n'avait jamais réalisé qu'il avait un corps aussi remarquable. Ses épaules étaient larges et carrées, ses fesses, rondes et fermes. Sa queue semblait puissante, tendue vers le plafond, animée d'elle-même.

En les observant, Judith sentit sa vulve prendre vie elle aussi, exsuder une rosée chaude et mielleuse, et soudain aurait voulu se faire pénétrer et remplir par cette queue. À observer deux corps nus et sans visage, elle se sentait voyeuse. Elle ne savait pas quoi faire, déchirée entre la tentation de rester et d'être témoin de leur accouplement, le besoin de suivre des ordres et de s'occuper de sa patiente, et le désir d'agir décemment en les laissant seuls.

Ses pensées furent interrompues lorsqu'elle sentit une présence derrière elle. Madame Cox était entrée dans la chambre.

En silence, elle saisit le bras de Judith et la fit rapidement sortir, alors que des soupirs et des gémissements commençaient à monter de derrière le rideau. Couverte de honte, l'infirmière suivit sa supérieure sans un mot.

Elles s'arrêtèrent dans le couloir, à seulement un mètre de la porte. Combien de temps madame Cox s'était-elle trouvée là ? Avait-elle vu que Judith observait le couple ? Le cas échéant, cela ne pouvait que lui apporter des ennuis…

— Vous êtes fort susceptible d'être régulièrement témoin de scènes semblables, dit madame Cox à l'infirmière qui rougissait. N'intervenez jamais, à moins que l'on ne vous y invite. Après avoir passé quelques semaines ici, vous aurez un point de vue différent sur ce genre de situation. Entre-temps, occupez-vous de vos tâches, et revenez voir votre patiente dans quelques minutes.

La femme fit demi-tour et retourna à la station d'infirmières. Judith avait le cœur battant, et les paroles de la superviseure résonnèrent longtemps dans sa tête. Heureusement, le couloir était désert et elle espérait que personne ne découvrirait jamais que Judith Stanton, la nouvelle infirmière, était une vulgaire voyeuse.

Elle prit un long moment pour se calmer. Elle était au bord

des larmes. Elle n'avait pas fait exprès, elle s'était tout simplement trouvée au mauvais endroit, au mauvais moment... On ne pouvait certainement pas la congédier pour cela, n'est-ce pas? En même temps, elle avait pris une sorte de malin plaisir à les observer...

Elle ne savait plus quoi penser. Les choses se déroulaient trop vite. Partout autour d'elle, il semblait y avoir un dévergondage incontrôlé. D'une certaine façon, Judith se sentait mise à l'écart; elle aurait voulu faire partie de ce tourbillon de passion, son corps se mourait de vivre de nouvelles sensations, de fusionner avec toutes ces sources de plaisir superbes et désirables. Le docteur Harvey, Tania et Jo, Édouard, et même madame Cox. Ils avaient sur elle un effet renversant. On la tentait avec cruauté, comme une enfant placée devant une vitrine remplie de jouets sans jamais qu'on la laisse y toucher.

Elle se passa rapidement la main sur la poitrine et sentit ses mamelons encore durs sous son uniforme. Sa culotte était trempée d'une chaude rosée, comme c'était si souvent arrivé depuis son arrivée à la clinique, à peine quelques jours auparavant.

C'en était trop. Elle s'était trouvée dans un état de perpétuelle excitation, mais rarement satisfaite. À présent, elle avait envie de toucher un autre corps. Son désir était si fort qu'il lui envoyait des frissons dans l'échine. Elle s'appuya contre le mur, l'esprit tout aussi torturé.

Elle ne savait pas combien de temps elle avait mis à calmer les battements de son cœur quand, soudain, Édouard apparut devant elle avec un large sourire.

— Ma chère, susurra-t-il, étiez-vous en train de nous observer? Ce serait vilain...

Il jeta un rapide coup d'œil autour de lui; ils étaient seuls dans le couloir. S'approchant tout près d'elle, il leva la main et caressa nonchalamment les seins de Judith, les soupesant tour à

tour, taquinant doucement les mamelons dressés à travers l'uniforme. Judith sentit sa gorge se serrer, comme étouffée par un
sanglot, et elle frissonna, incapable de résister à son toucher,
refusant de le repousser.

— Je vois que vous y prenez plaisir, poursuivit-il dans un
soupir, son accent de plus en plus fort et séduisant. J'aimerais
que nous passions plus de temps ensemble, mais à présent, je
dois rendre visite à d'autres patientes.

Sa main droite continuait de lui caresser les seins, tandis que
sa gauche se frayait rapidement un chemin sous sa robe et sa
culotte, fouillant sans s'arrêter jusqu'à ce que ses doigts s'en-
fouissent dans sa vulve humide et ouverte.

Son sourire s'élargit encore davantage.

— Je sens votre désir, continua-t-il, le visage maintenant à
seulement quelques centimètres du sien. À bientôt, mon amour,
à très bientôt...

Il laissa ses lèvres frôler légèrement sa joue, puis la relâcha
soudainement et s'éloigna en vitesse, la laissant encore plus
perplexe.

Alors qu'il tournait le coin, Judith s'appuya de nouveau
contre le mur, comme si elle s'éveillait d'un rêve, se demandant
si tout cela venait vraiment d'arriver, ou si elle était victime de
sa propre concupiscence.

*   *   *

Lady Austin était assise dans son lit, la poitrine recouverte d'une
mince couverture ajustée sous ses aisselles, et grignotait bruyamment des chocolats.

— En aimeriez-vous un ? dit-elle, la bouche pleine, en
poussant la boîte vers Judith. Ce sont des chocolats belges, les
meilleurs. Les Européens sont des gens si raffinés. En tout cas,
ils fabriquent d'adorables chocolats.

Le bout de sa langue rose sortit légèrement de sa bouche pour lécher son doigt.

Encore secouée après sa rencontre dans le couloir, Judith poussa de côté le chariot de médicaments et souleva la couverture pour jeter un coup d'œil aux pieds de sa patiente. De fines lignes rouges trahissaient l'opération chirurgicale, mais elles allaient disparaître dans quelques semaines. Déjà, les pieds paraissaient plus jeunes; la peau semblait douce et potelée, et les veines bleues avaient disparu.

— Ils sont adorables, non? demanda lady Austin en tortillant ses orteils. Je connais une boutique à Madrid où l'on vend de ravissantes sandales. Je crois que j'irai faire un tour la semaine prochaine.

Lui badigeonnant les pieds d'une épaisse couche de lotion médicamenteuse, Judith lui massa soigneusement la peau, laissant pénétrer la crème entre les orteils. Lady Austin s'étendit et poussa un soupir.

— Votre toucher est si agréable, dit-elle d'une voix douce. Ah, si vous aviez été là il y a quelques années, quand on m'a refait les seins!

Abaissant la couverture, elle montra ses seins nus. En les voyant, Judith fut renversée. Ils avaient encore plus belle allure que l'ombre qu'elle avait observée sur le rideau, quelques moments plus tôt. Fermes et ronds, les deux globes étaient pâles et laiteux, les mamelons foncés et froncés, dressés, fiers et raffinés.

— Ils étaient pareils quand j'avais vingt ans, poursuivit lady Austin. Ils sont tout à moi, vous savez. J'ai refusé des implants. J'ai dit: arrangez-vous pour qu'ils soient jolis, c'est tout. Le docteur Harvey fait des merveilles sur mon corps. Il est assez cher, mais cela en vaut vraiment la peine.

Les doigts de Judith continuèrent à se frayer un chemin entre les orteils de la patiente, maladroitement, presque machinalement, car elle ne faisait plus attention. À présent, elle ne pouvait s'empêcher de regarder ces seins, invitants, fascinants. Elle n'avait jamais été si troublée à la vue d'une poitrine de femme.

Lady Austin les caressait lentement, comme pour démontrer leur authenticité.

— Je lui ai dit de faire comme s'il était un sculpteur, et de les façonner comme il les voulait, comme quelque chose qui l'attirerait...

Elle leva les yeux vers Judith et fit un clin d'œil.

— Ça a marché, confia-t-elle. Maintenant, quand je viens ici, il ne peut plus s'empêcher de les caresser.

Elle fit une pause pour fixer les mains de son infirmière.

— Aimeriez-vous les toucher ? demanda-t-elle d'un ton enfantin. S'il vous plaît ?

Elle parlait du même ton qu'elle avait employé pour s'adresser à Édouard, plus tôt, comme si elle lançait une sorte d'invitation.

— Touchez-les, insista-t-elle en faisant la moue. Je sais que vous voudriez bien...

— Je ne crois pas que ce soit très convenable, lady Austin, dit Judith d'une voix tremblante.

Elle pouvait presque imaginer les mains d'Édouard sur eux. Pas étonnant qu'il n'ait pu résister à cette vue. Judith fut tentée de les toucher aussi, juste pour sentir les mamelons se contracter sous ses doigts, mais pourrait-elle arriver à caresser volontairement les seins d'une autre femme ? Une patiente ?

— Pas très convenable, répéta-t-elle. Après tout, vous êtes ma patiente...

— Quelle importance ? gémit la femme. Joignez-vous donc à moi au lit. Édouard était ici il y a seulement quelques minutes. Ses caresses étaient exquises, mais maintenant, je veux être avec une femme...

Judith ne répondit pas. Édouard s'était donc retrouvé au lit avec sa patiente, cela ne faisait aucun doute. Elle percevait encore son odeur sur les couvertures. Non seulement était-ce fort contraire à l'éthique, mais à présent, lady Austin voulait que Judith s'y mette aussi! Comme c'était étrange. Comme c'était tentant.

De nouveau, elle regarda les seins. Pour la première fois de sa vie, elle se sentait attirée, et même excitée, à la vue d'un corps de femme. Une image folle passa comme l'éclair dans son esprit: elle se vit tendre les bras vers les fermes protubérances, et pouvait presque même sentir leur masse fluide dans la paume de ses mains. Elle ferma les yeux et écarta cette pensée. Pas question de se laisser aller, elle devait lutter.

Elle retourna d'un geste la couverture sur les pieds de la femme et sortit rapidement de la chambre en poussant son chariot, courant presque pour fuir la tentation.

* * *

Sur le seuil de l'entrée de la clinique, madame Cox aida lady Austin à prendre place à l'arrière de la limousine dont le moteur ronronnait discrètement.

— Nous espérons vous revoir bientôt, dit-elle avec le sourire.

— Moi aussi, répondit lady Austin. J'ai apprécié mon séjour comme jamais auparavant. Votre personnel a été fort agréable, comme d'habitude, surtout la nouvelle infirmière. Elle paraît si douce, si innocente, bien qu'un peu hésitante quant aux soins particuliers...

— Nous vous assurons que cela aura changé à votre retour. Elle vient tout juste de se joindre à notre personnel. Nous espérons faire d'elle l'une de nos meilleures infirmières.

Le chauffeur ferma la porte et entra à son tour dans la voiture. Madame Cox resta debout en silence en regardant la

Bentley noire parcourir la rue bordée d'arbres et disparaître au coin.

Elle avait des hésitations concernant Judith. Elle se rappelait leur moment d'intimité dans la salle des douches, mais masturber les filles n'était pas son genre. Même si elle était fort attirée par l'innocence de la jeune infirmière, les plans qu'elle avait pour elle allaient sûrement changer tout cela. Avec un haussement d'épaules, elle tourna les talons et rentra dans la clinique.

Chapitre six

L'auditorium bourdonnait de la rumeur des conversations. Judith pénétra d'un pas hésitant par une porte arrière, et choisit rapidement le siège vacant le plus proche, dans la dernière rangée. Elle s'y enfonça, presque à bout de souffle, le cœur battant.

Elle arrivait à la fin de son quart — et de sa deuxième semaine — si fatiguée qu'elle pouvait à peine marcher. Néanmoins, elle avait presque couru dans les couloirs en cherchant désespérément son chemin. Un retard aurait été fort mal vu, mais elle avait quelques minutes d'avance.

La réunion était sur le point de débuter. Quelques retardataires, rouges et haletants, se mêlaient rapidement aux quelque deux cents autres participants. Ces séances se tenaient le dernier vendredi de chaque mois, et la présence de tous était obligatoire. À chaque station, il ne restait qu'une infirmière, qui allait recevoir une transcription de la discussion.

Comme ses collègues ne lui avaient rien dit de précis sur le contenu habituel de ces rencontres, Judith ne savait à quoi s'attendre, et les soupçonnait d'être assez ennuyeuses, dans l'ensemble.

Néanmoins, l'atmosphère était chargée et, de part et d'autre de la salle, les membres du personnel hospitalier riaient et s'envoyaient des signes de la main, fébriles et excités comme une bande d'écoliers. La première rangée était occupée par des gens en civil, des employés qui se trouvaient en congé, mais qui devaient tout de même assister à la conférence, ponctuant de points colorés la mer d'uniformes blancs. L'audience semblait divisée : les médecins à droite, les infirmières au milieu, le personnel de soutien à gauche.

Un homme de grande taille s'avança vers le lutrin et remua des feuillets. Judith reconnut le docteur Alan Marshall, fondateur et directeur de la clinique. C'était un quinquagénaire séduisant, légèrement plus âgé que le reste du personnel. D'une belle prestance, il paraissait très distingué, mais un peu hautain, homme d'affaires plutôt que médecin. Son visage bronzé contrastait fortement avec les fils d'argent de ses cheveux. Judith se rappelait encore la première pensée qui lui avait traversé l'esprit lorsqu'on le lui avait présenté : c'était l'homme à la coiffure dispendieuse.

Ses lèvres étaient minces et foncées, apparemment incapables de sourire ; sa mâchoire carrée, sérieuse et impitoyable ; son nez, parfait. Sa blouse blanche ne lui allait pas, il aurait eu meilleure allure dans des vêtements foncés. En fait, il semblait entouré d'une aura sombre qui le faisait paraître agréablement calme, mais dégageait des vibrations dérangeantes, et évoquait une menace imminente. Dans l'ensemble, il paraissait absolument froid, et avait quelque chose de la cruelle beauté d'un vampire.

Judith parcourut la salle du regard, à la recherche de visages familiers. De son siège, elle ne voyait que l'arrière des têtes, mais reconnut les boucles brunes de l'épaisse crinière d'Elizabeth Mason, à côté de la tête pâle du docteur Rogers. Ces deux-là étaient inséparables, comme un frère cadet avec sa sœur aînée.

Assis au bout de la première rangée, Robert Harvey était plongé dans une intense conversation avec un autre chirurgien que Judith ne connaissait pas. Il était assis à l'extrême diagonale de la salle, physiquement éloigné, mais encore très proche dans son esprit. Après tout, à peine quelques soirées plus tôt, ils avaient partagé ce moment dans le salon des médecins. Mais cela semblait faire une éternité. Les espoirs de Judith d'une nouvelle rencontre s'évaporaient rapidement, mais sans amertume ni regret.

Son cœur bondit lorsqu'elle remarqua Tania et Jo, quelques sièges plus loin, dans la première rangée. Elle ne les avait pas revues, ni ne s'était rétablie de l'étrange traitement auquel elles l'avaient soumise. Leurs visages la hantaient chaque fois qu'elle entrait dans la salle des douches, en se demandant si elles allaient revenir, en une sorte d'anticipation craintive. Mais aujourd'hui, ce n'étaient que deux femmes assises dans une grande foule, anonymes, complètement inoffensives. Judith se rappela alors qu'elle était censée prendre des quarts de nuits, deux semaines plus tard. Cela voulait dire travailler avec elles. Y arriverait-elle ?

Elles auraient à faire des rondes ensemble, à circuler dans les couloirs sombres ou à faire des inventaires dans les réserves isolées. À bien des égards, elle serait à leur merci. L'idée de devoir passer même une seule nuit de travail avec l'une ou l'autre soulevait également en elle de la peur et, curieusement, de délicieuses attentes.

Le docteur Marshall toussota, et un silence descendit sur la salle. Il se mit à parler et tout le monde se tut pour boire chacune de ses paroles comme si c'était l'Évangile. Judith fut plutôt étonnée de l'effet qu'il avait sur son auditoire, car en réalité, son propos était plutôt insipide.

Il mentionna plusieurs plaintes quant au manque d'espaces de stationnement autour de la clinique, annonça de nouveaux exercices d'évacuation en cas d'incendie, et fit un bref exposé sur la possibilité d'ajouter une aile pour recevoir plus de patients. Incroyablement ennuyeux.

— Nous n'avons qu'une nouvelle recrue, ce mois-ci, poursuivit le docteur Marshall, au cas où vous ne l'auriez pas rencontrée...

Il fit une brève pause et son regard balaya la salle à plusieurs reprises.

— Mademoiselle Stanton, lui dit-il, pourriez-vous vous lever, pour que tout le monde vous voie ?

Soudain, Judith se sentit défaillir. Elle devait se dresser et se présenter à tous ces gens, bien malgré elle. Elle s'enfonça encore davantage dans son siège, espérant en vain que tout le monde la croie absente.

Mais déjà, certains de ses collègues l'avaient repérée et lui faisaient signe de se lever. Dans la deuxième rangée, madame Cox se leva et se retourna pour la fixer directement par-dessus l'auditoire, et lui ordonner silencieusement d'obéir. Judith baissa les yeux, gênée, et se leva lentement.

Des murmures d'appréciation circulèrent dans la salle, et elle eut l'impression d'être une œuvre d'art à une exposition.

— Vous voilà, annonça le docteur Marshall. Permettez-nous de vous souhaiter la bienvenue à notre clinique. Nous espérons que vous aimerez travailler avec nous.

Judith voulait disparaître à des kilomètres. Elle sentait tous les regards posés sur elle, et cette fois, ce n'était pas le fruit de son imagination. Elle leva la tête et fixa brièvement l'auditoire. La plupart des visages la fixaient aussi, certains curieux, d'autres indifférents.

Au loin, Robert Harvey lui fit un clin d'œil. Judith se sentit soulagée de voir qu'après tout, il ne l'avait pas oubliée. Tania et Jo regardaient déjà ailleurs, complètement désintéressées. Elle se rassit, le cœur encore battant. Le reste du discours du docteur Marshall lui devint absolument sans intérêt, et, distraite, elle ne chercha pas à comprendre ses propos.

— Comme mademoiselle Stanton n'a pas terminé sa période d'essai, poursuivit-il, je ne parlerai pas en détail de notre programme de soins particuliers, qu'elle ne connaît pas encore, mais je me contenterai de dire qu'il continue de très bien se dérouler et que, comme d'habitude, nous avons reçu de très bons commentaires.

Puis, il y eut une brève période de questions, mais Judith n'écoutait plus, car ses oreilles bourdonnaient de l'afflux de sang qui lui avait monté au visage et qui retournait lentement vers ses membres tremblants.

Ça ne s'était pas si mal passé, après tout. Tout le monde l'avait regardée avec divers degrés d'intérêt, mais dès que le docteur Marshall avait recommencé à parler, ils avaient semblé oublier sa présence.

L'exposé prit fin peu après, et Judith se dirigea rapidement vers la sortie, car elle ne voulait parler à personne. Elle avait hâte de rentrer.

* * *

— Et une, et deux! hurlait la voix devant la classe. On monte! On descend!

La musique était forte, mais entraînante. Dans la salle surchauffée, des corps en sueur bougeaient à l'unisson, posant les pieds en cadence, chacun sur sa marche d'aérobie en plastique, les bras montant en cadence au-dessus de leurs têtes en une figure complexe.

Dans la dernière rangée, Judith tentait de se concentrer sur la chorégraphie. Elle avait les cuisses et les fesses en feu, la bouche sèche, et les gouttelettes de sueur qui dévalaient son visage laissaient sur ses joues une sensation brûlante. Encore quinze minutes avant de relaxer. En se concentrant sur sa respiration, elle pouvait suivre le rythme du reste de la classe.

Comme d'habitude, son maillot d'exercice était plutôt inconfortable : la bande élastique qui lui séparait les fesses effectuait un va-et-vient constant, torturant délicieusement ses replis gonflés. À mesure que la session se prolongeait, la pression ne semblait qu'augmenter, de même que son excitation.

« Oh, non... Pas maintenant, se dit Judith. Pas encore. »

Elle devait résister. À moins de rester concentrée sur ses pas, elle aurait un nouvel orgasme. Ça ne pouvait pas tomber plus mal. Elle se rappela la dernière fois qu'elle avait joui pendant la séance d'aérobie. Heureusement, tout le monde dans la classe haletait en produisant de bruyants gémissements. Avec un peu de chance, personne n'avait deviné la véritable raison de ses soupirs.

Encore une fois, tout se liguait contre elle, des fesses rondes et serrées de l'homme qui se trouvait devant elle aux mamelons larges et évidents de l'instructrice d'aérobie. Certains participants ne portaient pas grand-chose, ce qui ne l'aidait pas non plus. Partout où elle regardait, les corps musclés et en sueur excitaient ses sens, tout comme le frôlement de son maillot sur son clitoris.

— Bon, reprit la voix en hurlant. Relaxez !

Le tempo de la musique changea et Judith s'écroula au plancher, les jambes écartées, pour étirer les muscles de l'intérieur de ses cuisses. Elle fut soulagée de voir arriver la fin, mais sa chair protesta sans équivoque. Tant pis, se dit-elle.

Certaines personnes se précipitaient déjà vers la sortie, sans étirements ni relaxation. C'était le moment préféré de Judith, car elle sentait ses membres s'étirer gracieusement et son rythme cardiaque revenir lentement à la normale, la sueur de l'effort dégoulinant doucement le long de son dos, fraîche et chatouillante.

En tournant le torse de côté pour étirer ses flancs, elle remarqua l'homme assis sur le plancher à côté d'elle. Mince et blond, il avait le corps tonifié et bien dessiné, ciselé, mais sans la masse musculaire qu'elle trouvait habituellement attirante. Il avait une allure presque aristocratique, avec des mouvements lents et élégants. Voyant qu'elle le regardait, il rougit et détourna la tête.

D'abord perplexe, Judith vit la raison de ce malaise en baissant les yeux vers l'entrecuisse du jeune homme. Il portait un short de lycra moulant, fort révélateur. Son imagination avait également gambadé au cours de la séance d'aérobie, à voir la queue raide, en érection, qui tendait le tissu élastique. Il avait les jambes largement écartées, comme celles d'un danseur de ballet, et ses organes génitaux arrivaient presque au plancher, comme si son short ne pouvait les retenir.

Judith n'était donc pas la seule à s'exciter durant l'exercice... La pensée la réconforta et l'intrigua à la fois. Légèrement amusée, elle décida malicieusement de tirer le meilleur parti de la situation. Étendant les bras derrière son dos, elle tira fortement, ce qui étira les muscles de sa poitrine, espérant qu'il remarquerait cette façon de mettre ses seins en valeur.

Il la fixa d'un air médusé. Le cœur battant, elle émit une silencieuse invitation en se léchant discrètement les lèvres, les yeux mi-clos. Il finit par lui sourire et elle vit sa queue palpiter légèrement sous son short. Encouragée par cette réaction, elle exagéra et ralentit délibérément ses mouvements. Sachant qu'il l'observait intensément, elle ne songeait plus qu'à se pavaner.

Balayant la salle d'un rapide coup d'œil, elle remarqua qu'un certain nombre de gens étaient déjà partis. En fait, elle et son joli voisin restaient seuls au plancher, s'étirant et s'examinant mutuellement. Près de la sortie, les autres bavardaient sans leur accorder d'attention.

La musique était maintenant plus douce, relaxante, mais Judith avait l'esprit en cavale. Un moment, elle ferma les yeux pour évaluer la situation. À quelques centimètres d'elle se trouvait un homme séduisant, de toute évidence ensorcelé par sa présence, et depuis quelques jours, elle s'était trouvée presque constamment excitée. Elle avait maintenant à sa portée un corps somptueux qui, sans aucun doute, désirait aussi le sien. Oserait-elle en tirer le meilleur parti ?

Elle se dit rapidement qu'elle devrait faire les premiers pas; allait-il répondre à son invitation ? Elle frissonnait d'anticipation : impossible de savoir jusqu'à quel point il serait intéressé, mais elle devait le découvrir.

Les dernières personnes sortaient de la salle d'équipement après avoir rangé les marches d'aérobie, ne semblant cependant pas pressées de quitter le gym. Judith devait faire quelque chose avant que sa proie ne lui échappe, mais quoi ? Elle devait absolument attendre que tout le monde soit parti.

L'instructrice était debout près du système audio, classant ses compacts. Enfin, elle ferma le son, retira son CD et salua à la ronde avant de sortir de la salle. Bientôt, les derniers la suivirent. Il ne restait plus que quelques femmes dans le réduit où chacun allait ranger l'équipement, mais elles étaient probablement sur le point de sortir également.

En son for intérieur, Judith se dit qu'il serait idiot de laisser ce bel inconnu lui échapper et elle se leva lentement en ramassant sa serviette, sa bouteille d'eau, sa marche de step. Sans se retourner, elle se dirigea à son tour vers la salle d'équipement et attendit qu'elle soit déserte avant d'entrer. Avec de la chance, l'inconnu allait bientôt l'y rejoindre. Après tout, c'était le règlement : chacun devait remettre l'équipement à sa place... S'il était vraiment intéressé, elle le verrait aisément. Autrement, elle allait tout simplement laisser tomber.

À ce moment, il arriva tout juste derrière elle, et elle sentit la chaleur de son souffle sur son cou. Son corps exsudait un arôme suave et musqué, attirant malgré l'effort qu'il venait de consacrer à l'exercice. Elle tendit le bras pour poser sa boîte au sommet de la pile, par-dessus les autres. S'avançant pour l'aider, il la frôla de son bras chaud et doux. Le jeu avait débuté, et il n'y avait plus moyen de reculer.

Sans se retourner, le cœur battant d'excitation, elle tendit la main derrière elle jusqu'à ce qu'elle frôle sa queue du bout des doigts, alors que se refermait la porte d'entrée du gym. Ils étaient seuls, à présent.

Elle la sentit aussi dure que de l'acier, et elle durcissait encore. Judith voulut aussitôt être pénétrée par ce formidable engin; un réflexe viscéral, animal, impossible à réprimer. Elle ferma les yeux et renversa la tête. En un éclair, elle s'imagina tringlée, empalée sur cette queue délicieuse. Elle pouvait presque se sentir étirée par l'épais phallus; elle savait que ses poussées seraient puissantes et fortes. Elle le désirait tout de suite, à cet endroit même, sans plus attendre.

L'inconnu était toujours immobile derrière elle, son membre prenant du volume dans ses mains. Puis elle sentit les doigts de l'homme sur son corps, se dirigeant à tâtons vers ses seins, cibler rapidement ses mamelons dressés, pour ensuite pétrir les doux monticules en une caresse brusque et frénétique. Judith se retourna et saisit la bouche de l'homme dans la sienne, rudement, libérant la furie de son excitation. Amer et salé, le goût de la sueur était encore sur leurs lèvres.

S'emparant de ses hanches, il la hissa rapidement sur une pile de matelas de sol, comme si elle avait été légère comme une plume. Elle s'émerveilla de sa force en caressant et en parcourant rapidement les muscles solides de ses épaules et de son dos.

Levant les deux mains vers son décolleté, il ouvrit le maillot en le déchirant sans hésiter, et elle rugit de joie, rapidement excitée par le fait d'avoir les seins nus. Un moment, il les fixa, comme hypnotisé, puis baissa la tête pour les prendre en bouche. Il les traita grossièrement, sa bouche faisait d'incessants allers-retours entre les mamelons raidis, les suça violemment et les gratta même avec les dents.

Mais Judith aimait chacune de ses morsures amoureuses, et trouva ce rude traitement encore plus excitant. En réponse, elle lui enfonça les ongles dans sa peau, et gémissait bruyamment d'un douloureux plaisir.

Leurs corps en sueur fondirent, et l'énorme queue poussa avec force contre sa vulve recouverte. Les bras de l'homme entourèrent sa taille avec force, ses mains abaissèrent le dos du maillot et pétrirent sa peau en sueur.

Elle enfouit son visage dans les cheveux humides de l'inconnu, agréablement surprise par leur odeur épicée. Elle aimait le frottement brutal de leurs corps moites. Bientôt, espérait-elle, ils seraient nus et elle pourrait le sentir en entier.

Déjà, ses mains à lui traçaient les contours de son entrecuisse, incapables d'atteindre sa chair. Elle portait sous son maillot un short d'exercice qui lui arrivait à la taille. Il devait manier le tissu de façon à atteindre sa chatte. Il tenta d'abord d'abaisser le short par-dessous le maillot, en vain, puis se mit à s'impatienter. Il tenta d'y arriver par à-coups, en glissant sa main sous le short, le long de sa jambe, mais son succès fut encore limité.

Pendant tout ce temps, il continuait de lui caresser les seins avec sa bouche, avec force, en grognant tel un animal entre chaque succion mordante, alors que ses mains tentaient désespérément d'arriver à sa chair. Leur accouplement était bruyant, presque violent. Judith gémissait déjà de plaisir, la courroie d'entrecuisse de son maillot s'enfonçait davantage dans sa vulve et soumettait son clitoris à une exquise torture, alors qu'elle enserrait la taille de son nouvel amant avec ses jambes. Avec un soupir d'impatience, il relâcha un moment ses seins et jeta un coup d'œil rapide dans la salle.

Judith sentit un frisson glacé lui parcourir l'échine lorsqu'elle le vit prendre une paire de ciseaux sur l'étagère, et elle tenta immédiatement de le repousser, en panique.

— Qu'est-ce que tu fais là ? hurla-t-elle de colère.

Soudain inquiète, elle tenta de se dégager, mais il était plus fort, et ses petits bras n'y pouvaient rien. Comme il gardait les hanches appuyées contre elle, elle n'arrivait pas à atteindre sa fourche pour la frapper, et ses ongles qui s'enfonçaient dans sa peau ne semblaient que l'exciter encore davantage. Elle ne pouvait le gifler, car il avait le visage enfoui entre ses seins. Elle ne pouvait que frapper son dos musclé avec ses poings, et essaya encore une fois de le repousser.

Mais il resserra son étreinte autour de sa taille, l'empêchant de s'échapper. Ils luttèrent un moment, elle pressée de s'enfuir et lui peu disposé à la laisser partir. La pile de matelas s'effondra sous elle et elle tomba au plancher avec lui.

Elle atterrit sur le dos, le corps de l'inconnu par-dessus le sien. Les jambes musclées chevauchaient sa poitrine nue, la bosse de son érection à seulement quelques centimètres de la bouche de Judith. D'une seule main, il lui prit les deux poignets et lui plaqua les bras au plancher en les étirant au-dessus de sa tête. Elle se sentait prise au piège, mais aussi incroyablement excitée.

— Qu'est-ce qui se passe, ma belle ? dit-il avec un regard lubrique et amusé. Tu ne me fais pas confiance ?

— Je ne te connais même pas ! hurla-t-elle.

Soudain, elle réalisa ce qu'elle était sur le point de faire : baiser avec un parfait inconnu, dans la salle de rangement d'un club sportif. Cette idée semblait à la fois ridicule et fort tentante. Depuis longtemps, elle caressait ce fantasme d'être prise, presque de force, par un homme qu'elle n'avait jamais rencontré et qu'elle ne reverrait peut-être jamais.

De part et d'autre de sa poitrine, les cuisses velues et bronzées présentaient un contraste marqué avec la fluide douceur de ses seins. Les globes descendaient de chaque côté, attirés par la force de gravité, et frôlaient légèrement la peau rude de ses genoux, qui touchaient presque ses aisselles. Elle voyait déjà de faibles marques roses sur sa peau qui palpitait délicatement en réaction aux rudes caresses.

Posant les ciseaux, il lui prit les seins de sa main libre, les tortura adroitement, lui taquina les mamelons jusqu'à ce que, malgré elle, elle gémisse de désir.

— Laisse-moi faire...

Son ton devint plus doux, même s'il était encore légèrement menaçant.

— Tu ne le regretteras pas, je te le promets, ajoute-t-il dans un souffle.

Lentement, il relâcha ses poignets et elle cessa de vouloir le repousser. Une fois encore, elle était tiraillée entre la colère et le plaisir. Bien sûr, elle le désirait, mais qu'avait-il en tête, au juste ? Une fois de plus, elle devait choisir entre continuer sans savoir ce qui l'attendait, ou déclarer forfait et se retirer avec toute la frustration que ça lui apporterait sûrement. Le choix ne fut pas difficile à faire.

En guise de réponse, elle lui baissa rapidement le short et en sortit son membre. Elle s'émerveilla à la vue de cette grosse queue, car elle n'avait jamais rien vu d'aussi énorme. Le gland pourpre était immense et semblait succulent. Cela dissipa soudain ses dernières inquiétudes, et elle le prit dans sa bouche, passant rapidement sa langue le long de la petite fente.

Elle y goûta fort peu : il se retira presque immédiatement et colla ses seins l'un contre l'autre sur sa queue, puis glissa lentement dans un mouvement de va-et-vient, englouti par la douce poitrine. À chacune de ses poussées, le gland gonflé pénétrait la bouche de Judith, dont les lèvres se refermaient rapidement autour, pour le sucer avec force avant de le relâcher. Des gouttelettes de liquide clair s'écoulèrent à l'ouverture, et elle sentit les fesses de l'homme se contracter contre son ventre. Elle augmenta la force de sa succion, souhaitant maintenant qu'il lâche prise et s'abandonne dans sa bouche. Mais lui se retira encore davantage pour échapper à cette brûlante étreinte.

— Pas encore, dit-il en descendant sur son ventre.

S'agenouillant entre ses jambes écartées, il saisit le gousset de son maillot et le tira d'un côté, contemplant la grande tache humide que sa vulve avait laissée sur le tissu bleu pâle de son short. Judith resta immobile, paralysée par l'excitante anticipation.

Pinçant délicatement le tissu entre l'index et le pouce, il prit les ciseaux de l'autre main et fit une petite entaille dans le short, puis inséra la lame inférieure dans la petite ouverture.

Judith frissonna en sentant le métal froid glisser le long de son clitoris, son bord épais caresser ses replis gonflés, pendant que son bord aiguisé taillait le vêtement. Très lentement, il élargit le trou en maniant les ciseaux d'une main experte, alors que Judith se tortillait avec plaisir sous l'assaut de la lame glacée. Presque amusée par sa débrouillardise, elle n'était plus en colère, car elle sentait d'instinct qu'il n'allait pas la blesser.

Délaissant les ciseaux, il inséra ses doigts dans l'ouverture et la déchira pour l'agrandir, puis prit un moment pour regarder son buisson humide et frisé se révélant dans le trou, montrant les lèvres rouges et gonflées, toutes luisantes.

En se penchant, il prit en bouche la chatte palpitante. Judith gémit sous l'invasion, alors que la langue fourrageait, découvrant rapidement chacune des subtilités de sa vulve. Il saisit ses deux seins et les caressa rudement, comme sa bouche venait de le faire quelques instants plus tôt.

À chaque respiration, elle émettait un soupir, sentant la vague d'un orgasme continu s'élever rapidement en elle.

— Baise-moi, geignit-elle, surprise par le ton de sa propre supplique. Baise-moi tout de suite !

Il réagit sans hésiter et l'empala rapidement, poussant avec force alors qu'elle contractait sous lui les muscles de son bassin. Tout comme elle l'avait imaginé, elle le sentait maintenant l'étirer à la limite, la remplir de façon parfaite, presque pénible, mais agréable.

Même si elle prenait plaisir à retenir ce gourdin en elle, cela ne lui suffisait pas encore. Elle voulait jouir. Tout de suite. Glissant la main entre leurs corps, elle se mit à stimuler son clitoris, frottant la tige aller-retour, appuyant dessus du bout des doigts.

Elle poussa vers le haut, serrant à peine davantage, entre ses doigts, la chair gonflée et la queue rigide. Elle n'avait pas l'habitude d'être touchée aussi intensément, mais cela rendait sa réaction encore plus violente. Son orgasme fut soudain et puissant, et elle émit un bruyant hoquet. Entre-temps, l'inconnu poursuivait son va-et-vient en elle, nettement amusé par la créature dévergondée qui se tortillait sous lui.

— Est-ce que… tu te tapes souvent… des inconnus… au gymnase ? demanda-t-il laborieusement entre ses poussées.

Judith fut surprise qu'il veuille maintenant faire la conversation, mais prit plaisir à lui répondre.

— Crois-le ou non, répondit-elle lentement, c'est la première fois.

— Tu es… incroyablement… belle, parvint-il à dire. Je vois… que tu es faite… pour le plaisir.

Cette fois, elle ne répondit pas. Plus qu'un compliment, c'était une révélation sur elle-même, une chose à laquelle elle n'avait jamais pensé.

Elle sentit de nouveau monter son excitation alors qu'il continuait de l'enfiler. Dans le passé, elle avait eu quelques relations physiques avec des copains occasionnels, mais sans jamais sentir ce besoin pressant de recevoir du plaisir à répétition, le corps allumé par une passion apparemment inextinguible.

Elle avait commencé à changer dès son arrivée à la clinique. Depuis ce jour-là, elle s'était trouvée constamment excitée, toujours désireuse de donner et de recevoir du plaisir. Même à présent, la queue splendide qui la pénétrait allait bientôt lui faire atteindre un nouvel orgasme. C'était son moment préféré, car elle sentait l'incendie flamber de façon incontrôlable avant l'explosion. Elle gémit.

Il se retira et remonta pour la pénétrer à nouveau dans la bouche. Judith se tourna sur le côté, vers le succulent phallus qui apparaissait devant elle, raide et luisant de sécrétions. Elle goûta sa propre rosée en le prenant en bouche, le caressa de sa langue, et suça avidement le gland gonflé comme si c'était un fruit mûr.

Il remit sa tête entre les jambes de Judith, et cette fois sa bouche devint une araignée qui redécouvrait lentement la vulve engorgée, en ne faisant, cette fois, que frôler du bout de sa langue ses replis gonflés.

Judith lui arracha complètement son short, libéra son derrière rond et le parcourut à volonté, tripotant et pétrissant sa peau velue.

Elle fléchit les genoux et croisa les jambes derrière son cou, le retenant prisonnier, l'obligeant à plonger encore plus fort dans sa chatte humide. Peu après, elle sentit un coup dur et cuisant sur ses fesses et eut aussitôt l'impression d'avoir été frappée avec un objet métallique. Sans lever les yeux, elle s'aperçut également qu'ils n'étaient plus seuls dans la salle de rangement. Quelqu'un d'autre se tenait debout tout juste à côté d'eux. Quelqu'un qui les observait attentivement.

— Aimes-tu sucer cette petite dévergondée, Jimmy ? croassa une voix. Aimes-tu qu'elle te suce ?

« Jimmy » ne répondit pas. Si tel était son nom véritable, Judith savait qu'il n'allait pas lâcher son vagin pour parler à ce nouveau venu. Elle le mit à l'épreuve en baissant les jambes et en lui dégageant la tête. Son impression fut confirmée, car il continua de la lécher.

L'idée d'avoir un spectateur l'excita encore davantage et augmenta son impatience. Elle saisit la grosse queue de Jimmy et la serra rudement à deux mains, la travaillant en un va-et-vient frénétique, tout en gardant le gland gonflé dans sa bouche.

Elle comprit ensuite que le cliquètement qu'elle entendait venait probablement d'un trousseau de clés. En un lent mouvement du poignet, leur spectateur l'utilisait pour lui frapper méthodiquement le derrière, frôlant d'abord sa peau tendre, mais augmentant régulièrement la fréquence et la force de chaque coup.

Les clés étaient froides et rudes, et leur arête en dents de scie lui excitait les fesses comme des aiguilles, de faibles décharges électriques. Graduellement, elle sentit s'écarter la bouche de Jimmy et les clés se rapprocher de plus en plus de son bouton qui se maintenait constamment dans le même état de sensibilité aiguë.

Jimmy se retira complètement et la retourna sur le dos, tout en maintenant ses jambes écartées. Levant les yeux, elle reconnut Bert, un instructeur d'aérobie. Lui aussi portait un short de course et arborait une énorme érection. Cependant, son regard montrait peu d'appréciation, et il ne semblait pas tenté de la toucher.

Elle resta immobile et Bert s'agenouilla entre ses jambes, tout en souriant malicieusement. Sans un mot, il commença à balancer le lourd trousseau sur une trajectoire triangulaire, d'une façon nonchalante, d'une cuisse à l'autre, puis sur sa vulve gonflée.

— Les chattes ne m'intéressent pas, finit-il par dire d'un ton arrogant, mais je ne peux pas résister à la vue d'une jolie femme comme toi. Si tu veux bien continuer de sucer mon ami Jimmy, je te promets de te faire jouir.

Haletant de désir, Judith était trop faible pour parler; elle avait l'esprit engourdi, mais le corps très vif et avide de nouvelles stimulations. Jimmy était maintenant agenouillé à côté d'elle, pétrissant ses seins lourds, pinçant fortement ses mamelons. Rapidement, elle s'empara à nouveau de sa queue et la suça goulûment.

Le premier coup tomba en même temps, les clés frappant directement son bouton, projetant dans son ventre un éclair de douleur, puis une onde de choc de plaisir. Elle gémit.

— Tu aimes la rudesse, hein? demanda Bert à voix basse avant d'abaisser sa main à nouveau.

Judith gémit plus fort en réponse à chaque coup. Jamais ses tendres replis n'avaient été traités aussi rudement. Mais la douleur donna rapidement naissance au plaisir, de plus en plus intense à chaque coup, et la sensation devint si forte qu'elle crut s'évanouir d'excitation.

Il encercla sa vulve gonflée entre le pouce et le majeur, la tenant en un paquet humide et musqué, faisant ressortir son clitoris dressé, palpitant et luisant. Il laissa tomber les clés, et lui gifla la chair à main nue. Au départ, ce n'était qu'une série de tapotements anodins, mais il continua de taquiner son trésor d'une main experte, chaque claque projetant des ondes de plaisir qui fusionnèrent rapidement en un orgasme fort et hallucinant.

Pendant ce temps, elle continuait de torturer Jimmy, en écho au traitement qu'elle recevait malgré elle, laissant souvent ses dents brouter le gland pourpre, le suçant si fort qu'il gémissait lui aussi de plaisir et de douleur. Il atteignit son orgasme en même temps qu'elle, répandant son miel à l'intérieur de sa bouche. Elle l'accueillit avec un bruyant gémissement, son plaisir accru par le goût de sa semence sur ses lèvres.

Judith était trop faible pour se lever, et légèrement étourdie. Elle était étendue sur le ventre, sa peau moite collée au matelas de sol, témoin de la chaleur de la passion qui l'avait transportée. Tendant le bras devant elle, elle saisit son maillot déchiré et son short coupé, posés en un tas informe, et les ramena à son visage. Ils étaient trempés de sa sueur, qui embaumait l'odeur animale de son excitation. Se retournant sur le dos, elle cligna des yeux alors que la lumière du plafond assaillait ses yeux endormis.

Jimmy et Bert étaient partis, elle ne se rappelait pas quand ni pourquoi. Mais le traitement qu'ils avaient donné à son corps était inoubliable. Sa vulve lui faisait encore mal, gonflée et parfois palpitante. Son derrière et ses seins montraient de grandes marques rouges, sa peau gonflée était encore brûlante. Elle ne ressentait aucune douleur, mais tout son corps était engourdi, à présent. Peu importe; elle était comblée.

Étendue sur le dos, complètement nue, dans la salle d'équipement d'un club de santé, elle se reconnaissait à peine: une créature libidineuse, prête à se soumettre à des inconnus, enthousiaste à l'idée d'être frappée, bien que de la façon la plus délicieuse.

Que lui réservait l'avenir? Elle ne ressentait aucune honte, que de l'étonnement devant ce qu'elle venait de faire, et le désir écrasant de toujours tout recommencer. Tout son corps était devenu esclave du plaisir et, en quelque sorte, elle en était salacement heureuse. Elle voulait explorer toutes les possibilités, impatiente d'apprendre davantage, mais elle ne savait pas trop comment.

Tout cela était arrivé si soudainement, si récemment. N'était-ce qu'une phase? Elle ne le pensait pas, et elle sentait aussi que son travail y était pour beaucoup dans son comportement impudique.

En un bref éclair, elle se rappela madame Cox, et la façon dont cette superviseure l'avait sauvée dans la salle des douches. La femme lui avait parlé d'une façon très directe, cette fois-là, lui demandant sans ambages si elle avait joui, comme si cela était d'une importance capitale.

Sa vulve se serra violemment à ce souvenir, et sa rosée suinta une fois de plus. Elle devait revoir sa supérieure. Elle avait ce fort sentiment qu'il y avait un rapport entre la Clinique Dorchester et l'éveil inattendu de ses sens. Elle devait découvrir pourquoi son corps était devenu si lubrique et, d'instinct, elle savait que madame Cox avait probablement la réponse.

Chapitre sept

Judith aurait voulu enlever sa blouse. Jamais elle ne s'était sentie si à l'étroit, si mal à l'aise, et ce matin-là, l'atmosphère de la salle d'opération était plus chaude que d'habitude. Elle s'était habillée à la hâte, sans s'apercevoir que les vêtements couleur menthe, empilés dans l'armoire de stérilisation, étaient tous de tailles différentes, et qu'elle avait choisi un morceau trop petit pour elle. À présent, la couture de l'aisselle s'enfonçait dans sa peau et le tissu lui écrasait les seins et frottait ses mamelons sensibles. Mais il était trop tard pour retourner se changer, car elle avait du travail.

Sur la table d'opération, la fille nue lui souriait d'un air somnolent.

— Le vert te va bien, marmonna-t-elle. Comme dans les films...

Judith sourit à la patiente et lui souleva le sein gauche pour y installer le stéthoscope. La peau douce retomba sous le poids fluide des mamelles et lui frôla les doigts. Elle vit se contracter le mamelon couleur café, et ressentit un picotement à l'entre-jambe.

Lisa Baxter, 20 ans, était une fille moderne et à la mode, à la peau veloutée. Son père, décédé trois mois plus tôt, lui avait laissé un généreux héritage. Lisa n'avait pas perdu de temps et avait rapidement réservé sa place à la clinique : maintenant que papa n'était plus là pour l'interdire, elle n'avait plus aucune raison de ne pas se faire refaire le nez comme elle l'avait voulu depuis si longtemps, même si elle était probablement la seule personne au monde à trouver son nez moins que joli.

À peine plus jeune que Judith, elle avait un corps jeune et frais, avec des seins ronds et frétillants, une taille fine et invitante, et un doux monticule, pâle et frisé, où se cachait probablement un clitoris tout à fait adorable. Ses cheveux étaient cachés sous un bonnet rose, mais quelques mèches rebelles, de couleur paille, dépassaient derrière son oreille droite. Sa peau était unie et bronzée, d'un brun pâle, sans aucune marque de maillot.

Judith songea que cette fille aimait probablement s'étendre au soleil, uniquement vêtue d'un peu de lotion. Elle fut tentée de passer ses mains sur toute la peau douce, et regarda à nouveau le mamelon brun, désirant soudain le prendre en bouche, pour en découvrir le goût.

Elle retira le stéthoscope de sous le sein de la fille et le posa plus haut sur sa poitrine, à mi-chemin entre les deux globes. En abaissant son poignet, elle laissa sans s'en apercevoir la manchette de sa blouse frôler doucement le sein de la fille. Lorsqu'elle s'en rendit compte, cependant, elle se sentit rougir et retira nerveusement sa main.

Lisa ferma les yeux et soupira, et Judith sursauta devant sa réaction, avant de se rendre compte que celle-ci provenait probablement davantage de l'effet de son sédatif que de la caresse de sa manchette.

Replaçant le stéthoscope dans la poche de sa blouse, Judith laissa à nouveau errer son regard sur le corps nu. Elle se dit que son corps ressemblait sans doute à celui-ci, en plus pâle et plus laiteux. Mais sa peau paraissait-elle tout aussi douce et invitante ? La seule façon de le savoir serait de tendre la main et de toucher...

Elle ferma les yeux un instant, honteuse des images qui se formaient à présent dans sa tête. Pas encore… Pourquoi se sentait-elle ainsi? Son propre désir l'effrayait, à présent. Comment pouvait-elle même être attirée par une autre femme? Pourquoi une parcelle de peau nue bousculait-elle ses pensées et rallumait-elle sa chair? Serait-elle jamais à même de chasser ces pensées et sentiments? Elle devait s'y efforcer. Que lui arrivait-il?

Elle respira profondément et regarda à nouveau Lisa. À regret, elle tira le drap épais, par-dessus le corps envoûtant, puis se tourna vers le docteur Wilson, l'anesthésiste.

— Elle est détendue, vous pouvez commencer, dit-elle.

Il posa le masque de caoutchouc sur le joli visage.

— Respirez longuement, profondément, dit-il à la fille.

Le docteur Wilson était un homme peu bavard, aux gestes doux. Comme le reste du personnel, il était également fort séduisant. Mais à présent, Judith ne songeait qu'au corps nu qu'elle venait de recouvrir. Elle en avait déjà vu, de belles femmes, mais ne s'était jamais sentie aussi attirée. Cela ne lui ressemblait pas; quelque chose lui était arrivé. Elle était différente, à présent, et elle devait savoir pourquoi.

* * *

— Avez-vous aimé? demanda madame Cox. Auriez-vous préféré que je ne vienne pas vous extirper de leurs pattes?

— Je ne sais pas, répondit Judith lentement, en pesant chacun de ses mots. Au début, j'étais en colère contre elles. Mais ensuite, je n'ai pas pu m'empêcher de me sentir attirée.

— Attirée par quoi?

Judith rougit et fixa le plancher.

— Lorsqu'elles se sont levées, poursuivit-elle d'un ton hésitant, je voyais leurs mamelons à travers leurs uniformes…

Un silence tomba. Elle était assise dans le fauteuil de cuir, les pieds à plat au sol, le cœur battant de gêne et d'anticipation. Madame Cox continuait de faire les cent pas devant elle. Chaque fois qu'elle s'approchait, Judith était tentée de tendre la main vers le dessous de son bras nu, sous la couture de la manche courte, là où la peau pâle paraissait douce comme celle d'un bébé.

Elle était venue avec l'espoir de trouver une oreille attentive. Au contraire, madame Cox se montrait froide, presque cruelle, car elle obligeait Judith à en révéler davantage, à revivre chacun des instants des deux semaines précédentes, en racontant chaque détail lubrique.

— Aimez-vous voir des mamelons dressés ? poursuivit la femme.

— Je n'y ai jamais vraiment songé avant de venir travailler ici, avoua-t-elle, mais maintenant, on dirait que j'ai toujours des corps nus en tête.

Elle fit une pause de quelques secondes, tentant de tirer une image d'ensemble du méli-mélo de pensées qui lui traversait la tête.

— Voyez-vous, tout ça a commencé quand je suis venue travailler dans cette clinique. Depuis, j'ai toujours ces pensées...

Sa voix s'éteignit.

Madame Cox s'arrêta à seulement quelques centimètres d'elle, et la regarda intensément.

— Quelles sortes de pensées ?

Sa voix était un murmure rauque. Judith se tordit nerveusement les mains.

— Des pensées sur les autres... chuchota-t-elle.

— Pourriez-vous être plus précise ? dit madame Cox en se penchant vers Judith, qui rougissait, les mains de plus en plus serrées sur les accoudoirs.

— Il y a eu lady Austin... commença Judith, la tête basse.

— Que s'est-il passé ?

— Elle m'a demandé de lui toucher les seins...

— L'avez-vous fait ?

Judith était incapable de répondre. Son cœur battait sans cesse contre sa poitrine, son visage rougissait au souvenir de l'invitation de sa patiente, et la chaleur se répandait rapidement sur son cou.

— Les avez-vous touchés ? répéta madame Cox d'une voix plus forte.

— Non, répondit Judith dans un souffle.

Madame Cox recommença à faire les cent pas en poursuivant son interrogatoire :

— Et ses mamelons ? Décrivez-les-moi.

Judith ferma les yeux et respira profondément. Le souvenir de leur vue s'éleva dans son esprit, et elle se rappela à quel point elle avait été étonnamment excitée.

— Ils étaient foncés et plissés.

Elle s'arrêta, incapable de poursuivre, la gorge serrée sous le feu qui flambait en elle. Madame Cox ne dit rien, comme si elle s'attendait à ce que Judith lui en dise davantage, comme si son silence l'obligeait à répondre.

— Je les imaginais presque se durcir sous mes doigts, raides et saillants, parvint-elle à dire en un murmure.

— Est-ce que cela vous a excitée, ou l'étiez-vous déjà ?

— Je ne me rappelle pas...

— Je ne vous crois pas. Vous l'aviez épiée avec Édouard, votre chatte devait être trempée.

Judith leva les yeux, désemparée, à nouveau renversée par le ton de voix désinvolte de la superviseure lorsque celle-ci prononça ces mots. On aurait dit qu'elle le faisait presque exprès, soit pour provoquer, soit pour exciter l'infirmière gênée.

— Auriez-vous aimé les sucer ? demanda-t-elle sans hésitation.

— Non, protesta Judith.

— Et Lisa Baxter ? Que pensez-vous d'elle ?

— Elle est très jolie... commença Judith.

— N'est-ce pas ? poursuivit madame Cox, son ton devenant soudain sarcastique. Très joli corps. Est-ce qu'elle vous excite ?

— Je ne sais pas.

— Bien sûr que si, vous le savez, elle a une peau veloutée. N'aimeriez-vous pas l'envelopper de votre corps, sentir sa jeune chair bien chaude ?

— Peut-être... dit Judith d'un ton hésitant.

— Imaginez un moment que vous êtes au lit avec elle. Qu'est-ce que vous lui faites ? Lui sucez-vous les mamelons ? Lui léchez-vous le clitoris ? Voulez-vous qu'elle vous fasse la même chose ?

Judith ne pouvait répondre. La conversation avait sur elle un effet profond, et faisait poindre son excitation alors qu'elle se rappelait le moment où elle avait touché la fille avant son opération, et son désir, en effet, de caresser cette jeune chair. Sentant sa confusion, madame Cox insista.

— Voulez-vous qu'elle vous suce les mamelons ? Voulez-vous qu'elle vous lèche la chatte, qu'elle vous suce le clito ? Dites-moi, Judy, êtes-vous déjà mouillée ?

Elle fit une pause et se pencha à nouveau, le visage à seulement quelques centimètres de celui de Judith. Sa voix devint grave et sensuelle :

— Voulez-vous que moi, je vous suce ?

Judith ne pouvait soutenir son regard. Oui, elle le voulait, elle voulait que cette femme la fasse jouir, soumette sa chair à la torture, comme elle l'avait fait dans la salle des douches. Seulement, elle n'oserait jamais le lui demander.

— Puisque vous ne répondez pas, j'en conclus que cela n'est pas votre souhait, dit madame Cox d'un ton sec. Mais nous n'avons pas fini. Je veux entendre ce que vous avez d'autre à dire. Vous m'avez dit que vous étiez excitée par les femmes, à présent, mais aimez-vous encore les hommes ?

— Oui, répondit doucement Judith.

— Alors, parlez-moi de la dernière fois où l'on vous a baisée, dit-elle en s'assoyant derrière le bureau. Je veux entendre tous les détails.

La salle d'équipement du gym, deux jours plus tôt. Judith tenta de décrire la scène, mais n'arriva qu'à rougir davantage.

— C'est arrivé avec un homme au gym, un homme que je n'avais jamais vu, avoua-t-elle en se tortillant sur son siège, sentant sa vulve se contracter délicieusement en se rappelant sa rencontre avec Jimmy et Bert.

— Et ?

— C'est tout.

— C'est tout ?

— Eh bien, qu'est-ce que je peux vous dire d'autre ?

Elle était au bord des larmes, elle n'en pouvait plus. Madame Cox s'attendait de toute évidence à en entendre davantage, mais Judith ne savait pas comment poursuivre.

— Je crains que ce ne soit pas suffisant, dit madame Cox. Vous êtes arrivée en me demandant de vous aider, mais jusqu'ici, je n'arrive pas à comprendre en quoi consiste le problème. Vous vous retenez, et je ne peux vous laisser sortir de cette pièce avant que vous m'ayez tout dit. À ce stade, je n'ai d'autre choix que de vous demander d'enlever vos vêtements.

Judith la fixa, incrédule. Enlever ses vêtements, dans ce bureau ?

— Vous m'avez bien entendue, dit madame Cox d'une voix insistante. Levez-vous et déshabillez-vous devant moi. Cela facilitera grandement les choses pour nous deux.

Le corps balayé par une chaude vague, Judith se leva lentement, en regardant la femme dans les yeux, et commença à déboutonner son uniforme. Ses mains étaient étrangement calmes à mesure qu'elles descendaient. La robe glissa sur ses épaules et tomba au plancher avec un bruit sourd et doux. Elle la poussa du pied, frissonnant nerveusement alors que l'air frais du système de ventilation assaillait sa peau nue.

De l'autre côté du bureau, madame Cox se lécha nerveusement les lèvres. La jeune infirmière était maintenant debout en sous-vêtements, les mamelons dressés contre la dentelle de son soutien-gorge, sa culotte trempée d'une chaude moiteur.

Encore hésitante, mais avec une lenteur délibérée, Judith serra l'agrafe du soutien-gorge entre ses seins.

— À présent, parlez-moi, ordonna madame Cox d'un ton autoritaire.

— Je ne le connaissais pas, commença Judith en dégrafant son soutien-gorge. Il était adorable et je savais bien qu'il était attiré…

— Qu'est-ce qui vous a fait penser cela ? Dites-le précisément.

— J'ai vu qu'il bandait sous son short.

— Avait-il une grosse queue ? Décrivez-la.

— Elle était assez longue et épaisse, très épaisse, poursuivit-elle, baissant sa culotte. Elle ferma les yeux, incapable de regarder sa supérieure, pour que la femme ne remarque pas le désir dans ses yeux.

— Je voulais le sentir en moi, le sentir m'étirer, expliqua-t-elle en s'empourprant davantage.

— C'est beaucoup mieux, dit madame Cox à une Judith nue, alors que la culotte tombait au plancher. Vous devez le dire à voix haute, je veux tout entendre, et vous aussi.

Encouragée et excitée, Judith décrivit la rencontre de façon plus détaillée, en disant à quel point la bouche de Jimmy avait rudoyé ses seins, ce qu'il avait fait avec les ciseaux, ce que Bert avait fait avec les clés. Madame Cox commença à se tortiller sur sa chaise.

— Cela vous a-t-il excitée d'être frappée, de sentir du métal froid sur votre peau ? demanda-t-elle, se levant et marchant lentement vers Judith.

— Oui, avoua Judith. Je dois admettre que j'aimais ça.

Elle regarda la femme s'avancer et s'arrêter à seulement quelques pas devant elle. La forme des mamelons dressés transparaissait maintenant à travers l'uniforme, et Judith s'aperçut qu'elle avait réussi à exciter la femme.

Mais ces seins avaient quelque chose d'inhabituel, comme si les deux mamelons avaient été déformés. Sans doute étaient-ils dressés, serrés contre le tissu du soutien-gorge et de l'uniforme de la femme. Cependant, il était impossible de déceler leur forme; le tissu était trop épais. On voyait bien des formes, plates et rondes, mais hélas, c'était tout. Il n'y avait pas moyen de deviner, non plus, la couleur des aréoles.

Judith, intriguée, voulait désespérément que la femme enlève ses vêtements, elle aussi.

— Êtes-vous excitée, maintenant ? demanda madame Cox en s'éloignant soudain.

— Oui, avoua Judith en un murmure.

— Alors, assoyez-vous et écartez les jambes, ordonna-t-elle, je veux voir votre chatte.

Judith fit ce qu'on lui disait, prête à tout dans l'espoir de faire revenir la femme près d'elle. Elle écarta les jambes, ses mains glissant sur l'intérieur de ses cuisses jusqu'à ce que, du bout des doigts, elle saisisse et écarte doucement ses lèvres d'amour gonflées.

Elle sentait déjà sa rosée s'échapper et rapidement s'amasser entre ses fesses et la chaise. Sa douce odeur s'éleva aussi, bien nette. Elle regarda madame Cox et sourit d'un air modeste, espérant voir une quelconque réaction favorable de sa part. Mais elle fut déçue. Pis encore, madame Cox s'écarta encore davantage, retournant au fauteuil qui se trouvait derrière son bureau, sans toutefois s'asseoir.

— Comme je ne sais pas trop quel est votre problème, estima la femme, j'ai besoin d'un deuxième avis.

D'une main ferme, elle appuya sur un bouton au coin de son bureau et, avant que Judith eût pu demander ce qu'elle voulait dire au juste, une porte s'ouvrit derrière la jeune infirmière.

Tournant légèrement la tête, Judith sentit son sang figer dans ses veines en voyant entrer le docteur Marshall, le directeur de la clinique. Ses vêtements étaient sur le plancher, à quelques mètres d'elles. Elle croisa instinctivement les jambes et se couvrit les seins avec les mains.

— Ne faites pas l'enfant, Judith! lança madame Cox. Au cours de sa carrière, le docteur Marshall a vu des milliers de femmes nues. Écartez tout de suite les jambes, il va vous examiner...

Posant les deux mains à plat sur son bureau, madame Cox se tourna vers l'homme au moment où il s'avançait devant Judith, et se mit à parler de la jeune infirmière comme si elle n'était pas là.

— Nous avons ici une jeune femme en santé ayant une libido hyperactive, expliqua-t-elle. Je n'ai pas pu déterminer si quelque chose va de travers avec elle, ou si elle est vraiment normale. Je me suis dit que vous pouviez faire la lumière sur le sujet.

— Cela peut être assez délicat, reconnut-il. Vous avez raison, madame Cox. Mais j'aurai besoin d'en savoir plus long.

Dressé devant Judith, il lui jeta un bref coup d'œil d'un air dédaigneux, un rictus aux lèvres. Il avait les yeux baissés, mais non le visage. Sous cet angle, son nez semblait encore plus relevé. Sous l'éclat de la lumière venant du plafond, ses cheveux argentés brillaient étrangement, d'un éclat presque métallique. Ses yeux bleus avaient un éclat semblable, froid, et même hostile.

Judith sentit son regard glacial examiner son corps et ne put s'empêcher de frissonner.

— Ses mamelons sont durs, énonça-t-il froidement après un moment. Est-elle excitée ?

— Perpétuellement, semble-t-il, dit madame Cox. Elle affirme être constamment troublée par des pensées de corps nus, et être attirée à la fois par les hommes et par les femmes.

— Vraiment ? dit-il d'un ton sarcastique. Cela ne nous en dit pas très long, cependant.

Il finit par regarder Judith dans les yeux.

— Écartez les jambes, garde, ordonna-t-il. Voyons quel genre de chatte vous avez.

Judith écarta légèrement les jambes et sentit un sanglot s'élever dans sa gorge. À présent, il y avait deux paires d'yeux qui l'examinaient. Même si elle n'était plus inquiète à la pensée de s'exhiber devant madame Cox, c'était très différent, maintenant que le docteur Marshall était arrivé.

Elle le vit se lécher les lèvres au moment même où sa chatte lui apparut. De toute évidence, il n'était pas insensible non plus, et cette pensée donna à Judith un certain réconfort. Après tout, c'était un homme comme tous les autres.

Il s'appuya sur le bord du bureau et se pencha légèrement, fixant la touffe moite de Judith. Avec une forte claque sur l'intérieur de sa cuisse, il l'obligea à écarter davantage les jambes tout en l'examinant avec des yeux d'acier, d'une façon clinique. Après un moment, il se tourna vers madame Cox et hocha la tête en silence.

La superviseure se tourna vers Judith.

— Vous avez besoin de jouir, maintenant, dit-elle. Masturbez-vous.

Jusque-là gênée, Judith se sentait désormais confuse. Mais également un peu déçue. Ce n'aurait pas été si mal, cette demande, sans leur attitude clinique. Par contre, madame Cox avait raison : elle avait besoin de jouir, sa chair se mourait d'éprouver du plaisir.

Elle aurait aimé que madame Cox, par exemple, le fasse elle-même, et n'avait pas envisagé la présence d'un autre. Néanmoins, à la façon dont madame Cox et le docteur Marshall la fixaient, Judith savait qu'elle ne pouvait qu'obéir.

Sa main glissa de façon hésitante le long de sa cuisse et deux doigts disparurent graduellement à l'intérieur de sa caverne palpitante, pendant que son pouce commençait à trembloter au-dessus de son clitoris. Malgré l'atmosphère chargée de la pièce, l'effet fut presque immédiat. La réaction de son corps balaya ses soucis de son esprit et, en quelques secondes, elle fut sur le point d'atteindre l'orgasme. Penchant la tête vers l'arrière, elle gémit doucement.

Des siècles semblaient s'être écoulés depuis la dernière fois qu'elle s'était satisfaite, car elle avait récemment réalisé à quel point c'était différent avec quelqu'un d'autre. Cependant, le fait d'être observée par ses supérieurs était chose nouvelle, une expérience merveilleuse et excitante. En obéissant, elle obtiendrait peut-être une récompense.

À mesure que son excitation montait, elle devenait plus audacieuse, impatiente d'atteindre l'orgasme. Elle frottait son clitoris avec force et rapidité, incapable de se retenir plus longtemps. Comme toujours.

En arrivant à l'orgasme, elle émit un long cri plaintif, complètement insouciante de son public, et même plutôt contente de l'avoir. Haletante, mais heureuse, elle ouvrit les yeux et sourit de façon modeste à madame Cox et au docteur Marshall. Qu'allaient-ils lui demander d'autre ?

— Merci, dit le docteur Marshall en se dirigeant soudainement vers la porte. Je ne crois pas que votre problème soit très grave, et je suis certain qu'il n'y a pas de quoi s'inquiéter. J'ai bien peur que ce soit tout le temps que j'ai pour vous.

Madame Cox se baissa, prit les vêtements que Judith avait jetés sur le sol et les lui lança presque.

— Maintenant, je veux que vous emmeniez le major Johnson en physiothérapie, dit-elle sèchement. Il a rendez-vous à 14 heures. Dépêchez-vous pour ne pas être en retard.

Elle sortit du bureau à la suite du docteur Marshall, fermant la porte derrière elle.

Judith resta seule, encore secouée par la force de son orgasme qui se dissipait. Elle se leva lentement et commença à s'habiller. Une fois de plus, elle était ahurie. Ils la laissaient seule ! Après avoir passé une heure à exposer ses moments les plus intimes, à se déshabiller et même à se masturber devant eux, c'était tout l'effet qu'elle leur faisait ?

Cette visite ne lui avait absolument rien donné. On n'avait répondu à aucune de ses questions. Et même, cela rendait tout encore plus compliqué... Au lieu de découvrir pourquoi son corps avait besoin d'un plaisir constant, ou du moins comment contrôler ses envies, elle était tombée dans une sorte de piège en cédant une fois de plus à son excitation.

Et que dire de madame Cox et du docteur Marshall ? Un moment, Judith avait cru parvenir à exciter sa superviseure, mais les choses ne s'étaient pas déroulées comme elle l'avait prévu. Bien au contraire.

La situation, bien fâcheuse, laissait Judith plus perplexe que jamais, et même en colère contre elle-même et ses supérieurs. C'était la première fois qu'on l'abandonnait ainsi, et ce n'était pas faute d'avoir essayé de les exciter. Elle était arrivée au bureau de madame Cox uniquement pour discuter, mais le comportement de la femme l'avait amenée à penser qu'elle désirait vraiment la jeune infirmière.

Cependant, madame Cox semblait avoir une forte capacité de retenue. Elle aurait pu garder Judith après le départ du docteur Marshall, et peut-être continuer leur conversation, peut-être même la toucher. Il ne faisait aucun doute que la femme était émoustillée, mais de toute évidence, pas suffisamment pour s'adonner à quoi que ce soit d'autre qu'à un interrogatoire inutile et cruel.

Et bien que Judith n'ait jamais pensé vouloir un jour que cette femme la prenne à nouveau, le fait que madame Cox ne semblait pas impressionnée ne faisait qu'alimenter chez la jeune infirmière l'envie particulière de séduire sa supérieure.

Elle se sentit mal, confondue par ce soudain désir de recevoir du plaisir de la femme, par le besoin de jouer une sorte de jeu, un jeu qu'elle n'avait même jamais joué avec les hommes. Mais elle ne voulait plus lutter contre ses impulsions.

Tout comme l'autre jour, au gym, lorsqu'elle avait bêtement entrepris de séduire Jimmy, elle savait que si elle pouvait séduire madame Cox, cela n'allait engendrer qu'un plaisir intense et inimaginable. Elle le sentait déjà. Ce serait sa façon de remettre la monnaie de sa pièce à sa supérieure, de prendre sa revanche sur ce qui venait de se passer.

Il y avait sûrement une façon d'atteindre la femme, de la tenter suffisamment pour qu'elle ne puisse résister à la jeune infirmière et qu'elle caresse sa chair en attente. Judith était certaine qu'un jour, elle trouverait moyen de la séduire, à ses propres conditions.

Il lui suffisait de trouver comment dépasser les défenses de madame Cox et s'offrir à elle d'une façon irrésistible.

Chapitre huit

Les roues du fauteuil roulant ronronnaient doucement dans le couloir. Le major Johnson était bien assis dans le fauteuil de cuir, content d'être poussé par une infirmière aussi mignonne. Le jeune et fringant officier de l'armée s'était blessé au genou durant une manœuvre, et avait besoin de physiothérapie à la suite de l'opération.

En tournant le coin, Judith fixa le cou de l'homme par la grande ouverture de son t-shirt, pour examiner la ligne sinueuse de ses épaules. Depuis sa tendre enfance, elle avait été impressionnée par les corps fermes et robustes, attirée par la peau douce qui enveloppait habituellement les muscles solides. Lorsque sa féminité s'était épanouie, les hommes qui s'étaient mis à apparaître dans ses fantasmes étaient toujours des engins superbes, forts et en forme.

L'homme qu'elle poussait devant elle leur ressemblait exactement, sauf qu'il n'était pas un fantasme. Il était à la portée de sa main. Elle serrait les poignées du fauteuil roulant, et ses jointures blanchirent rapidement lorsqu'elle recula pour entrer dans l'ascenseur. Lorsque les portes se fermèrent, elle se pencha pour bloquer les roues.

Seule avec lui dans cet espace fermé, Judith eut un soudain sentiment de puissance. Après l'étrange séance au bureau de madame Cox, quelques minutes plus tôt, elle avait besoin d'un peu de pouvoir; elle voulait mener la barque. À présent, le major

Johnson était une victime parfaite. Dommage qu'elle doive garder les mains sur les poignées du fauteuil roulant, car elle sentait que la peau de l'homme ne demandait qu'à être touchée.

Un instant, Judith laissa errer son imagination, se demandant ce qui se passerait si elle osait glisser la main sous le t-shirt de l'homme, éveiller en lui un désir pour elle, lui imposer son intention, l'amener à faire ses quatre volontés...

Silencieuse derrière le fauteuil, elle baissa les yeux vers lui. Lentement, elle tendit la main pour appuyer sur le bouton du panneau voisin de la porte, et recula presque aussitôt en remarquant qu'elle s'était appuyée un moment contre son dos. Une fraction de seconde, qui avait néanmoins suffi à lui faire sentir la chaleur de sa peau contre son abdomen. Elle ne l'avait pas fait exprès, mais elle en était contente.

C'était un petit jeu stupide et bête. Comment osait-elle toucher ainsi à un patient? Cependant, le major Johnson n'eut pas l'air de s'en faire, et n'essaya pas de s'écarter.

Judith fut presque surprise de cette absence de réaction à un contact aussi intime. N'avait-il pas remarqué le ventre de l'infirmière appuyé contre son dos, et ses seins qui lui frôlaient l'arrière de la tête? En tout cas, aucun signe ne trahissait sa réaction. Judith était agacée. Comment un homme pouvait-il ne pas réagir? Ne la trouvait-il pas assez tentante?

Elle coula son regard le long du corps de l'homme pour l'examiner. Les manches du t-shirt, trop longues, cachaient les biceps. En fait, le vêtement, trop grand, ne révélait pas grand-chose, à part la base du cou et un peu des épaules. Judith était plutôt déçue, car elle aurait aimé en voir plus.

Ses jambes étaient complètement dissimulées sous un pantalon de coutil, la gauche soutenue en position horizontale, le tissu tiré par la grosse bosse de son genou enveloppé dans un bandage. Pas moyen de voir les jambes, mais Judith devinait les cuisses musclées et bien définies. La peau était-elle pâle ou bronzée? Glabre et douce, ou couverte de poils? N'allait-elle jamais le découvrir?

Devant elle, les portes de l'ascenseur en métal dépoli ne reflétaient que de vagues ombres. Mais les trois murs de la cabine étaient recouverts de miroirs foncés, et en tournant légèrement la tête, Judith vit le profil de l'homme se reproduire sans fin en décroissant jusqu'au néant.

Le major regardait fixement devant lui, sans trop s'occuper des glaces. L'ascenseur s'arrêta dans une faible secousse, et les portes s'ouvrirent sur le couloir principal du sous-sol. Judith, perdue dans ses pensées et sa contemplation de l'homme, mit quelques secondes à s'apercevoir qu'il était temps de sortir. Le major tourna légèrement la tête vers elle, comme s'il se demandait pourquoi elle n'avait pas encore bougé.

— Savez-vous où on va? demanda-t-il. Je peux vous guider, si vous voulez.

Elle se pencha pour dégager le frein.

— Je ne suis pas trop certaine, mentit-elle en poussant le fauteuil. Je ne suis jamais venue à cet étage-ci.

— C'est là, derrière le coin, dit-il en pointant une direction au moment où ils sortaient de l'ascenseur.

Elle le poussa lentement, cette fois se tenant aussi près de son dos que possible, et ses genoux frottaient le dossier de cuir du fauteuil roulant tout en heurtant doucement les fesses de l'homme, ses seins à quelques centimètres de sa tête. Elle jouait une sorte de jeu puéril, comme si elle voulait susciter quelque réaction. Mais il ne semblait toujours pas remarquer sa proximité, ou du moins, celle-ci ne le dérangeait pas.

Ils traversèrent la porte de verre givré du salon des médecins, et Judith ne put réprimer un tressaillement en se rappelant le soir, peu de temps auparavant, où on l'avait invitée à visiter ce repaire.

— Le salon des médecins, lut le major à haute voix. Êtes-vous déjà venue ici ? J'ai entendu dire que, dans chaque hôpital, c'était l'endroit le plus intéressant.

Judith rit, essayant d'avoir l'air désinvolte.

— Je ne sais pas, je travaille ici seulement depuis la semaine dernière.

— Jeune, jolie et sans expérience. J'ai de la chance...

Bien qu'intriguée, Judith ne répondit pas. Elle aurait voulu qu'il en dise davantage, mais il se tint coi jusqu'au département de physiothérapie.

— Nous y voilà, dit-il d'un ton enjoué en poussant la porte avec sa bonne jambe.

Le bruissement d'un tissu l'accueillit, et un homme en jogging de nylon blanc apparut, lui faisant signe d'avancer dans sa salle de traitement adjacente.

— Desmond, mon vieux ! dit joyeusement le major. Ça fait du bien de te revoir. Regarde la jolie demoiselle qui m'a conduit ici...

Il tourna la tête et regarda Judith. Mais Judith ne regardait plus le major. À la vue de Desmond, la stupeur s'était emparée de son esprit. Elle rapprocha le fauteuil roulant de la table de massage, mais uniquement par automatisme. Dès l'apparition de Desmond, son cerveau avait cessé de fonctionner.

Elle crut le reconnaître, elle l'avait déjà vu, en rêve ou dans une autre vie. Sa peau était noire comme la nuit, et sa tête, complètement chauve, une boule luisante aussi sombre qu'un vernis bleuâtre.

Elle l'avait vu mille fois, mais aujourd'hui, elle le regardait pour la première fois. Il était ce pirate des mers du Sud, le génie de la lampe, l'esclave noir des légendes romaines. Il était tous les hommes en un.

Le mot « impressionnant » était bien faible. Desmond était

grand, très grand; et massif, très massif. Ses larges épaules et ses hanches étroites lui donnaient davantage l'allure d'une sculpture que d'un homme. Le blanc de ses vêtements ne faisait que mettre en valeur son teint sombre. Il regarda Judith lui aussi, vaguement perplexe devant son regard fixe, et il sourit.

Deux rangées de dents brillèrent comme mille lumières minuscules, accompagnées par l'éclat jaunâtre d'une seule dent d'or, vers l'arrière de sa bouche.

Judith sourit à son tour, encore hésitante. Il paraissait presque irréel, diabolique, à la fois menaçant et attirant. Il enleva sa veste de nylon pour dévoiler un polo blanc dont le tissu tiré épousait chaque courbe de sa poitrine, montagnes et vallées de chair ébène et ferme, ondulations de velours noir.

Il se pencha pour aider le major à sortir du fauteuil roulant. Le major glissa les bras autour du cou épais et foncé, et Desmond le souleva de ses pieds, le hissant presque dans ses bras sur la table étroite. Judith ne pouvait que rester là à regarder.

Le major, rapetissé par la taille impressionnante de Desmond, s'accrochait à lui comme un petit enfant. Judith regarda Desmond descendre en silence le pantalon du major, et de ses grosses mains le glisser soigneusement par-dessus le genou enveloppé dans son bandage.

Tout comme elle l'avait imaginé, les jambes du major étaient quelque chose à voir, musclées et bronzées. À côté de Desmond, par contre, il avait presque l'air d'un nain. Sa façon de sourire sembla soudainement empreinte de modestie, comme s'il était en admiration craintive devant le Noir massif.

Malgré sa taille, Desmond n'était pas effrayant. Ses mouvements étaient lents et caressants, ses grosses mains manipulant les membres du patient comme s'ils étaient faits de cristal délicat. Il ouvrit les épingles qui serraient le bandage, et déroula lentement le long morceau de tissu élastique. Sans un mot, il examina le genou blessé, son doigt épais traçant doucement la trajectoire de la cicatrice rose, glissant son autre main sous l'articulation afin de la soutenir.

Le major le regarda en souriant, puis retira timidement son t-shirt. Voyant qu'il était complètement nu, Judith faillit se retourner, de surprise et d'embarras.

Une question surgit à son esprit : si le major était venu exercer son genou, pourquoi était-il complètement nu ? C'était absurde. À présent, il était étendu sur le dos, les yeux fermés, tandis que Desmond finissait de déballer le genou. Le contraste des mains du Noir sur la chair plus pâle du major était fascinant.

Encore plus impressionnante était la vue du phallus du major, qui sortait lentement de son sommeil et devenait graduellement rigide, comme s'il s'éveillait sous le toucher du thérapeute. Le gland luisant sortit lentement de sous le prépuce, la queue grossit et tressauta légèrement.

Pour Judith, tout devint clair : le major Johnson était du genre d'homme qui aimait être touché par un autre homme. À présent, elle savait pourquoi il avait été si empressé d'arriver à la salle de physiothérapie. Pas étonnant non plus qu'il soit resté imperturbable sous son toucher à elle !

Une fois de plus, elle regarda les mains noires. Desmond massait la cuisse à fond, ses doigts s'enfonçaient dans les muscles, les pétrissaient en préparation des exercices. Puis, il descendit vers le mollet, répétant le traitement, réchauffant la chair restée immobile après l'opération.

Et pendant tout ce temps, le major durcissait, nettement excité par le toucher de Desmond, et insouciant — ou réjoui ? — du fait que Judith pouvait tout voir. Desmond non plus n'accordait aucune attention à cette dernière, comme si elle était devenue invisible. Néanmoins elle était bien là avec eux, observant de près, les mains encore serrées sur les poignées du fauteuil roulant, et les jointures blanchies sous la tension trahissaient son excitation.

Un moment, elle pu presque sentir les mains de Desmond sur elle aussi, sachant qu'elle serait également excitée par son toucher. La pensée était si vive qu'elle sentit sa vulve se contracter, manifestant son désir d'être touchée par les gros doigts.

Judith dut relâcher le fauteuil roulant, prise par une crampe au poignet. Elle se rappela comment elle s'était sentie à observer Édouard avec lady Austin, la semaine précédente. Une fois de plus, elle était témoin d'une scène fort excitante, bien qu'inhabituelle. Et cette fois, Desmond et le major savaient qu'elle était là, devant eux. Le fait qu'ils ne semblaient pas s'en soucier était suprêmement troublant.

Elle s'obligea à regarder ailleurs, incapable de supporter le martèlement croissant de son cœur. Regarder ailleurs... Il lui fallait détourner son regard de la scène qui se déroulait devant elle, même si quelque chose en elle la poussait à observer. Par contre, elle ne se sentait décidément pas à sa place. Avec grand effort, ses yeux balayèrent la pièce, scrutant sans grande conviction la longue rangée de pots sur les étagères. Des jarres de plastique, d'autres en verre, contenant des émollients, des huiles, et quoi d'autre encore. Quelques rouleaux de bandage élastique...

Après un moment, elle ferma les yeux, se forçant à se rappeler ce qu'elle venait de voir, tous ces produits alignés sur la tablette, mais elle était toujours incapable de se concentrer. Elle ne pensait qu'à l'homme qui était en train de se faire masser, presque caresser, sur la table par le Noir, et qui en goûtait visiblement chaque instant.

Elle renversa la tête et s'obligea cette fois à regarder au plafond. À son grand étonnement, elle ne vit pas la surface blanche et lisse à laquelle elle s'attendait, comme tous les plafonds dans autant d'établissements du genre.

Il y avait, à la place, des rangées et des rangées de solides crochets métalliques, auxquels étaient suspendus des amas d'épaisses chaînes. À l'extrémité de chacune étaient attachés des bracelets de cuir de tailles différentes. Une fraction de seconde, sa surprise fut telle qu'elle faillit oublier ce qui se passait devant elle, jusqu'à ce qu'un grognement du major la ramène à la réalité.

Au moment où elle baissa les yeux, Desmond avait soulevé la jambe blessée, et le phallus du major avait atteint des proportions impressionnantes. Le contact semblait devenir de plus en plus intime entre le thérapeute et son patient. Ce spectacle mit Judith encore plus mal à l'aise.

Soudainement, elle sentit la chambre devenir chaude, presque suffocante, et l'air expulsé de ses poumons, écrasant, à chaque battement de son cœur. Ce ne pouvait être que son imagination, car jamais elle n'aurait pu imaginer une telle scène.

Elle ne pouvait supporter de les regarder; il fallait qu'elle sorte de là avant de s'évanouir d'excitation. Instinctivement, elle ouvrit en vitesse la porte menant à la pièce voisine et entreprit de l'explorer afin d'échapper à Desmond et au major.

Aussitôt entrée, elle alluma, referma la porte derrière elle, et poussa un soupir de soulagement. Maintenant, elle était seule. Elle n'avait plus qu'à trouver une façon de passer le temps jusqu'à ce qu'ils aient fini, même si l'image de la queue raide du major restait obstinément incrustée dans son esprit.

Le patient n'avait pourtant aucune raison d'être nu pour ce genre de traitement, aucune raison du tout. Et Desmond n'avait pas semblé le moins du monde surpris. À quel jeu se livraient-ils donc?

Elle fut tentée d'y retourner pour continuer à les observer. Mais elle ne put se résoudre à rouvrir la porte, du moins pas encore. Sa réaction la mit en colère. Pourquoi, partout où elle regardait, semblait-elle être constamment entourée de corps nus ? Et pourquoi était-ce si troublant, si effrayant, si excitant ? Et pourquoi était-ce toujours le cas avec ses patients à elle ?

Elle chassa cette pensée de son esprit et regarda autour d'elle. C'était une autre salle de traitement semblable, un peu plus petite, avec, autour d'une table de massage, des étagères chargées de lotions et d'onguents. Seulement, dans cette pièce, les chaînes suspendues au plafond n'étaient pas attachées en amas, mais pendaient librement, ce qui ramenait les bracelets de cuir à seulement quelques mètres du plancher.

Judith marcha entre les chaînes comme dans une forêt, et les écarta du revers de la main en traversant la pièce. Le métal était froid et lourd contre sa peau, et les épais maillons, luisants et solides. Regardant une fois de plus au plafond, elle réalisa que les chaînes semblaient fixées selon un certain schéma, mais elle ne comprenait pas à quoi elles servaient.

Ce n'était pas la première salle de physiothérapie qu'elle avait vue, pourtant jamais auparavant elle n'avait remarqué de système aussi élaboré. Lorsqu'elle se retourna, le côté de son visage toucha l'un des bracelets de cuir, et elle poussa un petit cri, légèrement surprise par le contact.

Elle eut un rire nerveux, les nerfs à vif, et s'en voulut de son idiotie. Elle saisit le bracelet entre ses doigts pour l'examiner de plus près. Le cuir était doux et souple, la boucle légèrement usée. En tirant, elle vit que la chaîne était suspendue à une poulie : ainsi, sa longueur était ajustable.

En jouant avec la boucle, elle arriva à serrer le bracelet autour de son poignet et tira légèrement la partie lâche de la chaîne en faisant remonter son bras. Même si la chaîne était froide, le cuir du bracelet paraissait chaud et presque confortable. Elle tira à quelques reprises, obligeant son bras à monter et à descendre, jouant avec la chaîne comme un enfant découvrant un nouveau jouet.

Elle fut momentanément distraite par les bruits, puis crut entendre un écho au cliquetis métallique. Elle s'arrêta.

Mais l'écho se répéta. En tournant la tête vers la porte, elle s'aperçut que les sons provenaient en fait de la pièce voisine, et elle comprit immédiatement que les chaînes et poulies étaient fort probablement en train de servir à Desmond.

Que pouvaient-ils donc faire? Elle sentit son cœur battre encore plus vite. Oserait-elle épier? Elle dégagea son poignet, marcha lentement vers la porte, et y pressa l'oreille.

Les bruits s'étaient arrêtés, remplacés par des soupirs et des grognements. Cela ne fit qu'augmenter la curiosité de Judith et rallumer son excitation. Une fois de plus, elle imagina la peau noire de Desmond étendue sur celle, plus pâle, du major Johnson. L'invitante queue apparut elle aussi, palpitant sous le toucher du thérapeute.

Ce qui s'était passé exactement après son départ de la chambre était un mystère, par contre Judith était convaincue que les chaînes étaient en cours d'utilisation, probablement les bracelets aussi. Il n'y avait qu'une façon de le découvrir, c'était de le demander.

Elle se retourna une fois de plus et jeta un coup d'œil d'un bout à l'autre de la pièce. Il n'y avait aucune fenêtre, aucune autre porte, aucune issue. Elle devint soudainement effrayée. Se sentant de nouveau étouffer, elle avait besoin de sortir, mais était aussi craintive de ce qu'elle allait découvrir de l'autre côté de la porte.

Entre deux maux, choisir le moindre. Sa curiosité l'emporta sur sa peur, et elle décida de retourner voir Desmond et le major. Le cœur encore battant, les yeux clos, elle se prépara mentalement à ce qu'elle allait y voir et ouvrit la porte avec force. Elle respira profondément et ouvrit les yeux.

À son grand étonnement, Desmond était encore en train d'aider le major à se rasseoir dans le fauteuil roulant, tout habillé. Les deux hommes la regardèrent en souriant.

— Apprécié votre visite ? demanda le major d'un ton joyeux.

— Euh... oui, répondit-elle.

— Faut s'en aller, maintenant, poursuivit-il sur le même ton. Pouvez-vous me pousser, mademoiselle ?

Judith s'avança lentement, comme si elle s'éveillait enfin d'un rêve, les pas encore hésitants. Elle regarda à nouveau autour d'elle. Rien n'avait changé, à l'exception d'un pot de crème qui avait été retiré de l'étagère et se trouvait maintenant ouvert sur une petite table d'appoint. Son contenu exsudait un parfum doucereux, qui se mélangeait à une autre odeur qui baignait la pièce, cette dernière vaguement familière, non pas désagréable, mais plutôt âcre.

Elle détourna les yeux vers le plafond. Toutes les chaînes étaient méticuleusement attachées en paquets, il n'y avait pas moyen de savoir si l'une d'elles avait été récemment dégagée.

Le major suivit son regard en souriant.

— Qu'est-ce que vous regardez ?

— Les chaînes... fit-elle en se raclant la gorge. Elles servent à quoi ?

Son ton prit soudainement de la force, elle voulait savoir et n'avait plus peur de demander. Desmond ne répondit pas, mais Judith remarqua un léger mouvement convulsif au coin de sa bouche.

— À quoi servent les chaînes ? insista-t-elle.

Toujours pas un mot de la part de Desmond. En fait, Judith réalisa, à ce moment, qu'elle ne l'avait pas entendu dire un seul mot depuis son arrivée.

Le major Johnson eut un rire bruyant.

— Comme on dit dans l'armée, affirma-t-il d'un ton de juge, c'est nous qui le savons et c'est à vous de le découvrir... Pouvons-nous partir, à présent ?

Chapitre neuf

Judith mit quelques minutes à se rappeler où elle était. Son corps semblait flotter, douillettement enveloppé dans du coton chaud. Mais son esprit se retirait peu à peu de cette confortable étreinte, son attention se détournant du fil des pensées ensommeillées pour passer à la réalité du monde conscient.

Elle finit par ouvrir les yeux et regarda le réveil. Son cerveau endormi conclut qu'elle avait dormi presque quatorze heures. Soulevant les bras, elle s'étira avec un bâillement, puis tourna lascivement les hanches à quelques reprises, d'un côté, puis de l'autre. Une journée de congé, enfin, et rien d'autre à faire que dormir.

Les bruits de la rue atteignirent ses oreilles. Elle entendit des camionneurs s'invectiver au coin, des enfants crier en sortant de l'école. Au beau milieu de l'après-midi, il faisait aussi sombre qu'en début de soirée.

À mesure que son esprit émergeait du sommeil, elle reconnut aussi le bruit de la pluie qui tombait sur le toit. Une journée sombre et humide, une journée à passer au lit.

Elle roula sur son ventre et saisit son oreiller à deux mains, puis, écartant les jambes de chaque côté, appuya ses hanches nues contre sa douce rondeur. Ses seins libres s'y frottaient sensuellement, s'enfonçant dans sa propre chaleur.

Elle ne dormait pas souvent dévêtue. Pas depuis des années, en fait. Toutefois, son corps ne semblait plus désormais supporter d'obstacle; sa peau avait besoin d'être dégagée. Ses mamelons durcirent sous la caresse du doux tissu, contre le duvet qu'il recouvrait.

Cela ne lui ressemblait pas. Elle avait changé. Avant, elle collait automatiquement les pieds au plancher une seconde après avoir ouvert les yeux, et elle aurait pu dormir autant sur des planches. À présent, au contraire, elle aimait passer des heures au lit, à sentir sa peau nue frôler légèrement le tissu duveteux, à enlacer son énorme oreiller et à l'envelopper de ses jambes, ses hanches poussant doucement contre le doux coton.

Chaque matin et chaque soir, son corps nu pouvait trouver les caresses douces et réconfortantes qu'il semblait constamment désirer. Quand cela avait-il commencé? La même réponse lui venait toujours à l'esprit: lorsqu'elle avait été embauchée à la clinique. Avant, son corps n'existait pas, sinon lorsqu'il fallait qu'elle le nourrisse, le lave et l'exerce.

À présent, tout son être, plus que de nourriture ou de sommeil, avait surtout besoin de jouir; de jouir encore et encore. Et le plaisir qu'elle pouvait se donner ne lui suffisait plus. Elle avait besoin du toucher d'un autre corps, de chair chaude contre la sienne. Elle avait besoin de le sentir, et même de le goûter; une faim envahissante et toujours inassouvie. Le changement avait été radical, mais elle ne pouvait s'expliquer comment tout s'était enclenché.

Dehors, la gouttière fuyait encore. Judith entendait les grosses gouttes s'échapper et heurter la persienne à quelques centimètres de son lit. Leur rythme était régulier, hypnotique.

Cela lui rappela curieusement son premier matin au travail, dans la salle d'opération, alors que la voix d'Édouard lui avait fait un tel effet. Avait-elle été hypnotisée, elle aussi?

Ce souvenir secoua ses pensées, et elle se redressa brusquement sur son lit, repoussant l'oreiller. Elle comprit soudain ce qui lui était arrivé. À présent, tout s'éclaircissait. Cette prise de conscience fit bondir son cœur et courir son esprit. Bien sûr, ça ne pouvait être que ça, c'était tellement évident! Pourquoi n'y avait-elle pas pensé avant?

Plus elle y songeait, plus cela devenait logique. Si, à partir du moment où elle avait commencé à travailler à la clinique, sa sensualité s'était si violemment éveillée, ce ne pouvait être que pour une seule raison: elle avait été hypnotisée. Il n'y avait pas d'autre explication.

Elle se prit la tête à deux mains et s'obligea à se rappeler davantage, à rassembler tous les détails. Tout cela avait commencé ce matin-là, dans la salle d'opération. En anesthésiant lady Austin, on l'avait hypnotisée, elle aussi. Tout cela était fort possible, un maître pouvait lui faire faire tout ce qu'il voulait, et même lui faire oublier sa transe... C'était ridicule, mais tellement simple.

C'était probablement arrivé ainsi. Édouard l'avait hypnotisée, pour lui suggérer que son corps serait dorénavant dans une perpétuelle excitation, sans pouvoir se passer de contact physique, ou quelque chose comme ça.

Il avait dû concevoir une façon d'éveiller ses sens, lui avait probablement parlé d'une chose précise qui la ferait réagir sans même qu'elle ne s'en rende compte. Puis, aussitôt, tout était redevenu comme avant; quelques minutes pour récupérer, ensuite le retour au travail, comme si de rien n'était. Cela expliquait également pourquoi elle ne sentait jamais le désir de s'attarder après un orgasme. Ainsi, elle retournerait aussitôt à ses tâches!

Tout s'expliquait, à présent. Elle s'était fait piéger, programmer — par Édouard... Mais quelqu'un d'autre était-il au courant? Robert Harvey? Bien sûr... Il avait été le premier à la «tester». La preuve: elle avait été incapable de résister à ses avances. Elle ne l'avait pas beaucoup revu depuis, juste en passant, en fait, peut-être à cause de leur conflit d'horaires. Et puis, cela ne remontait qu'à quelques semaines; il essaierait sûrement de la séduire, de la tester à nouveau.

Qui d'autre? Tania et Jo? Moins probable. Par ailleurs, elles-mêmes étaient peut-être hypnotisées. Comme tout le personnel infirmier, désormais incapable de résister à la vue d'un corps nu.

Lady Austin? C'était douteux. Ou peut-être pas, car elle pouvait être complice d'Édouard. Après tout, ils étaient amants... Ou bien elle-même avait peut-être été hypnotisée?

C'était encore confus, mais les pièces du puzzle commençaient à s'agencer parfaitement. Judith repoussa ses couvertures, se leva d'un bond et courut nue à la salle de bains. Agitée par les pensées qui tourbillonnaient dans sa tête, elle avait besoin d'y voir clair.

Elle tourna les robinets sans attendre que l'eau se réchauffe. Elle bondit tout de suite sous la douche et présenta son visage au jet rafraîchissant, en espérant effacer toute trace de sommeil et redonner à son cerveau une certaine capacité de penser.

L'eau lui gicla au visage et elle frémit, surprise. C'est ce dont elle avait besoin pour se dégager l'esprit. L'eau ruisselait sur son visage, à l'assaut de ses yeux gonflés, et elle s'obligea à mettre de l'ordre dans ses pensées.

Jusqu'ici, elle avait établi la forte probabilité que les gens avec lesquels elle s'était trouvée en contact au travail aient pu être hypnotisés, ou aient été au courant du fait que Judith était envoûtée et exploitée.

Elle avait réussi à déterminer le statut de Robert Harvey, de Tania et Jo, et de lady Austin, sans parler d'Édouard même. Bien sûr, Édouard était au centre de tout cela... Et qui d'autre?

Madame Cox? C'était un peu plus délicat. Avec le recul, toutefois, il lui semblait évident que la superviseure était au courant de la transe de Judith, et que, bien que consciente de la situation, elle n'était pas d'accord. Quel pouvoir de décision pouvait-elle détenir dans tout cela?

Cela expliquait peut-être son comportement: comme la superviseure savait que la jeune infirmière était toujours excitée malgré elle, elle a fait de son mieux pour l'aider en la soulageant quand Judith en avait le plus grand besoin. Après tout, sa tâche consistait entre autres à s'occuper du personnel infirmier. D'où son geste dans la salle des douches, et de toutes ces questions dans son bureau!

Le docteur Marshall? Il savait sûrement, il était peut-être au cœur de ces manigances, en tant que directeur de la clinique. C'était peut-être lui qui déterminait quels membres du personnel se faisaient hypnotiser, et madame Cox était chargée d'éviter les dérapages.

Desmond? Il savait quelque chose, mais pouvait bien être une sorte de marionnette, comme les autres. Ce n'était qu'une supposition, cependant, car rien ne prouvait à Judith qu'il s'était vraiment passé quelque chose entre lui et le major Johnson.

Et ces gars du gym? Une coïncidence? Ils auraient été placés là pour la tester... Il y avait toujours une chance que les directeurs de la clinique aient voulu surveiller ses activités, seulement pour s'assurer qu'elle était encore sous leur charme.

Alors donc, toutes les pièces du casse-tête trouvaient leur place! Il se passait nettement quelque chose de louche dans cette clinique, et maintenant, elle savait quoi. Mais les patients? Étaient-ils, eux aussi, hypnotisés et soumis aux caprices des médecins? Le cas échéant, c'était non seulement un grave manque d'éthique, mais c'était aussi illégal. Il fallait qu'elle obtienne des preuves et qu'elle aille trouver la police.

Comment faire? Elle devait d'abord sortir de la transe. Par contre, le fait d'avoir pu rassembler tout cela prouvait que son esprit pouvait aller à l'encontre de suggestions qui lui avaient été faites, qu'elle était assez forte pour s'y opposer.

Elle n'avait pas d'autre choix, à ce stade, que d'affronter Édouard, de lui dire qu'elle savait ce qu'il tramait, et que la partie était finie. Si elle pouvait éviter ses yeux, ne pas faire attention à sa voix, elle ne serait plus sa proie. Elle devait être forte. Elle savait qu'elle le pouvait, et elle avait encore quarante-huit heures pour s'y préparer.

*   *   *

Il rit tellement fort que Judith sentit presque vibrer le plancher sous ses pieds. Elle était assise devant lui, dans le fauteuil de cuir, immobile, déterminée à livrer bataille à chaque étape, mais elle ne s'était jamais attendue à cette réaction de sa part.

Il se leva et se rendit jusqu'au meuble situé à proximité de son bureau, tira un papier-mouchoir de la boîte et essuya les larmes accrochées au coin de ses yeux. Son visage était écarlate, des gouttes de transpiration perlaient à son front.

— Vous hypnotiser ? répéta-t-il pour la septième fois, s'étouffant presque. Ma chère, quelle imagination vous avez !

Le rire reprit, plus fort. À un moment donné, il dut s'appuyer au coin de la bibliothèque, les genoux légèrement flageolants.

Judith était en train de s'impatienter. Elle avait escompté un déni des accusations, mais pas cela. Elle attendit qu'il se calme et poursuivit le discours qu'elle avait tant de fois répété mentalement au cours des deux derniers jours.

— Je vous ai dit que je sais tout. Rien ne sert de nier. Et je sais que madame Cox n'est pas d'accord avec tout cela. Alors, à moins que vous tiriez tout le monde de cette transe, je vais lui demander son aide et, ensemble, on ira voir la police.

— Madame Cox ? dit-il en éclatant de rire de nouveau. La police ? C'est vraiment trop fort...

Il rit de plus belle tandis que Judith se mordit la lèvre et baissa la tête. La réaction d'Édouard la déstabilisait, et elle craignait qu'il essaie de retourner la situation contre elle. En son for intérieur, elle savait qu'elle pouvait l'emporter. Elle n'avait qu'à demeurer fidèle à ses convictions et à continuer de lutter.

Après un moment, le visage de l'homme revint peu à peu à sa couleur normale, et son rire diminua lentement. Il regarda à nouveau Judith et elle soutint son regard malgré les dangers qu'elle était consciente d'affronter en osant le défier. Il ne l'effrayait plus.

— Vous savez que ce sont de graves accusations ? demanda-t-il, revenant s'asseoir derrière son bureau.

— Je sais. Mais je sais aussi que ce que vous faites est contraire à l'éthique et à la loi, et je vous demande d'arrêter tout de suite.

— En avez-vous parlé à quelqu'un ? À un expert en hypnose ?

— Oui, je l'ai fait. C'est comme ça que j'ai découvert ce que vous faisiez.

Elle bluffait, bien sûr, mais elle n'avait plus le choix. Elle avait cru qu'il nierait tout avec colère, même qu'il fulminerait. Contre toute attente, il avait la réaction contraire, et cela anéantissait ses plans. Il fallait donc qu'elle improvise.

— Vous mentez, dit-il, retrouvant soudainement son sérieux.

En l'écoutant parler, Judith sentait qu'elle perdait rapidement du terrain. Elle devait réfléchir rapidement, trouver des arguments solides, et lui montrer qu'elle savait de quoi elle parlait. Dans son esprit, soudain tout redevenait confus, et elle se mit plutôt à paniquer.

Il se leva et marcha vers l'avant de son bureau, à peine à quelques centimètres d'elle. À ce moment, elle aurait dû lever les yeux vers lui — du moins, c'était son intention —, mais elle n'en eut pas le courage.

— Si vous aviez vraiment consulté un expert, poursuivit-il en énonçant clairement chaque mot, vous auriez appris que vous m'accusez d'une chose absolument impossible. Même les plus grands maîtres de l'hypnose ne peuvent suggérer à une personne les gestes que vous avez mentionnés. On ne peut demander à des gens, même en transe, de faire ce qu'ils refuseraient à l'état de veille. Et vous ne pouvez faire à une personne une suggestion qui demeurerait longtemps après sa sortie de transe.

Judith sentit qu'il s'attendait peut-être à ce qu'elle lève les yeux, mais elle n'osait pas. L'autre matin, lorsque son idée avait germé dans sa tête, tout avait semblé si logique. À présent, elle n'en était plus certaine. Elle s'aperçut à quel point tout cela paraîtrait stupide si elle se trompait vraiment.

Elle ferma les yeux, la tête basse, sa détermination s'évanouissant rapidement, pour se voir remplacée par un écrasant sentiment d'embarras.

Il avait raison, bien sûr; son explication était parfaitement raisonnable. Elle avait déjà entendu cela, et plus d'une fois. Elle ne pouvait plus reculer.

Cependant, plus elle essayait d'y penser, plus sa théorie semblait extravagante; et elle avait cette image d'un château de cartes sur le point de s'effondrer à mesure que chacune des paroles d'Édouard en ébranlait les fragiles fondations.

Par-dessus le marché, il ne faisait aucun doute qu'elle se ridiculisait. Dans une ultime tentative en vue de tourner la situation à son avantage, elle décida de jouer sa dernière carte.

— Alors, pouvez-vous m'expliquer ce qui m'est arrivé ces quelques dernières semaines? demanda-t-elle d'un ton défiant.

En parlant, elle leva les yeux vers lui, même si elle savait qu'ils trahissaient probablement son embarras. Mais elle n'avait plus rien à perdre.

Il la regarda tendrement, ses yeux pâles encore allumés par un éclat d'amusement.

— Il n'y a qu'une façon d'expliquer cela, dit-il doucement. Cela s'appelle « la vie ». Regardez-vous, Judith. Vous êtes jeune et belle, comment peut-on ne pas être attiré par vous ?

Il se pencha et lui saisit délicatement les mains. Surprise, elle ne protesta pas et obéit à son invitation silencieuse à se lever. Lentement, il la ramena à l'arrière de son bureau, tout en continuant à sourire.

Elle ne savait pas ce qu'il avait en tête, mais n'avait pas la force mentale de s'opposer à lui et de risquer d'empirer la situation.

Il la guida doucement vers le mur du fond, où elle se trouva devant une grande glace. Elle ne parla pas, encore prise de court par la logique de son argument, surprise par sa propre docilité, et fixa son reflet.

— Voyez-vous ce que je vois ? demanda-t-il doucement, debout derrière elle, son visage au-dessus du sien dans le miroir. Je vois une jeune femme charmante et en parfaite santé, sans doute encore un peu innocente des choses de la vie. Elle a grandi dans un petit village et maintenant, elle vient travailler dans une grande ville. Presque aussitôt, elle est entourée de gens attirants, qui ont cependant beaucoup plus d'expérience sexuelle. Naturellement, elle est prise de court...

Comme il la dépassait en taille, il avait les mains posées sur ses épaules, et la touchait délicatement. La regardant dans la glace, il parcourait son corps de ses yeux pâles, un tendre sourire au coin des lèvres.

— Je vois un corps jeune, qui commence à peine à découvrir le plaisir et qui a hâte d'en connaître davantage. Croyez-moi, Judith, personne ne peut vous obliger à faire quoi que ce soit sans votre consentement. Tout ce qui vous est arrivé est complètement normal. Cela vous semble peut-être extrême parce que c'est si rapide, mais ce n'est qu'une coïncidence.

Ses mains se refermèrent sur ses épaules, en une prise douce, mais ferme. Il continuait de la regarder dans le miroir.

Judith ne savait plus quoi penser. Il paraissait raisonnable, bien sûr. Ou essayait-il tout simplement de tout retourner contre elle ?

— Vous pensez peut-être que j'essaie de vous hypnotiser, à présent, dit-il comme s'il devinait ses pensées, mais je ne peux vous mettre en transe sans votre accord. Je n'ai aucun contrôle sur votre esprit, à moins que vous ne me le permettiez.

Une fois de plus, elle devait admettre qu'elle avait déjà entendu quelque chose en ce sens. Il avait parfaitement raison. À cet instant, elle réalisa à quel point elle avait été idiote. Cette pensée la fit presque rire. Bien sûr, il n'y avait aucune conspiration « hypnotique ». Ce n'était qu'une dérive de son imagination. Et il n'y avait rien de mal au désir qu'elle ressentait, rien du tout.

— Regardez-vous, poursuivit-il. Pas un homme en ce monde ne saurait vous résister. Honnêtement, Judith, est-ce si mal ?

Ses mains glissèrent de ses épaules, le long de ses bras. Elle le sentait proche derrière elle, et il se rapprocha encore, tirant presque son corps vers le sien. Elle sentait également son arôme, riche et immédiat, qui lui rappelait un peu la forêt après la pluie.

— Je peux vous le prouver, dit-il. Me le permettez-vous ?

Elle fit un signe affirmatif de la tête. Il relâcha ses bras et, de son bras gauche, lui encercla doucement la taille. Sa main droite glissa sur le flanc de sa cage thoracique, et frôla son sein droit. Dans la glace, elle vit son mamelon durcir et pointer à travers le tissu de son uniforme. Elle frémit.

— Voyez-vous ? Ce n'est que la réaction de votre corps. Je n'ai aucun contrôle sur votre esprit. Tout ce que vous faites est instinctif, et tout à fait naturel.

Il avait raison. Elle n'avait personne à blâmer pour ce qui lui était arrivé, ce n'était qu'une réaction normale. Elle sentit alors un poids énorme se soulever de ses épaules. Il lui suffisait d'accepter le fait que ses impulsions n'avaient rien d'inquiétant, et qu'elle devait s'y soumettre et en tirer plaisir.

Elle se sentit faiblir et lui tomba presque dans les bras. Pourquoi lutter? Si son corps voulait recevoir du plaisir, tant mieux. Elle sentit la joue d'Édouard frôler la sienne, ferma les yeux et s'abandonna immédiatement. Il était futile de chercher une explication quelconque. Elle était jeune et belle, et le doux plaisir était à sa portée.

Les lèvres d'Édouard saisirent doucement le lobe de son oreille et commencèrent à le sucer. La caresse humide et douce se traduisit en une vague chaude qui s'étendait jusqu'à son abdomen, déclenchant une fois de plus ce sentiment familier à la jonction de ses cuisses.

— Prenez tout ce que la vie vous offre, Judith. Si elle vous l'offre, tirez-en le meilleur parti.

Elle renversa la tête sur son épaule et écouta sa voix calme. Était-il en train de l'hypnotiser, à présent? Elle ne s'en souciait plus. Tout ce qu'elle savait, c'était qu'elle voulait trouver le réconfort dans ses paroles, et le plaisir dans ses bras. C'était la simple réalité des choses.

Avec ses mains, il la fit se retourner face à lui, entourant à deux bras sa taille minuscule. Il sourit tendrement.

— Dites-moi d'arrêter, et je le ferai, murmura-t-il, le visage tout près du sien. Vous pouvez toujours dire non.

Il se pencha davantage et lui saisit à nouveau l'oreille, fourrant cette fois sa langue à l'intérieur, envoyant des frissons dans son échine.

— Non, s'entendit-elle dire. Ne vous arrêtez pas, pas maintenant.

Elle le désirait. Elle n'avait jamais pu chasser de son esprit l'image de son ombre sur le rideau, dans la chambre de lady

Austin. Elle se rappelait la vivacité de sa queue dressée, et maintenant, elle voulait voir plus qu'une ombre.

Il se mit à la déshabiller sans qu'elle bouge. Ses doigts défirent rapidement tous les boutons de son uniforme avant de le retirer de ses épaules.

Judith n'essaya pas de l'aider, et se contenta de goûter la douce caresse du tissu qui tomba lentement au plancher en effleurant sa peau. Il n'utilisait ses mains que pour la débarrasser de ses vêtements, ne la caressait que de la langue.

Elle la sentit, douce et humide, lécher le côté de son cou, glisser vers ses seins et se frayer rapidement un chemin dans les bonnets de son soutien-gorge, alors qu'il tombait à genoux. La langue semblait animée, vivante, s'entortillant tour à tour autour de ses mamelons durcis, les baignant d'une chaude moiteur, augmentant l'excitation qu'elle ressentait déjà.

L'agrafe du soutien-gorge céda sans résistance sous les doigts d'Édouard et les bonnets se dégagèrent immédiatement en glissant, poussés par sa langue. Les seins dressés, enfin libérés, gonflés par la chaleur de l'excitation, Judith gémit fortement sous l'assaut de la fraîcheur ambiante.

La langue de l'homme parcourut chaque contour de ses seins, laissant une trace humide qui rafraîchissait la chaleur palpitante de sa peau, semant de délicieux frissons sur tout son parcours. Elle entendit Édouard souffler bruyamment en goûtant sa peau, soupirant à l'occasion, comme s'il en retirait autant de plaisir qu'elle.

Les contours des globes laiteux baignèrent bientôt dans cette chaleur humide, les mamelons recevant à répétition un petit coup précis du bout de sa langue, et se gonflant encore davantage à mesure qu'il les suçotait entre chaque longue léchée. Elle sentait sa vulve se contracter violemment et se mouiller rapidement.

Il continua de la découvrir avec la bouche, goûtant chaque centimètre de son abdomen, puis remontant les bras pour accéder à ses aisselles, redescendant lentement, en lui léchant la face interne du bras, jusqu'à la paume de sa main, ne s'arrêtant que pour sucer brièvement le bout de ses doigts.

Un moment, sa langue fourragea l'intérieur de son nombril, et il pressa son nez contre son ventre, avant de passer à l'autre bras.

Pendant tout ce temps, il se gardait de la toucher avec les mains. Aussitôt après avoir fait délicatement glisser sa culotte, elles semblaient ne plus lui servir à rien. Seule sa langue s'activait.

Et bientôt, Judith le sentit sur ses hanches. Il était à quatre pattes, rampant lentement autour d'elle immobile, continuant ses dévotions avec sa bouche. Elle gardait les yeux fermés, l'esprit engourdi. Elle ne sentait que cette chaude moiteur qui la couvrait graduellement, délicieusement, un centimètre à la fois.

Toujours avec sa langue, il lui baigna toute la protubérance de son derrière avant de lentement glisser entre ses fesses. Judith gémit bruyamment alors qu'il poussait brièvement sur la rose froncée de son anus. La sensation était inimaginable, et elle sentit soudain ses genoux faiblir sous elle.

Une seconde plus tard, elle sentit les mains d'Édouard lui écarter les pieds alors qu'il était agenouillé devant elle. Il lui lécha les chevilles et sa langue traça un chemin sinueux en remontant le long de ses mollets, s'arrêtant brièvement entre ses genoux pour en sucer la tendre peau, avant de continuer jusqu'au doux intérieur de ses cuisses.

Les jambes largement écartées, Judith dut prendre appui sur la tête d'Édouard. Elle l'entendit grogner lorsqu'il frôla son clitoris rigide de sa langue, mais seulement une fraction de seconde, avant de redescendre sur ses cuisses.

Puis, enfin il se servit de ses mains, lui prenant chaque pied et le repoussant tour à tour, obligeant Judith à reculer en un tango silencieux, jusqu'à ce qu'elle s'appuie contre le mur. En même temps, il s'avançait, sa langue ne perdant jamais contact avec la peau de la jeune femme.

Ce n'est que lorsqu'elle eut le dos appuyé au mur qu'il cessa de la caresser si méthodiquement. Il redressa les bras, et lui saisit les fesses à pleines mains, les écartant avec force. Il darda immédiatement sa langue vers sa vulve, qu'il assaillit avec énergie.

Judith poussa un bruyant gémissement, surprise par le changement. En une fraction de seconde, il était devenu dément et vorace : sans plus se retenir, il léchait et suçait comme s'il voulait l'avaler au complet, lui pénétrait rudement le vagin avec sa langue, lui frottait parfois le clitoris avec ses dents.

La bouche d'Édouard s'ouvrait toute grande et s'emparait presque de toute sa chatte en une succion serrée, à la fois délicieuse et douloureuse. Judith hurlait de plaisir et à ses cris de joie répondaient les grognements qu'il produisait en la dégustant.

Elle baissa le regard vers lui et fut presque étonnée de voir qu'il ne s'était même pas déshabillé. Il était toujours agenouillé, les mains accrochées au derrière de Judith, les doigts poussant à l'entrée de son anus.

Sa bouche, encore en train de dévorer sa vulve gonflée, devenait de plus en plus impatiente. Sa langue s'y glissait profondément, puis en ressortait, et ses lèvres frottaient et suçaient sans cesse son clitoris.

Judith sentit son propre dos en sueur collé au mur derrière elle, sa peau adhérant à la surface fraîche. Elle glissa lentement, son excitation si intense que ses jambes ne la soutenaient plus. Presque tout son poids reposait sur la bouche d'Édouard. Elle enfonça ses doigts dans sa chevelure drue, lui tirant la tête encore plus sur sa vulve.

Elle le sentit s'étouffer contre sa chair, et il suffoqua tout en poursuivant son assaut sur sa chatte. Son nez pénétra profondément dans le mont frisé, son souffle chaud lui frôlait la peau alors qu'il parvenait à respirer malgré le contact étroit.

Il grogna bruyamment et Judith s'aperçut qu'il parlait, mais elle ne pouvait distinguer ses paroles. Puis, il revint à son clitoris, l'aspira dans sa bouche et l'étreignit fortement entre ses lèvres.

Judith se mit à haleter, et sentit enfin arriver l'orgasme, sans vouloir l'atteindre déjà. Elle voulait sentir encore sa bouche sur elle, elle voulait se sentir possédée, remplie par sa langue. Mais elle ne put réprimer la vague de plaisir qui s'éleva de ses cuisses, s'empara de sa vulve et la fit rugir de plaisir.

Des larmes perlèrent aux coins de ses yeux lorsque son orgasme explosa en elle. En même temps, elle sentit Édouard se lever lentement, sa langue tracer un chemin jusqu'à son ventre, le visage trempé de ses chaudes sécrétions glisser avec moiteur contre sa peau.

Il appuya son corps vêtu contre le sien, la clouant au mur alors qu'il finit par se tenir debout sur ses pieds. Elle se nicha le visage contre son torse et glissa les bras autour de sa taille, sous sa blouse blanche.

Dans ses bras, elle était une marionnette faible et nue, complètement épuisée. Mais il n'avait pas terminé avec elle, pas encore. Elle avait l'esprit engourdi et le sentait bouger comme en rêve, réalisant à peine qu'il avait ouvert sa braguette et sortait son phallus en érection.

Il fléchit les genoux et lui sépara énergiquement les jambes avec les siennes, présentant l'extrémité pourpre de sa queue à l'entrée de son vagin. Glissant ses mains sous ses aisselles pour la soutenir, il l'empala avec force, poussant vers le haut, la soulevant en même temps du sol.

Judith s'éveilla de sa torpeur à mesure que les coups successifs rallumaient son excitation. Il secouait violemment les hanches et elle se sentait chaque fois soulevée du plancher par la force de son assaut.

Le tissu rugueux de son pantalon égratignait la douceur de sa cuisse, la boucle de métal de sa ceinture creusait sa peau tendre, augmentant la chaleur qui enveloppait tout son bassin.

Elle gémit en s'accrochant à lui, et sentit son membre percer à maintes reprises son corps écrasé contre le mur. Il la poussait laborieusement vers le haut, haletant fortement sous l'effort, grognant à chaque coup.

Judith sentait sa vulve s'étirer sur toute la longueur de la grosse queue, et son derrière claquer sous l'assaut de ses couilles gonflées. Son plaisir revint, plus intense à chacun de ses coups. Ils hurlèrent à l'unisson, balayés par un orgasme simultané. Sa vulve se serra en recevant la semence, et elle se sentit remplie.

Il tomba à genoux et elle le suivit, s'effondrant sur le tapis rugueux. Il la fit s'allonger, et remonta presque immédiatement sa braguette.

Judith demeura immobile, se sentant vidée de sa vie, toute la surface de sa peau à présent si sensible qu'elle palpitait légèrement. Elle ouvrit des yeux ensommeillés et le regarda.

Édouard était assis auprès d'elle sur le plancher, encore une fois tout habillé. Pas un cheveu de sa tête n'avait été déplacé, sa cravate était parfaitement nouée et sa chemise n'avait pas un seul pli.

Par contraste, Judith était étendue complètement nue, la peau chaude et rougie, les cheveux décoiffés et épars sur le tapis, les membres faibles. Il flottait dans l'air une odeur distincte et douce, désormais tout à fait familière à Judith : celle du plaisir.

À l'occasion, sa vulve était encore secouée de douces contractions, répliques du tremblement de terre qui venait de la dévaster.

Elle ramena lentement ses mains à ses seins et les caressa légèrement.

Édouard sourit et se pencha pour déposer un tendre baiser sur ses lèvres, et sa langue joua brièvement avec la sienne.

— Vous goûtez merveilleusement bon, ma chérie, lui souffla-t-il.

Judith se sentait tout aussi merveilleusement bien, sachant à présent qu'elle n'avait pas à craindre ses désirs, mais plutôt à en tirer le meilleur parti. Elle rit à haute voix, réalisant soudainement le spectacle étrange qu'ils offraient: elle, étendue nue et le corps encore tremblant de plaisir; lui, assis avec désinvolture sur le plancher, comme si de rien n'était.

Elle se retourna sur le ventre, le tapis rugueux égratignant sa peau sensible, et elle sentit bientôt à nouveau la langue d'Édouard qui, cette fois, découvrait lentement son dos en traçant la courbe de ses aisselles et chacune des bosses arrondies de son échine.

En songeant à l'état d'esprit qu'elle avait en entrant dans le bureau, elle ne put s'empêcher de rire à nouveau, et l'entendit rire également. Il lui restait des questions sans réponses — plusieurs questions, en fait —, mais cela n'avait plus tellement d'importance.

Elle finirait bien par en savoir davantage, éventuellement.

Chapitre dix

Le préposé la prit à part et regarda autour avant de se pencher pour lui parler à l'oreille.

— Tu dois absolument me dépanner, gémit-il. Il est presque minuit et je suis censé partir, je ne peux vraiment pas rester une minute de plus. On m'a demandé d'aller aider au troisième étage, ça a été plus long que je le pensais, et je suis en retard dans mes tâches. Tout ce qu'il reste à faire, c'est d'aider le type de la chambre 627 à prendre son bain. Je sais que ça ne fait pas partie de ton job, mais si tu as un moment, peux-tu t'en occuper ? Il dit qu'il peut attendre. Comme tous les autres sont dans leur lit, tu ne devrais pas être trop occupée. S'il te plaît...

Judith regarda elle aussi autour d'elle. Ils étaient seuls près de la station d'infirmières, et elle ne voyait nulle part la collègue qui était assignée au quart de nuit avec elle.

Elle hésita un moment, sachant que lorsque les préposés n'avaient pas terminé leurs tâches à la fin de leur quart, on leur demandait de faire des heures supplémentaires. Les infirmières avaient d'autres priorités.

Elle le regarda et fut surprise de voir à quel point il avait l'air jeune, et le trouva assez mignon. Puis, elle baissa de nouveau les yeux pour lire son nom sur la plaquette épinglée à sa poche poitrine.

— Écoute, Ray, dit-elle, tu sais que les infirmières ne sont pas censées faire le travail des préposés...

— Je sais, dit-il en l'interrompant impatiemment, mais mes amis m'attendent dehors, on s'en va à une fête et il est déjà tard. J'aurais déjà terminé si ce n'avait pas été du problème au troisième étage... Le type du 627 est très sympa, je suis sûr qu'il ne dira rien. S'il te plaît...

Judith hésita et le regarda en se demandant si elle devait le laisser partir. Il semblait sincère, et il n'y avait pas de mal à l'aider. Elle savait qu'il avait à peu près le même âge qu'elle, mais il paraissait beaucoup plus jeune, avec ses joues pratiquement imberbes et douces comme celles d'un bébé. Il avait des yeux brun pâle, comme ambrés, et elle se dit, curieusement, que ses cheveux étaient presque de la même couleur.

Sa voix était devenue doucereuse, légèrement inquiète, avec une nuance de désespoir, et elle sentit fondre son cœur. Il avait raison, il n'y avait presque rien à faire avant sa première ronde à une heure, et la chambre 627 faisait partie des siennes. Et puis, si quelqu'un le découvrait, ce serait Ray qu'on blâmerait pour être parti sans terminer ses tâches.

— Où est le patient, maintenant? demanda-t-elle.

Ray sourit, sachant qu'il gagnait.

— Je viens de le mettre dans la baignoire, il est en train de tremper. Tu n'as qu'à lui frotter le dos, puis à l'aider à sortir. Il a une suture à la jambe, mais à part ça, il va bien. Il est dans une baignoire podium et on lui a donné un relaxant musculaire... Du deskel, je crois. Il ne devrait pas te donner de problèmes.

Il s'en allait déjà, souriant à Judith. Il lui fit un clin d'œil avant de se retourner.

— Merci! murmura-t-il. Je te rendrai bien ça.

Judith retourna à la station et feuilleta les pages de consignes. L'équipe qui venait de terminer le quart de soirée n'avait rien laissé à faire. Tous les médicaments avaient été distribués, les tableaux d'observations remplis, les patients bordés, sauf, bien sûr, celui de la chambre 627.

Patient placé dans la baignoire à 23 h 30, avait écrit la dernière infirmière en ajoutant ses initiales dans la colonne suivante.

Judith vérifia sa montre et sortit son stylo. Patient retiré de la baignoire à 00 h 20. Elle mit ses initiales. Elle avait donc une vingtaine de minutes pour le sortir de là.

La baignoire podium que Ray avait mentionnée était installée au milieu de la salle de bain, sur un petit piédestal, suffisamment haut et éloigné des murs pour que le personnel infirmier puisse en faire le tour pour aider l'occupant, ce qui facilitait grandement les choses pour tout le monde. Cela ne prendrait que quelques minutes, mais Judith ne voulait pas bousculer le patient.

L'autre infirmière assignée à la station était en train de veiller sur ses propres patients des chambres 600 à 615. Comme la chambre 627 était la dernière au bout du couloir, il y avait des chances pour que personne ne vienne y chercher Judith avant un moment.

Elle remit de l'ordre dans les papiers de la station et jeta un rapide coup d'œil autour d'elle avant d'emprunter le corridor d'un pas rapide et silencieux. On lui avait assigné cet étage la semaine dernière seulement, au cours du quart de jour, mais elle ne se rappelait plus qui était au 627. Et puis, il n'était pas rare que les patients demandent de changer de chambre après quelques jours, s'il s'en libérait une meilleure. Cette chambre en angle avait des fenêtres de deux côtés, présentait une plus belle vue que les autres, et avait les faveurs de nombreux patients.

Lorsque Judith entra, toutes les lumières étaient éteintes, même la minuscule lampe au-dessus de la tête du lit. À l'autre bout, le plancher de bois était éclairé par un pâle triangle de lumière venant de la porte de la salle de bain, qui n'était que légèrement entrouverte et laissait entendre de faibles clapotis. Les lumières de la salle de bain n'avaient pas été allumées au maximum, et elle conclut que le patient voulait relaxer dans une semi-obscurité. Après tout, il était déjà passé minuit.

Elle se dirigea vers la salle de bain et y jeta un coup d'œil. Le patient se trouvait encore dans la baignoire, faisant dos à la porte. Un fin nuage de vapeur s'élevait de l'eau, et elle ne vit d'abord que les larges épaules et l'arrière de la tête. Elle n'avait pas relevé son nom sur le dossier, ne le reconnut pas et conclut qu'il devait être nouveau. Elle frappa doucement à la porte de la salle de bain, ne voulant pas le faire sursauter, et entra lentement.

— Je viens pour vous aider à… commença-t-elle.

Elle ravala le reste de sa phrase lorsque le patient tourna la tête et lui sourit.

— Très gentil de votre part, répondit-il.

C'était Mike Randall baignant jusqu'à la taille, le bas-ventre recouvert d'une petite serviette. Sa jambe gauche était encore dans un plâtre, protégée par une pellicule plastique et suspendue à quelques centimètres au-dessus de la baignoire par une épaisse courroie de caoutchouc qui la gardait hors de l'eau.

Il paraissait à l'aise, les bras ballants de chaque côté de la baignoire, le haut du dos appuyé sur un coussin de caoutchouc. Judith s'avança lentement, fascinée par le spectacle de ce corps presque nu, séduite par le contraste de sa peau bronzée avec la blancheur de l'émail du bain.

Mike était tout éveillé, ce soir, et ne semblait pas garder souvenir d'elle.

— J'étais sur le point de terminer, dit-il. Je relaxe, tout simplement. Pouvez-vous faire mon dos?

Il se pencha vers l'avant et tendit à Judith une grande éponge bleue. Sans un mot, Judith saisit l'éponge et la plongea dans l'eau chaude, lui effleurant le flanc avec son poignet. La chaleur moite de la vapeur qui s'élevait faillit l'étouffer un moment, et l'obligea à respirer à fond.

Elle sentit aussi la chaleur de l'eau remonter son bras et se répandre instantanément dans tout son corps. Rougissant légèrement, elle le regarda. Il la regarda aussi, toujours souriant. Le torse presque appuyé sur son plâtre, il se pencha davantage pour lui donner meilleur accès à son dos.

Le parfum du savon assaillit ses narines, une odeur raffinée, distincte, qui était suspendue dans la pièce et qu'elle allait fort probablement lui associer désormais. Elle lui frotta doucement le dos, sur la longueur de son échine, puis la largeur de ses épaules. Elle laissa disparaître sa main sous la surface de l'eau, appuyant sur l'éponge jusqu'à ce que ses doigts viennent à toucher le fond de la baignoire, où elle sentit le sillon de ses fesses.

Il rit doucement:

— Vous êtes très audacieuse, dit-il. Nous venons à peine de faire connaissance!

— Non, vous vous trompez, répondit-elle. J'étais avec vous après votre opération.

— C'était vous? Je croyais avoir rêvé aux anges.

Il poussa un soupir de satisfaction alors qu'elle serrait lentement l'éponge sur ses épaules, faisant dégouliner l'eau pour les rincer. Sa voix s'adoucit alors qu'il continuait à lui parler, de ce ton de flirt qu'elle l'avait entendu utiliser dans l'un de ses films.

Cependant, elle ne faisait pas vraiment attention à ses paroles. Tenant encore légèrement l'éponge, elle traça du bout des doigts le contour de ses muscles, fascinée par la sensation de sa peau humide, espérant en quelque sorte pouvoir laisser tomber l'éponge et tout simplement la parcourir de ses mains.

Quelques jours plus tôt, elle avait tiré parti de sa sédation pour lui caresser le torse. À présent, elle faisait semblant de le laver pour continuer sa découverte de son corps. Elle lui frôla l'épaule, perdue dans ses pensées, et souhaitait désespérément que cette ridicule éponge disparaisse par miracle...

Soudain, il leva la main et lui saisit le poignet. Elle poussa un petit cri et laissa tomber l'éponge, qui éclaboussa les alentours d'eau savonneuse en retombant dans la baignoire.

Sans lui lâcher la main, il se réappuya le dos contre la baignoire et rapprocha de ses lèvres les doigts humides de Judith.

— Maintenant, je me rappelle vous avoir vue, dit-il avant de les embrasser légèrement. C'est vous, l'infirmière au doux toucher. Je croyais que vous n'existiez que dans mes rêves...

Judith commença à trembler en sentant les lèvres grignoter ses doigts. Une fois de plus, elle s'émerveilla à la vue de son torse nu, des muscles fermes, de la peau tendue qui luisait à présent et donnait encore plus de définition aux ondulations de son ventre plat.

Son regard descendit jusqu'à ce qu'il s'arrête sur la petite serviette qui lui couvrait à peine les organes génitaux. À la façon dont sa jambe était accrochée, la serviette s'étirait et remontait sur sa cuisse. S'il essayait de bouger son autre jambe, il y avait de fortes chances que sa virilité se révèle en totalité.

Elle ne pouvait s'empêcher de regarder la bosse légère au milieu de la serviette, intriguée par ce qu'il pouvait y avoir dessous. Il suivit son regard.

— Ce bon vieux deskel, dit-il soudain. Toujours là quand il n'est pas vraiment nécessaire.

Tout d'abord, Judith ne comprit pas, puis elle se rappela : le préposé avait mentionné que le patient était encore sous cette médication. Le deskel était souvent utilisé en chirurgie — cet analgésique puissant ne créait pas de dépendance, mais avait un léger effet secondaire malencontreux : lorsqu'ils en recevaient, certains hommes étaient incapables d'avoir une érection. De toute évidence, Mike aussi avait été prévenu de cette possibilité.

Voilà donc ce que Ray avait voulu dire en mentionnant que le patient ne lui donnerait aucun problème. Judith se sentit quelque peu soulagée du fait que Mike ne serait nullement tenté de la séduire dans ces conditions. Il lui serait donc facile de résister. Mais soudain, elle remarqua un tressautement du tissu, et la serviette commença à s'élever au-dessus de la surface de l'eau.

— Par contre, poursuivit Mike, j'ai reçu ma dernière dose il y a déjà plusieurs heures...

Judith fit semblant de ne rien remarquer, et retira sa main de la sienne, pour rapidement se pencher au-dessus du bain et tirer le bouchon. Dans un gargouillis, l'eau s'évacua en spirale par la bonde, et Judith se tourna pour saisir une grande serviette, la jetant sur son épaule.

Malgré ses efforts pour rester calme, une tempête la secouait. Elle devait l'aider à sortir de la baignoire, l'assécher, puis lui permettre de se mettre au lit. Cela voulait dire un contact étroit avec son corps nu, sa peau luisante. Cette seule proximité était suffisante pour qu'elle sente l'ardeur de sa propre chair se réveiller, combinée à la chaleur persistante de l'eau du bain.

Comment allait-elle réagir au contact moite de son bras autour de ses épaules ? Elle aurait peut-être aussi à lui glisser un bras autour de la taille. Elle serait fort probablement tentée de le toucher davantage... Serait-elle à même de se retenir ? À présent, elle regrettait d'avoir laissé partir Ray. Tout cela, c'était sa faute, elle n'aurait pas dû accepter. Si seulement elle avait su, elle aurait pu éviter une situation aussi compromettante.

Par contre, elle n'était probablement rien pour un homme comme Mike Randall. Il la considérait sans doute comme une infirmière comme les autres, l'une de ces horribles femmes qui prennent leur pied en enfonçant des aiguilles dans le derrière des gens, et les obligent à avaler toutes sortes de médicaments au goût répugnant.

Mais son comportement était plutôt révélateur; la façon dont il lui avait embrassé les doigts, avant de diriger son attention, de manière éhontée, vers son sexe en érection. Elle allait peut-être devoir résister à ses avances, ce qui exigerait une force énorme de sa part, sur le plan physique et mental.

Il attendit que l'eau s'évacue complètement, puis s'appuya avec les bras de chaque côté de la baignoire. Fléchissant sa jambe valide sous lui, il se souleva jusqu'à ce qu'il vienne à poser ses fesses sur le rebord de la baignoire. Judith l'aida en décrochant son plâtre de son support, abaissant lentement sa jambe jusqu'à ce que son pied touche le plancher.

Il chevauchait maintenant le côté de la baignoire, la taille ceinte de la serviette trempée et dégoulinante, qui menaçait de se dégager sous l'effet de la bosse que provoquait son érection, et qui envoyait maints filets d'eau sur ses cuisses.

Judith s'approcha de lui pour le maintenir pendant qu'il balançait sa jambe droite hors de la baignoire. Elle avait les bras trop courts pour l'entourer complètement, et sentait sa peau moite glisser sous ses doigts. Elle le laissa s'appuyer contre la baignoire et lui tendit la serviette pendant qu'elle alla chercher un peignoir. Jusqu'ici, tout va bien, se dit-elle. Le pire était passé, et dans l'ensemble, cela s'était assez bien déroulé. Elle eut une vague palpitation au bas-ventre lorsqu'elle le vit sortir de la baignoire en ondulant des muscles. À ce moment, elle se dit qu'elle n'avait qu'à lui couvrir le corps pour, au moins, ne pas être distraite par le spectacle de sa chair nue.

Elle trouva son peignoir accroché à l'intérieur de la porte de la salle de bain, et le prit pour le lui apporter. En se retournant, elle le vit tirer vivement la serviette trempée et la rejeter dans la baignoire.

Surprise, elle figea un moment en voyant son phallus rigide dressé dans sa direction, et leva les yeux vers lui, plutôt perplexe.

— La serviette dégoulinait, expliqua-t-il d'un ton puéril. Je ne peux pas mouiller mon plâtre, hein ? Je ne peux pas me pencher avec ce plâtre, pourriez-vous sécher ma jambe ?

Il lui tendit la serviette en souriant. Judith avala nerveusement le peu de salive qu'il lui restait et se sentit respirer de plus en plus vite sous le coup de l'excitation. Mike Randall se tenait debout devant elle, complètement nu à l'exception du plâtre. Il lui demandait de le toucher, de se pencher devant lui et d'éponger sa jambe.

Elle savait qu'en faisant ce qu'il lui demandait, elle aurait à approcher son visage à seulement quelques centimètres de son membre en érection, et qui grossissait encore. À la pensée de s'approcher autant de son corps somptueux, elle se sentit mouiller à l'entrecuisse, car elle devait passer ses mains sur toute sa jambe musclée, même à travers l'épaisseur de la serviette de bain. Elle devait réfléchir rapidement, trouver une façon d'éviter ce contact, sinon, elle ne pourrait résister à la douce tentation.

Dans un éclair d'inspiration, elle s'avança et l'obligea presque de force à revêtir son peignoir, en serrant même la ceinture pour lui. Il se laissa couvrir sans un mot, avec un sourire amusé sur ses lèvres, voyant bien qu'elle était confuse.

Le peignoir arrivait à mi-cuisses, et Judith fut quelque peu soulagée. Elle voyait encore son phallus pointer à travers les vêtements, mais le reste de son corps était presque complètement dissimulé, et l'obligeait à un moindre compromis si elle devait offrir son épaule en appui.

Elle se pencha brièvement pour l'éponger, à partir du pied, remontant son mollet, s'arrêtant légèrement au-dessus du genou.

Même si elle essayait de paraître professionnelle et décontractée, elle en perdait rapidement tous ses moyens. Elle sentait les muscles virils durcir sous ses doigts, et souhaita presque pouvoir le toucher directement. Mais encore plus troublant fut le mouvement de ses hanches lorsqu'elle s'agenouilla devant lui.

Elle sentit à maintes reprises son érection lui frôler le côté de la tête, comme s'il le faisait exprès, et elle tenta désespérément de garder son sang-froid, de ne pas détourner trop rapidement la tête, faisant semblant de n'avoir rien remarqué. Alors que ses hanches oscillaient près de son visage, elle crut l'entendre gémir, mais chassa rapidement cette impression de son esprit.

Tous ses efforts semblaient vains. S'il n'avait pas expressément bougé les hanches d'une façon si suggestive, c'est qu'elle était encore la proie de sa propre imagination. Et s'il tentait vraiment de la séduire? Pourrait-elle refuser? Il y avait des centaines de femmes qui ne souhaiteraient probablement rien de mieux…

Lorsqu'elle se redressa, il lui passa un bras autour des épaules et ils sortirent de la salle de bain pour laborieusement se rendre à son lit. Il avançait en sautillant, sa jambe gauche traînant derrière, appuyant son corps contre celui de Judith pour garder son équilibre. La ceinture du peignoir se dénoua et à mesure que la robe s'ouvrait, sa queue apparut lentement de plus en plus dure à chacun de ses pas.

La porte de la salle de bain se ferma lentement derrière eux, et Judith tenta bientôt de guider son patient dans le noir. La seule lumière venait du lampadaire qui, à la fenêtre, jetait une pâle lumière bleue sur le lit. Ils s'en approchèrent un centimètre à la fois, le corps de Mike maintenant lourdement appuyé sur les épaules de l'infirmière.

Judith sentait la chaleur moite de l'homme à travers le tissu du peignoir. À cause de sa façon de s'accrocher à elle, elle n'avait d'autre choix que de se pencher légèrement vers l'avant, tête baissée, et voyait dodeliner constamment sa queue massive, dont le gland de plus en plus gonflé émergeait lentement de sous le prépuce, prenant vie graduellement.

Sa propre excitation se mit à monter aussi alors qu'elle observait le bulbe luisant sauter vers ses lèvres, encore et encore, attirant irrémédiablement un baiser. À la lueur du lampadaire, elle crut voir une fine goutte perler à la bouche minuscule. Au moment où ils atteignirent le lit, son peignoir était complètement ouvert, et son membre était en érection complète. Judith l'aida à grimper sur le lit et souleva son plâtre pour le poser à côté de l'autre jambe.

Même si l'expédition à partir de la salle de bain s'était assez bien déroulée, Mike sembla soulagé d'atteindre finalement son lit et de s'étendre tranquillement, son peignoir coincé sous lui, son corps ferme révélé à nouveau. Judith lui jeta un dernier coup d'œil. À l'extérieur de la chambre, le vent soufflait dans les branches d'un arbre proche, et la lumière du lampadaire jetait leurs ombres mouvantes sur toute la peau douce de l'homme.

L'effet était irréel et captivant. Mike était tout simplement étendu là, encore souriant, les yeux mi-clos. Judith savait qu'elle devait partir. Non seulement avait-elle peur de ne pouvoir combattre beaucoup plus longtemps la tentation de parcourir des mains tout ce corps incroyable, mais elle s'était éloignée depuis plusieurs minutes de la station, et sa collègue pourrait se lancer à sa recherche à tout moment.

Elle se retourna pour partir, mais tout à coup, elle sentit les doigts de Mike lui serrer le bras, et elle recula doucement vers le lit.

— Vous rappelez-vous votre promesse? demanda-t-il en un souffle, les yeux encore mi-clos et fixant le plafond.

— Quelle promesse?

— Ce matin-là, quand je suis sorti de l'opération, je vous ai demandé de prendre soin de moi, et vous me l'avez promis...

Judith ne répondit pas. De toute évidence, il se rappelait cette journée-là davantage qu'elle ne s'y attendait. Mais à quel point?

— Je me rappelle que votre main m'a caressé le torse, dit-il comme s'il lisait ses pensées. J'ai senti votre toucher doux et chaud...

Judith se rappelait aussi, bien sûr. Était-ce sa façon de lui demander de le refaire? Elle baissa les yeux vers son phallus gonflé, et le vit doucement tressauter dans la lumière bleue.

— Vous avez promis, répéta-t-il, vous ne pouvez pas me laisser comme ça, là...

Bien sûr, elle n'aurait pas demandé mieux que de l'aider, mais elle devait le laisser. Elle était totalement confuse, se rappelant la sensation de sa peau dans la paume de sa main, son désir pour lui ce jour-là. Cependant, elle savait parfaitement bien qu'il était un patient, et qu'elle devait retourner immédiatement à sa station.

Il desserra sa poigne, mais ses doigts continuèrent de lui caresser le bras. Elle sentit un picotement sur sa peau, et laissa échapper un faible soupir. C'est alors seulement qu'elle remarqua une grande glace au mur, au pied du lit. Elle leva les yeux et fixa leurs reflets; elle, minuscule silhouette blanche debout à côté de lui. Et, surtout, toute cette peau invitante et nue.

— Vous me désirez, je le sais, poursuivit Mike. Et puis, est-ce que vous n'êtes pas censée faire tout ce que vos patients vous demandent?

— Je... je ne sais pas, bégaya-t-elle. Ce ne serait pas correct. Vous êtes mon patient...

— Vous devez être nouvelle ici, alors. J'ai entendu dire que cette clinique a pour consigne d'offrir des soins particuliers à des clients qui en demandent. Ça veut dire satisfaire tous leurs désirs...

Judith fut déçue par cette triste excuse, une étrange façon de tenter de l'amadouer. Mais en même temps, elle souhaitait que ce fût vrai, pour pouvoir céder à la force de son désir. Elle se mit à trembler et sentit immédiatement que les doigts de l'homme devenaient insistants sur sa peau, montant et descendant le long de son bras, le solide poignet frôlant chaque fois le bout de son mamelon dressé.

Il dut sentir la confusion en elle, car son ton se radoucit encore davantage, et son invitation devint plus manifeste.

— Je vous désire, Judith. Je veux vous voir vous déshabiller pour moi, me montrer votre corps dans toute sa splendeur. Vous me faites bander, est-ce que vous n'aimeriez pas sentir ma peau contre la vôtre ?

Mike tendit le bras et saisit doucement le cou de la jeune femme entre ses doigts, abaissant lentement la tête de celle-ci vers la sienne.

Elle n'offrit aucune résistance lorsque leurs lèvres se rencontrèrent et qu'elle sentit sa langue envahir sa bouche, incroyablement douce, et ce contact envoya un frisson de ses seins à son bas-ventre. Elle dut poser la main sur le lit pour ne pas tomber par-dessus lui, mais comme il anticipait son mouvement, il lui saisit le poignet et lui ramena plutôt la main sur son torse. Elle pencha lentement son coude jusqu'à ce qu'elle se pose doucement contre lui, appuyant sa poitrine contre la sienne, laissant une fois de plus la chaleur du corps de l'homme irradier à travers elle.

Après un bref instant, il relâcha sa bouche et retira légèrement sa tête.

— Déshabillez-vous pour moi, je veux vous voir en entier.

Sa voix était encore douce, mais son ton était plus autoritaire. Dans l'obscurité, elle vit ses yeux étinceler, lut son désir. Il la désirait.

Elle hésita un moment, puis vit soudain à quel point ce serait bon de sentir sa peau nue contre la sienne, ne serait-ce qu'un moment. Si personne ne s'en apercevait, quel tort cela pouvait-il faire ? Et puis, lorsqu'elle avait été embauchée pour travailler à la Clinique Dorchester, son contrat ne mentionnait aucunement ce qu'il fallait faire dans une telle situation...

Fermant les yeux, elle s'aperçut également qu'elle était en train d'essayer de trouver des excuses, même futiles, pour justifier ce désir qui grandissait encore en elle. Elle savait que c'était inutile, qu'elle était vaincue.

Elle recula et se déshabilla rapidement, les doigts tremblants, mais précis. Sa robe tomba au sol, son soutien-gorge et sa culotte suivirent de près. Elle ne pouvait plus combattre son désir, c'était inutile. À présent, Mike la désirait, et elle le désirait. Sa seule inquiétude était qu'ils se fassent découvrir.

Debout, complètement nue, elle tira rapidement le rideau le long du lit, s'assurant que si une personne entrait dans la chambre, elle croirait le patient endormi. Le lit était maintenant confiné à un petit espace formé par la fenêtre d'un côté, le rideau de l'autre, la tête du lit, et le mur au grand miroir à l'autre extrémité.

Elle prit un certain plaisir malin à marcher nue dans la lumière bleue, sachant que les yeux de l'homme étudiaient chacun de ses mouvements. S'avançant vers l'autre côté du lit, près de la fenêtre, elle y grimpa et s'y agenouilla.

Elle regarda sa propre ombre s'élever sur le rideau, et sentit s'épanouir son excitation. Tout ce qu'il lui fallait, c'était de tourner légèrement la tête pour pouvoir également s'observer dans le miroir, et voir son corps maintenant nu se pencher pour vénérer celui de Mike.

À présent, elle était si excitée qu'elle s'effondra presque sur lui, couvrant son torse avec le sien, appuyant ses seins gonflés contre sa peau chaude, chevauchant sa jambe droite sur les siennes.

Elle savait qu'il ne pouvait bouger à cause de son plâtre, et trouva que le fait d'être maître de la situation ne l'excitait que davantage. De sa bouche, elle s'empara avec force de la sienne; elle voulait à présent le goûter en entier, et ses hanches menues poussèrent en cadence, de haut en bas, en pressant sa chatte humide sur la cuisse dure de Mike.

Celui-ci ne pouvait que céder à cette étreinte passionnée, et il caressa doucement les hanches de la jolie infirmière à mesure qu'elles fondaient sur sa cuisse, laissant le bout de ses doigts errer sur le gonflement du derrière tout blanc, ses ongles égratignant la peau délicate, s'arrêtant juste avant ses lèvres d'amour gonflées.

Judith grognait à chaque respiration, et maintenant elle se détacha légèrement de lui, ses mains glissant entre son corps et le sien, caressant à la fois son torse et ses propres seins.

Elle l'embrassa, lui lécha et suça la bouche, la mâchoire, le cou, la poitrine. Elle s'entendit haleter et gémir bruyamment, le souffle chaotique, alors qu'elle se tortillait sur Mike.

Dès qu'elle avait grimpé sur le lit, elle avait acquis un certain pouvoir sur lui; il était à sa merci. Si elle voulait descendre et retourner à la station, le laissant seul et frustré, elle pouvait le faire. Même si elle choisissait de rester, du fait qu'il ne pouvait bouger sans aide, elle maîtrisait à la fois son propre plaisir et le sien.

Elle se redressa, assise sur la cuisse de l'homme, et laissa son poids écraser sa vulve humide contre lui, sans que ses hanches n'arrêtent de pousser. Mike tendit le bras et saisit ses seins, sentant le poids fluide de chacun, laissant le bout de ses doigts tourmenter doucement leurs mamelons dressés. Elle soupira.

C'était mieux que ce qu'elle n'aurait jamais pu imaginer. Bien sûr, il était à sa merci, mais c'était également à elle de le satisfaire.

— Demandez-moi n'importe quoi, murmura-t-elle.

— Assoyez-vous sur mon visage, répondit-il.

Elle sourit et le regarda. Elle ne s'y attendait pas. Elle aurait plutôt cru qu'il lui demanderait de le faire jouir d'abord. Changeant de position, elle rampa lentement sur son torse et se retourna pour chevaucher son visage. Il leva les bras, lui saisit les hanches et les abaissa doucement jusqu'à ce que sa moiteur repose sur la bouche de l'homme.

Sa langue fut une révélation. Judith se sentit fondre sur lui, et ses lèvres expertes la fouillaient méthodiquement, sa langue s'enfonçait profondément en elle. Elle reprit son mouvement des hanches en se pressant sur la surface douce de sa bouche.

Les mains de Mike continuaient de la parcourir, ses ongles égratignant doucement sa peau douce, envoyant de chaudes vagues de picotements jusqu'à sa chatte.

Judith leva les yeux et fut presque surprise de se voir dans le miroir du mur opposé. Elle vit le corps dur et tendu, sur le drap blanc, frôlé par la lumière bleue, et les ombres des branches jouaient contre les courbes de ses muscles. Dressée contre le ventre de l'homme, la queue raide tressautait de temps à autre.

Mais le plus impressionnant, c'était de voir son corps chevaucher le visage de l'homme, sans cesser de se tortiller. Elle ne se reconnaissait pas. C'était une autre femme qu'elle voyait pencher la tête de côté, les yeux mi-clos, et le visage trahissant la tempête de plaisir qui la ravageait.

Elle vit la femme dans le miroir porter les mains à sa poitrine pour caresser ses seins, alors que son visage commençait à se contracter en spasmes de plaisir répétés, les yeux à peine capables de rester ouverts, la bouche figée par les « oh » et les « ah ».

Son regard revint au corps de statue étendu sous le sien, et à la queue raide qu'elle n'avait pas encore touchée, mais qui avait maintenant envie de sa récompense. Elle se pencha et la saisit délicatement, tirant doucement le prépuce jusqu'à exposer au complet le gland bien mûr. Au départ, elle l'abreuva de longues léchées, de la base de la queue jusqu'au bout, et inséra le bout de sa langue à l'entrée de la minuscule embouchure, sentant les hanches de l'homme tressauter doucement.

Ses cheveux tombèrent vers l'avant et lui couvrirent les cuisses. En même temps, elle prit le membre de l'homme dans sa bouche, complètement, à fond, et commença à doucement le sucer. Elle entendit Mike gémir sous elle, et il fit sentir son impatience sur sa vulve.

En réponse, elle baissa ses hanches encore davantage, l'étouffant presque, enfonçant à présent sa chatte avec force contre son visage. Mais elle n'augmenta pas l'intensité de son bichonnage. Il fallait qu'il mérite sa récompense. Il devait la faire jouir en premier.

Elle le relâcha un moment, se redressant à nouveau pour se concentrer sur la vague de plaisir qui naissait à l'instant même au fond d'elle. Une fois de plus, elle leva les yeux vers la glace. Elle voulait se voir jouir.

Elle sourit à son reflet. Oui, c'était bien elle. Comme elle avait belle allure au bord de l'orgasme : les hanches qui oscillaient en cadence, les mains qui pétrissaient furieusement ses seins, les doigts qui pinçaient ses mamelons gonflés.

Elle ouvrit la bouche pour hurler sa joie, mais il n'en sortit aucun son. Son corps entier se cambra plutôt sous la force de son plaisir, et elle bondit en un spasme ultime, tombant contre le dur rocher du ventre plat de Mike.

Sa vulve était maintenant au milieu du torse de ce dernier, et ses cuisses chevauchaient les épaules de l'homme. Celui-ci inséra son doigt dans l'entrée béante qui se trouvait à quelques centimètres de son menton. La chair moite l'aspira rapidement, par spasmes successifs, alors que le corps de Judith tremblait sous l'intensité de son orgasme.

En même temps, elle avait hautement conscience de tout cela; ses membres étaient engourdis, mais son esprit était encore très vif. Avec un grand effort, elle souleva la tête et regarda à nouveau dans la glace, en quelque sorte fascinée par sa propre réflexion, incapable de trouver une raison à cette attraction.

Elle vit une femme écartée sur le corps d'un homme, son visage presque caché derrière le rideau de ses propres cheveux, son sourire trahissant encore son plaisir. En même temps, elle sentait la queue rigide remuer entre ses seins. À présent, il était temps de le récompenser.

Elle commença par rouler sur le côté, en glissant sur lui. Puis, elle se tint à côté du lit, ses pieds nus assaillis par le plancher froid. Elle fixa le corps étendu sur les draps blancs, et voulut encore une fois l'obliger à la soumission.

Elle contourna le lit et ouvrit la porte de l'armoire de chevet. En fouillant dans le noir, elle parvint à localiser les courroies de cuir.

Il allait peut-être s'opposer à ce qu'elle avait en tête, mais elle se rappelait la procédure qu'on lui avait enseignée à l'école de soins infirmiers: d'abord, saisir rapidement les poignets du patient et serrer la courroie autour, puis utiliser son propre poids, au besoin, pour tirer l'autre extrémité et l'attacher à la tête du lit.

Elle agit rapidement et précisément, et lorsque Mike vit ce qu'elle était en train de faire, il était déjà trop tard. Il geignit, mais elle l'ignora, et cueillit rapidement son soutien-gorge au plancher pour le bâillonner. Elle songea à lui attacher aussi les pieds, mais ce n'était pas vraiment nécessaire, car une fois qu'elle serait assise sur lui, il ne serait en mesure d'aller nulle part.

Elle regrimpa sur le lit et s'agenouilla à nouveau à ses côtés, amusée par l'expression inquiète de ses yeux. Cette fois, l'homme était tout à elle. Une fois de plus, elle le chevaucha, posant cette fois les genoux de chaque côté de lui, l'intérieur de ses cuisses frottant contre ses hanches, et elle se pencha jusqu'à ce qu'elle soit complètement étendue sur lui. Elle lui grignota doucement le menton tandis que ses mains caressaient les vigoureux biceps.

Elle sentait le cœur de l'homme battre fort dans son torse. Que sentait-il ? De la peur ? De l'excitation ? De l'anticipation ? Un étrange mélange des trois ? Au moins, elle savait qu'il n'était pas indifférent.

Son pied gratta le côté de son plâtre, et une série d'associations bizarres lui vinrent à l'esprit. Lorsqu'on allait lui enlever le plâtre, il aurait fort certainement besoin d'une physiothérapie complète... avec Desmond.

En un éclair, elle les imagina ensemble, l'athlète bronzé et le thérapeute noir, le contraste de leur chair en fusion. L'image était claire dans son imagination et se concrétiserait peut-être, un de ces jours. Sauf que c'était elle qui avait trouvé Mike la première, et en ce moment, il lui appartenait, à elle seule.

Du bout des doigts, elle caressa amoureusement son torse et son ventre, examinant chaque centimètre de sa peau douce. Il semblait de plus en plus chaud sous elle, et sa peau exsudait un arôme humide et frais.

Sa queue appuyait de plus en plus fort contre le ventre de Judith et tentait en tremblant de se frayer un chemin en elle. Le gland gonflé suintait à l'ouverture. Il était plus que prêt. Pour Judith, par contre, il était trop tôt. Mike allait devoir attendre.

Elle voyait ses yeux étinceler dans le noir, parfois inquiets, parfois lubriques, et prit un malin plaisir à le torturer ainsi.

Elle augmenta l'intensité de ses caresses, et peu à peu, elle utilisa tout son corps pour le découvrir, caressant l'entière longueur de ses bras, frottant et appuyant sur le torse musclé dont les mamelons mâles étaient dressés.

Elle fit aussi danser sa langue le long du cou un peu rêche à cause de la barbe naissante, la promenant d'une oreille à l'autre, s'arrêtant de temps à autre pour lui sucer doucement les lobes avant de poursuivre son parcours. Elle le baigna ainsi, se rappelant comment elle s'était sentie dans la même position avec Édouard, espérant que l'effet soit le même.

Après un moment, elle descendit le long du torse, dégustant ses pectoraux en une suite de baisers humides, ne manquant pas de lui sucer les mamelons. Ils étaient déjà rigides et gonflés, mais grossissaient encore davantage dans la bouche de Judith. Elle les téta avidement, dardant le bout de sa langue à une vitesse affolante, les taquinant sans cesse, tandis que ses mains massaient ses muscles durs.

Mike se mit à gigoter sous elle en gémissant bruyamment malgré son bâillon, comme s'il était surpris de sa propre réaction. Il leva brièvement la tête. Judith cessa ses soins et leva les yeux vers lui.

Ses yeux la suppliaient de le détacher, sa virilité devenant maintenant impatiente sur son ventre à elle. Elle sourit malicieusement.

— Vous l'avez voulu, murmura-t-elle. Maintenant, laissez-moi faire.

Elle se remit à se concentrer sur les mamelons de Mike, satisfaite de l'impatience de celui-ci, plutôt déterminée à ne pas le libérer avant un moment. En même temps, la queue gonflée qui palpitait contre sa poitrine l'appelait. Cette queue la désirait, et elle la désirait aussi.

Posant ses mains à plat pour se soutenir, elle se redressa et fit osciller son bassin à quelques reprises contre la tige raide, la frôlant de sa vulve moite, et couvrant ainsi le phallus de sa moiteur. Elle l'entendit gémir à nouveau. Elle était contente de l'avoir ligoté, car elle pouvait le prendre comme elle voulait.

Elle sentit bientôt son clitoris palpiter contre le membre, et elle voulut le sentir en elle. Elle s'empara de sa queue et introduisit le gland gonflé dans sa chair.

Elle descendit sur lui, lentement, mais sans le laisser entrer complètement, puis se souleva à nouveau. Son entrée titillait le membre rigide, sans jamais lui donner la satisfaction d'une pénétration totale.

L'homme toujours retenu sur le lit, ses hanches se secouaient et cherchaient en vain à empaler Judith encore plus profondément, mais celle-ci se souleva encore davantage, se servant de ses mains pour l'empêcher de bouger à nouveau. C'était bien sûr un combat inégal : le poids du plâtre autour de la jambe de Mike limitait grandement sa gamme de mouvements.

Encore et toujours, Judith voulait lui montrer qu'elle avait la main haute.

— Arrêtez, lui dit-elle, ça ne sert à rien.

L'instant suivant, cependant, elle se laissa glisser de haut en bas sur la longueur de la queue et ne put s'empêcher de céder graduellement. Elle se mit bientôt à le chevaucher, d'abord en oscillant d'avant en arrière, puis en augmentant le mouvement de ses hanches à mesure qu'elle le sentait grossir en elle et que montait sa propre excitation. Elle se prenait à son propre jeu, car elle avait eu l'intention de tenir le coup aussi longtemps que possible pour le torturer, et réalisait qu'elle ne pouvait plus attendre.

À présent, elle ne songeait plus qu'à son propre orgasme. Tant mieux si Mike jouissait aussi, il avait mérité cette récompense. Elle s'entendit haleter, et les muscles brûlants de ses jambes nouées montaient et descendaient rapidement sur la queue de l'homme.

Sa vulve fondit rapidement sur le membre et palpitait de délices, et Judith s'obligea à poursuivre son assaut malgré la douleur de ses jambes épuisées, de ses genoux presque verrouillés sous l'effort. Le gland gonflé la caressait de l'intérieur, montait et descendait les parois lisses de sa caverne, déclenchait cette sensation qui allait bientôt l'amener au point de non-retour. Son clitoris rigide frotta également sur la queue dure, ne faisant qu'augmenter son plaisir, qui était déjà sur le point d'exploser.

À bout de souffle, elle sentit à fond la pression monter en elle, mais son orgasme faillit la prendre par surprise. Sa tête était secouée d'avant en arrière et des sanglots étouffés s'échappaient sans répit de sa bouche.

Sa vulve se contracta autour du membre et l'orgasme monta en Judith. Elle perçut à peine la chair de Mike tressauter en elle, et se laissa plutôt envahir par le spasme qui l'animait, comme une vague s'échappant de son corps à elle pour soulever aussitôt celui de l'homme.

Une fois de plus, elle s'effondra sur lui, se repliant cette fois sur son torse et se nichant le visage dans le sillon de son cou. Elle entendit son cœur d'athlète revenir lentement à son rythme normal, en même temps que sien.

Elle aurait aimé rester un peu plus longtemps, mais savait qu'elle devait combattre cette tentation et dissiper le nuage qui la cernait.

Le souffle régulier qui s'échappait du corps de l'homme lui indiqua qu'il était complètement détendu, et probablement en train de s'endormir. Elle se souleva avec difficulté et sentit son phallus ramolli glisser hors d'elle et s'affaler avec un gros « plop ».

Son patient était maintenant au lit, elle avait fait son travail. Elle détacha les courroies et les rangea dans l'armoire de chevet, puis lui enleva son soutien-gorge de la bouche et commença à s'habiller.

L'arrière du sous-vêtement, mouillé de salive, était froid contre sa peau chaude entre ses omoplates, rappel silencieux du traitement audacieux dont elle avait gratifié son partenaire. Elle rit en douce. Elle ne regrettait rien.

Elle finit de se rhabiller et remonta la couverture par-dessus son patient, le regarda une autre fois, encore baigné dans la lumière bleue de la fenêtre, puis se rendit à la salle de bain. Elle devait se recoiffer avant de retourner à la station.

Dans la baignoire, la serviette humide était encore en tas, et Judith sourit en la voyant. Elle n'allait pas l'oublier de sitôt. Elle remonta rapidement ses cheveux et vérifia une fois de plus son image dans le miroir : rien n'y paraissait, personne ne pouvait se douter de ce qu'elle venait de faire. Jetant un coup d'œil à sa montre, elle s'aperçut soudainement qu'elle était partie depuis plus d'une heure.

Elle éteignit la lumière de la salle de bain et faillit sortir de la chambre en courant, tentant désespérément de trouver une bonne excuse au cas où sa collègue commencerait à poser des questions. Le mieux à faire serait de dire la vérité : qu'elle avait dû aider un patient à sortir de la baignoire et l'aider à s'installer pour la nuit. Le reste était sans importance.

Mais lorsqu'elle arriva à la station, l'autre infirmière était occupée à préparer une injection. Judith s'empara rapidement du tableau des tâches et fit semblant de s'y plonger. Pendant une fraction de seconde, elle fut bêtement tentée de se tourner vers sa collègue pour lui raconter tout ce qu'il venait de lui arriver...

Elle sentait encore son odeur, son phallus en elle, et ses genoux douloureux se plaignaient encore de la façon dont elle en avait abusé.

Elle eut de la difficulté à garder son sérieux.

Chapitre onze

— Bonsoir, ma jolie…

Judith sentit son cou se raidir et son pouls s'accélérer. Pas de doute, c'était bien la voix de Jo, et son sifflement lança dans tous ses membres un frisson qui lui rappelait un serpent à sonnette. La fille était tout aussi doucereuse que le matin où, avec Tania, elle avait coincé Judith dans la salle des douches. C'était il y a cinq semaines déjà, et soudain, on aurait dit que c'était hier. Judith serra son stylo pour empêcher sa main de trembler, mais dégagea sa prise lorsqu'elle sentit le plastique craquer sous ses doigts.

— Alors, on va passer la nuit ensemble, poursuivit Jo. Je suis sûre qu'on va s'amuser.

Sa voix tremblotait et elle réprima un gloussement. Mais Judith n'était pas d'humeur à rire. Que mijotait Jo, cette fois-ci ?

Il n'y avait que deux infirmières de nuit par station. Pour Judith, c'était la deuxième série de quarts de nuit, mais jusqu'ici, elle avait eu chaque fois une collègue différente. Par chance, on ne lui avait pas encore demandé de faire équipe avec Tania ou Jo, qui travaillaient régulièrement de nuit. Bien entendu, c'était trop beau pour durer.

C'était sa dernière nuit avant de retourner au quart de jour, et son pire cauchemar était sur le point de se concrétiser. En même temps, une étrange sensation s'empara d'elle, et son corps lui rappela cruellement ce que les filles lui avaient fait ce matin-là. Malgré ses peurs, elle ressentait une attente étrange, un désir malicieux de retomber dans leurs griffes.

L'esprit agité, Judith se leva et se dirigea vers le classeur. Elle devait gagner du temps, se calmer et songer à une façon de rester à l'écart de Jo pendant les huit heures suivantes. Lorsqu'elle se retourna, Jo, debout près de la station, la fixait encore avec un doux sourire. Pendant un moment, elle parut presque sympathique.

Judith la regarda droit dans ses yeux bleus, en essayant d'y voir ce qui lui faisait si peur chez la poupée blonde. En fait, Jo ne paraissait pas du tout menaçante. Elle était plus courte que Judith, et un peu plus ronde. Elle avait un corps voluptueux, avec des seins et des hanches généreuses et un ventre joliment arrondi.

Ses cheveux blonds étaient attachés lâchement, ce qui faisait peut-être tiquer les directeurs, et ses boucles d'oreilles étaient nettement trop grosses. Le maquillage était exagéré, aussi. De grandes taches de poudre bleue alourdissaient les paupières, et une flaque rouge couvrait chaque joue. Les lèvres serrées étaient rouges aussi, couleur de sang, et luisantes. Les ongles étaient vernis d'un rouge assorti, un autre détail qui dérogeait aux règlements de la clinique.

Une poupée, voilà ce qu'elle était. Une poupée que l'on câline doucement, avec laquelle on joue, puis qu'on laisse dans un coin.

Judith eut une vilaine pensée : la meilleure façon de combattre ses peurs serait de les affronter directement, de remettre à la vilaine infirmière la monnaie de sa pièce. Elle n'avait qu'à coincer sa collègue et à lui faire peur comme elle et Tania l'avaient fait : ainsi, la victime deviendrait l'assaillante.

Un seul problème : Judith n'avait aucune idée comment s'y prendre. Elle n'était pas tellement portée sur les canulars, n'ayant jamais eu l'imagination perverse qu'il fallait pour vraiment réussir. Mais avec un peu de temps, et de chance, elle arriverait peut-être à trouver quelque chose de bon.

Le téléphone sonna et interrompit ses pensées. Jo prit l'appel et Judith retourna au classeur. Elle en tira la feuille de procédures et la parcourut en vitesse.

Il y avait des rondes à faire à deux heures, et après, les infirmières devaient se rendre à la réserve pour faire un bref inventaire et commander les fournitures manquantes pour le lendemain matin. La réserve était juste derrière la station, assez loin des chambres des patients. Les deux infirmières y seraient seules, et personne ne pourrait les entendre.

Judith sourit en se mordillant la lèvre. Ce serait le moment parfait. Elle devait attaquer la première et prendre la fille par surprise, l'effrayer autant que possible. Cela lui laissait environ trois heures pour penser à quelque chose, à un bon stratagème. Si elle était seule avec Jo, Judith savait qu'elle aurait la force de vaincre.

Elle se retourna vers Jo, déterminée à être gentille et à lui montrer qu'elle n'avait pas du tout peur d'elle. Elle tomba plutôt face à face avec Carole Martin, la superviseure de nuit.

— Je te cherchais, dit Carole. On a un problème au quatrième. L'une des infirmières est malade et l'autre vient d'appeler pour dire qu'elle serait en retard. Des pépins de voiture, je pense. Tu dois descendre t'occuper de la station jusqu'à ce qu'elle arrive, et l'aider à faire les rondes.

Soudain déçue, Judith jeta un bref coup d'œil à sa montre. Il était déjà passé minuit, et il n'y avait pas moyen de savoir combien de temps elle serait éloignée de sa propre station et de Jo. Mais elle n'avait pas le choix. Le fait de s'éloigner lui permettrait certainement de gagner du temps et de dissiper les soupçons de Jo. De toute façon, même si elle partait pour quelques heures, elle pouvait mettre son plan à exécution à n'importe quel moment.

Elle saisit son sac à main et se rendit au quatrième.

* * *

Judith fit une pause dans la cage d'escalier et regarda brièvement sa montre. Elle avait choisi de monter les escaliers pour retourner à sa station. Ainsi, aucun bruit d'ascenseur n'allait trahir son arrivée. Il était presque trois heures; si Jo avait travaillé rapidement et qu'il n'y avait eu aucun problème, elle pouvait très bien déjà être en train de faire l'inventaire.

Judith marcha vers la station, rapidement, mais en silence, s'accrochant presque au mur, passant prudemment devant chaque chambre. Elle appuya brièvement son oreille sur chaque porte, essayant de s'imaginer où pouvait être Jo à cette heure.

La station d'infirmières était déserte et Judith y glissa son sac à main. Jetant un regard rapide au tableau, elle vit une longue rangée de signes de vérification, avec les initiales de Jo. Les rondes avaient été effectuées.

Sur la pointe des pieds, elle se rendit à la réserve et ouvrit silencieusement la porte pour regarder à l'intérieur. Jo était debout près d'une pile de draps, le dos tourné, tenant sa planchette à pince d'une main, de l'autre remuant les draps tout en les comptant à haute voix.

Judith entra lentement dans la pièce, ferma doucement la porte derrière elle, le cœur battant, et tenta désespérément de ralentir sa respiration afin qu'aucun bruit ne trahisse sa présence.

Elle avait décidé de bondir sur la fille et de la prendre par surprise, de la saisir avec force et peut-être même de la tripoter un peu. Après, elle allait improviser.

Bien sûr, Jo ne saurait pas ce qui lui tombait dessus, mais idéalement, elle aurait une peur bleue. Déjà, étrangement en proie à la griserie de l'attaque, Judith ressentait une chaleur à son entrecuisse. Cet étrange désir n'était pas vraiment soulevé par Jo, mais par l'idée de surprendre et d'effrayer la fille. Ce soir, la prédatrice, c'était Judith.

Ses mains poussèrent la porte derrière elle, pour s'assurer qu'elle était complètement fermée. Elle estima rapidement la position et sa distance par rapport à l'autre infirmière. Pour elle, le plan était déjà en branle.

Tendant le bras le long du mur, elle éteignit la lumière et attendit un moment, afin que son attaque soit encore plus effrayante. Puis, elle s'avança et sentit presque immédiatement le corps rondelet de Jo lui faire obstacle.

De toute évidence, celle-ci ne s'était pas rendu compte de ce qui se passait, car elle ne s'était même pas encore retournée. Dans le noir, Judith la poussa, glissant un bras autour de la taille incurvée et appuyant son autre main sur la bouche de sa victime.

— Pas un mot, murmura-t-elle à l'oreille de la fille, essayant de changer sa voix tout en réprimant un ricanement.

Déjà ravie, Judith aurait aimé voir le visage de Jo. Mais attaquer ainsi dans l'obscurité complète, cela dépassait même ses attentes.

Elle entendit la planchette à pince tomber sur le plancher et sentit les petites mains saisies de panique essayer de dégager les siennes de la bouche maquillée.

Judith plaqua sa victime, le visage baissé contre la pile de draps, pour l'empêcher de partir, sans même lui donner de l'espace pour bouger. Elle sentit les lèvres épaisses protester sous sa main, et la chaleur du corps effrayé de Jo à travers son uniforme.

En sentant Jo se débattre dans son étreinte, elle devint soudainement fébrile, et voulut donner à sa victime, en plus de la peur, de l'excitation. De petits cris tentaient de s'échapper de sous sa main, et elle augmenta sa pression. En même temps, elle laissa l'autre main rudoyer les seins arrondis, tout en remarquant avec étonnement que les mamelons durcissaient aussitôt sous ses doigts.

Lorsqu'elle sentit Jo trembler contre elle, la victoire lui parut certaine. Elle avait réussi à effrayer et à exciter la fille.

Judith résista à l'envie de rire tout haut, satisfaite et presque étonnée du succès immédiat de sa revanche. La blague était finie, et elle avait vaincu ses propres peurs. Pour l'instant, elle savait que Jo ne pourrait jamais plus l'impressionner.

Et maintenant, il ne lui restait plus qu'à attendre un peu avant de dégager la fille, juste pour l'inquiéter un moment, et qu'elle se demande qui était cette assaillante et ce qu'elle voulait. Puis, elle allait la libérer.

En même temps, Judith ressentit l'étrange désir de continuer, de découvrir le corps arrondi qui se tortillait toujours, maintenant d'une manière plus sensuelle : les hanches ondulaient lascivement, les fesses poussaient contre les cuisses de Judith. Un moment, elle songea à caresser la fille comme elle-même avait été caressée.

Elle recula légèrement en espérant que Jo profite de l'occasion pour s'échapper. Mais elle sentit plutôt une main minuscule s'emparer de la sienne et la ramener sur les mamelons gonflés. Les fesses tendres continuaient à pousser contre les cuisses de Judith et le corps s'alanguit, vaincu. Jo avait cessé de se débattre. Le cœur de Judith se mit à cogner.

Quelque chose lui échappait. Elle ne s'était pas attendue à ce que Jo réagisse ainsi... Elle avait désormais l'impression d'être tombée dans son propre piège, à la fois excitée par le contact intime avec ce corps voluptueux, et effrayée de sentir que le sien voulait maintenant continuer à caresser la blonde.

Que faire ? Son esprit lui disait d'arrêter sur-le-champ, mais sa chair voulait qu'elle continue, brûlant d'en découvrir plus. Judith comprit que si elle poursuivait dans la même veine, elle connaîtrait vraisemblablement une autre source de plaisir, et cette idée fit rapidement disparaître son hésitation.

Elle ne pouvait s'arrêter, pas encore. Elle décida d'étirer le jeu, juste un peu, pour voir comment Jo allait réagir. La fille allait peut-être bientôt commencer à chercher le plaisir, et à ce moment précis, Judith arrêterait. C'était le choix le plus facile, une espèce de compromis en réponse au dilemme entre sa raison et ses sens. Juste un peu...

Elle approcha ses deux mains des seins de la fille pour doucement les entourer, curieuse mais timide, sans penser davantage, en laissant son corps dicter son comportement. D'instinct, elle savait que Jo portait probablement le même genre de sous-vêtements qu'elle, un soutien-gorge à dentelles et une culotte assortie, et cette pensée l'excita encore davantage.

Guidée par les mains de Jo, elle déboutonna tant bien que mal l'uniforme, puis glissa lentement les mains à l'intérieur, et ses doigts fondirent instantanément sur la peau chaude.

Jo geignit doucement et pencha la tête vers l'arrière contre l'épaule de Judith, tournant le visage de côté pour embrasser le cou de l'assaillante.

À ce moment, Judith se demanda si Jo savait qui la caressait ainsi, mais elle s'aperçut aussitôt que pour une fille comme Jo, il était probablement encore plus excitant de ne pas le savoir. Le frisson d'être assaillie par un inconnu, ou même une inconnue, augmentait probablement l'excitation qu'elle aurait peut-être ressentie tout au long de l'attaque même.

Judith laissa le bout de ses doigts glisser sur les bonnets à dentelles du soutien-gorge, en égratignant doucement de ses ongles les mamelons dressés. Ses propres mamelons durcissaient aussi, ses seins se gonflaient d'excitation. Elle tenait une femme dans ses bras. Comme c'était étrange, et agréable.

Le besoin de posséder le corps qu'elle tenait bien fermement devint bientôt envahissant, mais Judith se disait qu'elle ne se résoudrait jamais à infliger à Jo le même traitement que les deux infirmières malicieuses lui avaient fait subir dans la salle des douches.

La chaleur du corps qui se pressait contre le sien était invitante, les courbes arrondies suppliaient d'être caressées. Judith voulut soudainement être un homme, pour arpenter ces courbes avec des mains plus grandes, et posséder la fille avec une passion forte et virile.

Elle entendit Jo gémir doucement et sentit s'égarer les petites mains de celle-ci, dont les doigts montaient lentement sous sa robe jusqu'à ses cuisses. Tout en tenant les seins de Jo, Judith cessa de penser et s'abandonna pour jouir pleinement de cette nouvelle sensation. En esprit, elle vit les ongles rouges tracer lentement le parcours de ses cuisses, et dans ses mains, elle sentit les seins se gonfler sous la douce caresse. Elle gémit à son tour et instinctivement commença à couvrir le cou de la fille de doux baisers.

Jo dégageait un doux effluve de cannelle. Une fine couche de sueur couvrait la joue offerte et Judith la frôla rapidement avec son menton. Elle était renversée par sa douceur, si différente de la peau rude d'un homme.

Une fois de plus, les petites mains s'emparèrent de celles de Judith pour les guider sous la robe de Jo. À ce moment, Judith comprit que, même si elle avait eu l'intention de faire de Jo sa victime, elles étaient maintenant à égalité.

Toujours debout derrière le corps dodu qui continuait d'appuyer contre le sien, Judith commença à le caresser, s'émerveillant de la douceur de la peau que ses doigts avaient trouvée.

Jo fit remonter ses mains au-dessus et derrière sa tête, et entoura doucement le cou de Judith, tout en s'abandonnant. Dans l'obscurité, elle posa un pied sur un escabeau qui se trouvait devant elle, écartant en fait ses jambes au profit de son assaillante.

Judith vit sa propre image dans son esprit; la façon dont elle avait offert son corps à ses amants précédents, quelle douce invitation c'était, en effet. En glissant, ses mains remontèrent les cuisses de la fille, et sentirent leur chaude et fluide rondeur. Lorsque le bout de ses doigts finit par atteindre le tissu dentelé de la culotte de Jo, elle frissonna, et hésita un moment.

Une fois de plus, elle sentit qu'elle devait s'arrêter là. Il ne fallait pas, ce n'était pas le moment. Par-dessus tout, c'était les hommes qui l'attiraient... Mais la chaleur qui s'était emparée d'elle et avait amorti ses sens ne lui ordonnait qu'une chose : continuer. Dans ses bras, la fille se remit à geindre, comme si elle l'invitait à poursuivre son exploration. Ce sentiment enivrant engourdit l'esprit de Judith. Seuls ses sens la guidaient à présent sur ce parcours inhabituel vers le plaisir.

Elle posa toute sa main sur l'entrecuisse de la fille, laissant la moiteur féminine baigner sa paume. En même temps, une odeur familière s'éleva vers ses narines : l'odeur du désir, semblable à celle de sa propre excitation.

La fille qui se tortillait dans son étreinte était concupiscente, et son excitation était inévitablement contagieuse. Alors que Judith se laissait envahir par cet arôme voluptueux, elle sentit s'épanouir sa propre excitation et, à cet instant, voulut sentir la peau nue de Jo. Après tout, Jo avait un jour caressé Judith avec audace, il était tout naturel de lui rendre cette faveur...

Elle entreprit de déshabiller rapidement sa victime. Leurs uniformes étaient semblables, tous deux fermés sur le devant par une longue rangée de boutons. Étrangement, Judith avait l'impression de se déshabiller elle-même. Jo n'opposa aucune résistance, mais ne tentait pas non plus de l'aider, comme si elle avait accepté d'être la victime, cette nuit-là.

L'excitation de Judith donnait à ses doigts une précision inhabituelle et en dépit de l'obscurité, elle était capable d'enlever sans même le voir tout ce que Jo portait. Encore une fois, elle se demanda si la blonde connaissait l'identité de sa séductrice.

Les mains de Judith étaient rapides et, en quelques secondes, Jo se trouva complètement nue. Le fait de ne pas voir le corps dénudé ne donnait à Judith qu'un plus grand désir de le découvrir. Elle le parcourut entièrement des mains, le palpant délicatement au complet, s'émerveillant sans fin de sa chaude douceur.

Jo, passive, gémissait doucement chaque fois que les mains de Judith lui frôlaient les seins ou l'intérieur des jambes. Elle dut s'appuyer à deux mains sur la pile de draps posée devant elle, les jambes écartées, en attente, invitante.

Là où allaient les mains de Judith, sa bouche suivait bientôt, mais pas aussitôt. Elle appuyait son corps vêtu contre le cou nu, prenant les deux seins et torturant les mamelons froncés pendant que ses lèvres frôlaient légèrement le cou et les épaules de Jo. Elle poursuivit ainsi sa découverte un moment, ses mains inspectant l'avant du corps dodu et sa bouche lui caressant le dos.

Elle descendit graduellement, laissant sa langue parcourir chaque bosse de la colonne vertébrale de Jo, en les suçant brièvement. Ses mains devinrent un peu plus rudes et saisirent les globes d'une poigne plus ferme, pinçant et tirant les mamelons entre le pouce et l'index.

Bientôt, Judith se retrouva à genoux, les mains tenant encore les cuisses de la fille et le visage posé sur les fesses arrondies. Elle avait depuis longtemps cessé de penser, mais elle était encore tout à fait consciente de ce qu'elle faisait. Ses caresses n'étaient pas automatiques, mais soigneusement planifiées, et obéissaient aveuglément aux ordres de son propre désir.

Elle sentait également son propre corps s'allumer, consumé par le désir de caresser la fille comme elle n'aurait pas osé le faire seulement quelques semaines plutôt. Mais maintenant, elle était prête, elle voulait connaître un corps de femme. Elle se leva et saisit Jo par les épaules, l'obligeant à se retourner. La poussant contre la pile de draps, elle se pencha et, de la bouche, s'empara rapidement d'un mamelon.

Jo laissa échapper un petit cri de joie, posant avec hésitation ses mains autour du cou de Judith et le tirant timidement encore plus fort sur sa poitrine généreuse.

Judith lécha sagement le bouton froncé qu'elle avait maintenant en bouche. Il semblait grossir, gonfler alors qu'elle le titillait doucement, et avait un goût de fumée agréablement étrange.

Son nez frôla doucement le sein moelleux de Jo, se posant contre la peau douce et la caressant à chaque respiration. En même temps, ses mains parcouraient les cuisses de la fille, et les caressaient sans fin de haut en bas.

Les genoux de Jo semblèrent céder sous elle, et soudain, Judith se sentit puissante, encouragée en voyant qu'elle pouvait amener la fille à réagir à ses caresses. Elle immobilisait toujours Jo sur la pile de draps, même si cette dernière n'opposait aucune résistance. Cependant, Judith avait l'impression d'être aux commandes, de dominer, et de toute façon, Jo n'avait qu'à obéir.

Sensuellement, malicieusement, elle laissa ses doigts glisser sur l'intérieur de la cuisse de sa victime et frôla très brièvement la vulve humide. Elle entendit gémir Jo et la sentit trembler, mais la chair de Judith réagit encore plus fort.

Judith commença à haleter et à avaler profondément le sein de Jo, serrant ses lèvres en une forte succion autour de la tendre peau. Elle suça comme si c'était l'air même qu'elle respirait, et l'effet de ses caresses se transférait d'une certaine façon sur son propre corps. Elle sentait ce qu'elle faisait, comme si elle se caressait elle-même. Sa propre vulve se serra violemment lorsqu'elle toucha de nouveau celle de Jo, tout en légèreté, et ses doigts titillèrent à peine les replis humides avant de continuer à caresser la chair brûlante des cuisses dodues.

Bientôt, ses doigts commencèrent à passer de plus en plus de temps à frôler la touffe humide, et son désir augmentait continuellement, à la découverte d'un trésor différent du sien, et pourtant si semblable.

Judith s'aperçut qu'elle savait probablement quoi faire pour laisser la fille atteindre l'orgasme, et de toute façon elle ne voulait pas la faire jouir tout de suite. D'abord, il fallait soumettre Jo à une délicieuse torture, peut-être même la garder indéfiniment en attente, sans jamais lui accorder le plaisir de la jouissance...

Cette nuit, Judith était déterminée à être cruelle. Elle se souvenait de ce matin mémorable sous la douche, et se rappelait aussi que les filles n'avaient pas respecté leur engagement à la faire jouir. À présent, elle allait prendre sa revanche.

Sa bouche passa ensuite à l'autre sein, le baignant de la chaleur de sa salive, et commença à doucement titiller à petits coups de langue papillonnants le mamelon érigé, en ne le dardant que brièvement, mais avec force.

Cette inversion des rôles était non seulement étonnante pour Judith, mais aussi terriblement excitante. Une fois de plus, elle souhaitait curieusement être un homme, pour pouvoir posséder la fille de toute sa force, l'empaler et la remplir avec passion.

Ses mains frénétiques pétrissaient la peau douce des cuisses de Jo, tandis que sa bouche commençait avec détermination sa descente le long du ventre de la fille. Elle sentit la chaleur de Jo contre sa joue alors qu'elle glissait vers le bas en une tendre caresse, et ne s'arrêta que lorsqu'elle sentit le monticule duveteux lui chatouiller le menton.

À présent, Judith était agenouillée devant Jo, qui n'avait toujours pas bougé et se laissait caresser. Judith sentait la rosée musquée, assez semblable à la sienne. Elle se rappelait les paroles d'Édouard alors qu'il l'avait coincée dans le couloir, quelques semaines plus tôt... « Je sens votre désir... » À présent, elle savait ce qu'il voulait dire. L'odeur musquée de l'excitation d'une femme, son parfum doux et capiteux, ne pouvait que servir à élever le désir d'un homme.

Et maintenant, la bouche de Judith n'était qu'à quelques centimètres de ce trésor humide, si fascinant et invitant. Elle enfouit ses lèvres dans les douces ondulations, sa langue fouillant timidement, mais avidement, la tige minuscule qu'elle voulait maintenant goûter.

La chair semblait l'attendre et palpita de désir lorsqu'elle la trouva. Judith suçota le bourgeon qui durcissait, y laissa glisser sa langue, et rapprocha sa main pour découvrir davantage ce que recelait cette douce touffe.

Ses doigts se perdirent le long des replis humides, appréciant leur douceur moite avant d'être aspirés dans la caverne soyeuse, les parois souples du vagin se refermant autour d'eux en une prise délicieuse.

Sa bouche les suivit bientôt, sa langue creusant profondément la fille tandis que l'autre main montait et que son pouce venait trembloter sur le clitoris gonflé. Elle goûta la douce rosée de la fille, ses papilles gustatives s'éveillant à ce nouveau nectar qui semblait maintenant couler dans sa bouche.

Judith sentit sa propre vulve réagir violemment, exiger d'être caressée elle aussi. À présent, elle stimulait la fille exactement comme elle-même aimait l'être; Judith voulait sentir le plaisir de Jo se transporter jusque dans sa propre entrecuisse, se sentant à la veille d'exploser.

Elle lâcha le trésor qu'elle tenait dans sa bouche et se releva. Sans un mot, elle prit la petite main de Jo et la guida vers sa propre chair, sous sa robe et à l'intérieur de sa culotte trempée.

Jo suivit docilement les consignes silencieuses, et sa main imita celle de Judith, les deux femmes caressant mutuellement leur chair soyeuse en un doux va-et-vient.

Seule Judith se pencha légèrement en avant pour s'emparer

des seins pulpeux de la fille et y goûter de nouveau. Les doigts de Jo sur sa vulve suivirent le tempo de la main de Judith, et bientôt, les deux femmes gémirent de plaisir en suscitant leur excitation mutuelle.

Judith renonça à son intention de ne pas laisser jouir la fille. À présent, elles semblaient avoir conclu une sorte de pacte silencieux, par lequel on ne pouvait dissocier le fait de donner et de recevoir le plaisir.

Les hanches de Judith se mirent à onduler violemment, comme si elle tentait désespérément d'extraire le plaisir de la main de Jo. La main de Judith sur la vulve de Jo devint elle aussi frénétique, torturant le clitoris rigide avec force et en vitesse. Judith appuyait encore son corps vêtu contre la peau nue de Jo, des gémissements de plaisir s'échappant de sa gorge à chaque respiration. Les deux femmes atteignirent leur orgasme presque en même temps, Jo soupirant fortement et Judith grognant presque, la bouche encore agrippée aux seins de la fille.

Un moment, elles durent s'appuyer l'une contre l'autre, le plaisir de Judith se retirant rapidement, mais Jo s'accrochant faiblement à elle.

Une seconde plus tard, le cerveau de Judith se remit à fonctionner, et elle s'aperçut soudainement qu'elle ne pouvait se permettre de s'abandonner complètement, qu'elle devait sortir de là. Avec son pied, elle éparpilla rapidement les vêtements de Jo à travers la pièce. Elle devait gagner du temps et s'assurer que la fille n'allait pas sortir trop tôt de la réserve et découvrir qui était son assaillante, si elle ne le savait pas déjà.

Ensuite, elle prit quelques draps à même la pile et les jeta de côté, pour en réduire la hauteur et permettre au corps alangui de Jo de s'appuyer. Elle obligea celle-ci à se retourner, la fit se pencher sur la pile diminuée, le visage vers le bas, puis la recouvrit entièrement de quelques draps. Lorsque Jo reviendrait à elle-même, sortirait de sous les draps, retrouverait ses vêtements et finirait par sortir de la pièce, Judith aurait disparu de la station, pour n'y revenir qu'un peu plus tard.

Un moment, Judith fut tentée de verrouiller la porte en sortant, mais se ravisa. Elle quitta plutôt la pièce sans allumer, saisit son sac à main et, une fois de plus, se rendit à un autre étage par les escaliers.

* * *

La porte de l'ascenseur se referma devant elle et Judith vérifia sa montre : 5 heures. Elle attendait depuis presque une demi-heure dans le salon des infirmières, comme si elle s'était trouvée en pause. Le moment était parfait et elle se sourit intérieurement, plutôt contente du fait que Jo ne découvrirait probablement jamais l'identité de son assaillante.

L'ascenseur s'arrêta avec un sifflement grinçant, qui paraissait plus fort que d'habitude dans le silence du petit matin. Avec de la chance, Jo allait l'entendre arriver, cette fois.

Elle marcha d'un pas déterminé jusqu'à la station, presque en ricanant, mais tentant tout de même de garder un visage sérieux. Jo était assise à la station, à remplir des formulaires pour le quart du matin.

— J'espère que ça ne te dérange pas, dit Judith, mais j'ai décidé d'aller en pause avant de remonter. As-tu eu le temps de faire l'inventaire, ou as-tu besoin de mon aide ?

Elle tenta de paraître désinvolte, un peu incertaine, essayant de retrouver l'expression qu'elle avait dû donner à Jo au début de leur quart de travail.

Jo ne leva même pas la tête, et semblait fascinée par les formulaires qu'elle devait remplir pour les tests de laboratoire.

— Tout est terminé, je vais prendre ma pause tout de suite.

Judith poussa un petit soupir, tentant de paraître soulagée à la pensée de ne pas devoir passer plus de temps seule avec sa collègue. Après tout, c'était elle qui était censée être la proie de Jo, non ?

Chapitre douze

Le papier semblait lui brûler les mains. Judith était assise dans un fauteuil, dans le salon des infirmières adjacent au vestiaire, et relisait la lettre, tentant de comprendre les caractères qui dansaient maintenant devant elle, déformés par ses larmes. Tout autour d'elle, les infirmières entraient et sortaient, riaient à voix forte, sans lui accorder d'attention. Beaucoup rentraient chez elles et claquaient souvent les portes de métal des cases, ce qui ne faisait qu'ajouter à la bruyante confusion.

Mais Judith n'entendait plus rien de cela. Son esprit était complètement absorbé par la lettre qu'elle venait de recevoir.

L'enveloppe était incluse avec son enveloppe de paie, et les mots « personnel et confidentiel » y étaient écrits. Au début, elle avait cru que c'était probablement quelque chose d'insignifiant en rapport avec son salaire ou l'impôt, mais la première ligne du texte avait envoyé un élancement de regret à son cœur et des larmes à ses yeux.

AVIS DE CONVOCATION À UNE AUDIENCE DISCIPLINAIRE POUR : Mademoiselle Judith Stanton
CONCERNANT L'ÉVÉNEMENT QUI S'EST PRODUIT : le 7 de ce mois
À L'ÉTAGE : 6
DURANT : le quart de nuit

Elle était sommée de se présenter à la rencontre qui allait se dérouler le lendemain matin, à la salle du conseil. Le 7, c'était déjà deux semaines plus tôt, mais Judith n'avait pas oublié cette nuit-là, celle qu'elle avait passée avec Mike Randall.

De toute évidence, quelqu'un les avait vus et l'avait dénoncée. Probablement l'autre infirmière en service cette nuit-là, ou peut-être Mike lui-même! Mais pourquoi les directeurs avaient-ils attendu si longtemps avant de passer à l'action? Depuis ce soir-là, chaque jour qui passait avait donné à Judith un sentiment de sécurité, elle était sûre que personne ne le découvrirait jamais. Jusqu'à maintenant...

Une audience disciplinaire pour une infirmière encore à l'essai, cela ne pouvait signifier qu'un congédiement instantané.

L'offense était sérieuse. À l'école d'infirmières, on lui avait plusieurs fois répété que les relations physiques avec les patients étaient considérées comme de graves manquements au code de déontologie. Certains hôpitaux les considéraient même comme une forme d'abus, car elles impliquaient souvent que le patient était sous médication et, par conséquent, n'avait pas vraiment conscience de ce qui se passait.

C'était sa faute, sans aucun doute, et c'est elle qui serait blâmée. Elle aurait dû partir, cette nuit-là, résister à la tentation.

Elle renversa la tête contre le mur et respira à fond. Elle se rappelait chaque seconde passée dans la chambre de Mike Randall; l'apparence de sa peau sous les rayons bleus des lampadaires; la chaleur sous ses mains...

Son regret se changea rapidement en colère. Elle replia la lettre et la remit dans l'enveloppe; elle voulait savoir qui avait vendu la mèche. Sûrement pas Mike, qu'est-ce qu'il avait à y gagner? Sa collègue? Oui, elle avait peut-être été motivée par la jalousie.

À ce moment, Judith s'aperçut qu'elle ne l'avait pas revue depuis cette nuit-là. Alors, comment s'appelait-elle déjà?... Mary... Mary Jenkins.

Elle se leva et retourna au vestiaire, et lut les noms apposés sur chacune des portes étroites. C. Jackson... J. James...

M. Jenkins. La porte était verrouillée, bien sûr, mais l'infirmière qui occupait la case suivante était assise sur le long banc, en train de nouer ses lacets.

— Excuse-moi, demanda Judith, as-tu vu Mary, récemment?

— Mary Jenkins? Non, pas depuis un bon moment. Elle n'est pas venue depuis au moins une semaine. Personne ne sait pourquoi, elle est peut-être malade, quelque chose comme ça. Pourquoi? Est-ce qu'elle te doit de l'argent, à toi aussi?

Judith fit un léger sourire.

— Non. Je me demandais... non, rien. C'est tout. Merci.

Elle se retourna et revint à sa propre case, dans la rangée suivante. Il était temps de rentrer. Heureusement qu'elle n'avait pas reçu la lettre plus tôt dans la journée, car elle n'aurait pas pu mener ses tâches. Elle ouvrit la porte et fixa les trois uniformes accrochés dans la case. Elle les avait achetés seulement deux jours plus tôt et ne les avait pas encore portés. Ses doigts tremblants caressèrent le doux tissu, et elle se demandait si sa courte carrière allait déjà arriver à sa fin. Si elle était congédiée, cela lui donnerait encore plus de difficulté à se trouver un emploi ailleurs.

Elle saisit son manteau et son sac, et claqua rapidement la porte, puis sortit du vestiaire en tentant désespérément de retenir ses larmes, du moins jusqu'à ce qu'elle se soit éloignée de l'édifice.

* * *

Pourquoi avait-elle pris la peine de revêtir son uniforme, ce matin? Après l'audience, elle serait en chômage, sans aucun doute. Elle était assise, étrangement posée, attendant qu'on l'appelle à la salle de conférence.

En arrivant, elle avait vu entrer Mary Jenkins. En ce moment même, sa collègue était probablement encore en train de décrire ce qu'elle avait vu cette nuit-là, en leur donnant tous les détails : de quelle façon Judith avait tiré le rideau autour du lit, s'était déshabillée et avait délibérément bondi dans le lit avec son patient. Les superviseurs allaient ensuite rapidement monter un dossier contre Judith et ne lui présenter les faits que lorsqu'elle serait appelée.

Judith frissonna. Elle voulait hurler sa colère, protester en disant qu'elle n'avait rien fait de mal. Mais bien sûr, pendant tout ce temps, elle savait que ce n'était pas vraiment bien, non plus.

Avec le lent tic-tac de l'horloge, chaque seconde augmentait le sentiment de perte imminente qui était suspendue au-dessus d'elle. La veille, elle avait passé des heures à y songer. Elle avait toujours une faible chance de ne recevoir qu'une réprimande, et dans ce cas, elle allait accepter de bonne grâce n'importe quelle punition, pourvu qu'on lui laisse son emploi.

Elle s'était promis de ne plus jamais laisser ses désirs lubriques avoir le dessus sur elle. Elle allait se retenir, draguer dans des bars pour satisfaire ses besoins, s'il le fallait. Mais pas au travail, plus jamais.

Elle sursauta lorsque la porte s'ouvrit et que sortit monsieur Armstrong, le directeur du personnel.

— Nous sommes prêts à vous recevoir, mademoiselle Stanton.

Elle se leva en silence, étrangement calme, et le suivit dans la pièce où on l'invita à prendre place à la grande table ovale en acajou. De l'autre côté étaient assis le docteur Marshall et madame Cox. Judith ne pouvait les regarder. Ce n'était pas juste, se disait-elle. Ils l'avaient tellement brusquée, ce jour-là dans le bureau de madame Cox, en la faisant se déshabiller et se masturber devant eux. Et maintenant, ils étaient sur le point de la congédier pour avoir donné libre cours à sa passion.

Monsieur Armstrong s'assit à côté d'elle. Judith jeta un regard furtif autour de la table pour voir les autres personnes présentes.

Elle eut un frisson en remarquant Robert Harvey assis à l'autre bout. Qu'est-ce qu'il faisait là ? Puis, elle se rappela qu'il était chirurgien en chef, et qu'en tant que tel, il était engagé dans les questions administratives.

Alors, ils n'étaient que quatre. Cependant, trois de ces personnes savaient quelque chose d'elle, quelque chose de très personnel. Les trois avaient vu son corps nu se tortiller de plaisir, ils avaient tous entendu ses cris de jouissance.

Aujourd'hui encore, elle avait l'impression d'être nue devant eux. Seulement, cette fois, cela n'avait rien d'agréable. Tournant légèrement la tête, elle vit Mary Jenkins assise dans un coin éloigné, comme un témoin. Judith se sentit instantanément trahie et ne put supporter de la regarder, elle non plus. Ce qui était sur le point de se passer était non seulement très gênant, mais aussi très personnel. Comment pouvaient-ils permettre à Mary de rester pour observer ?

— Mademoiselle Stanton, dit monsieur Armstrong, je dois vous poser quelques questions à propos de la nuit du 7. Alors, il est très important que vous répondiez en toute honnêteté, comprenez-vous ?

— Oui.

— Cette nuit-là, vous étiez de quart au sixième étage, n'est-ce pas ? De quelles chambres étiez-vous en charge ?

— De 616 à 630.

— Et mademoiselle Jenkins, ici, de quelles chambres s'occupait-elle ?

— De 601 à 615.

Il fit une pause et regarda furtivement autour de la table. C'est alors seulement que Judith remarqua le petit magnétophone, et un sentiment de panique s'empara d'elle. Ils étaient en train d'enregistrer chacune de ses paroles !

Elle se sentit rougir d'indignation, mais avant qu'elle puisse dire quoi que ce soit, monsieur Armstrong s'était de nouveau tourné vers elle.

— Pendant votre quart, cette nuit-là, n'êtes-vous allée à aucun moment dans la chambre 612 ?

Judith fut surprise et sa colère s'évanouit aussitôt. La chambre 612 ? Qu'est-ce que cela avait à voir avec elle ?

— N... Non...

— Avez-vous vu mademoiselle Jenkins entrer dans cette chambre pendant le quart ?

Les mains de Judith se mirent à trembler. Pourquoi lui demandait-il cela ? Cette question inattendue la prit de court, et elle dut faire un effort pour se rappeler. La nuit du 7, son esprit avait fonctionné en pilote automatique, complètement étourdi après ce qui s'était passé dans la chambre de Mike Randall. La chambre 612 ? N'était-ce pas celle de madame Gibson, celle qui était venue pour un déridage ? Oui, à présent, elle se rappelait que Mary devait s'occuper d'elle assez souvent; la patiente avait passé une nuit agitée.

— Oui. Elle y est allée plusieurs fois...

— Alors, dit-il lentement, c'est très important. Lorsqu'elle est revenue après avoir jeté un coup d'œil à la patiente, avez-vous remarqué si mademoiselle Jenkins avait sorti quelque chose de la chambre ?

Judith se mit à respirer rapidement, soudainement excitée. De toute évidence, il se passait autre chose, et cette audience ne la concernait peut-être pas... Elle fit un effort de concentration, pour se souvenir des images devenues si vagues dans son esprit.

— Oui, je l'ai vue prendre quelque chose.

— Quoi ?

— Je ne sais pas...

— Essayez de vous rappeler. Était-ce des draps ? Des vêtements ? Un plateau ?

— Je... je ne suis pas sûre. C'était quelque chose de petit... Dans sa main... Quelque chose de noir...

— Mademoiselle Stanton, c'est très important. Veuillez faire un effort.

— Cela avait l'allure d'une bourse, une bourse de cuir noir...

— En êtes-vous certaine? insista Armstrong.

Judith respira en souriant. Alors, c'était donc ça... Sa collègue avait volé quelque chose dans la chambre de la patiente... Puis, elle se rappela les paroles de l'infirmière dans le vestiaire: «Est-ce qu'elle te doit de l'argent, à toi aussi?» Mary s'était absentée du travail depuis quelques semaines et personne ne savait pourquoi... Aurait-elle pu être suspendue en attendant l'audience parce qu'elle avait volé de l'argent à une patiente?

— Assez certaine, annonça Judith, soudainement soulagée.

En effet, elle en était certaine. À présent, elle se rappelait nettement que Mary était allée jeter un coup d'œil à madame Gibson vers la fin de leur quart, même si la patiente avait fini par s'endormir un peu avant. En sortant de la chambre, elle tenait quelque chose et elle l'avait mis dans son sac.

Et maintenant, l'emploi de Mary était entre les mains de Judith.

— Avez-vous vu ce qu'elle en a fait? L'a-t-elle rapporté dans la chambre de la patiente?

— Je ne sais pas.

À présent, elle plaignait sa collègue, et s'en voulait d'avoir cru que Mary l'avait dénoncée. Cependant, l'administration semblait déjà avoir une preuve assez solide contre Mary, et à ce stade, Judith ne pouvait rien dire pour faire pencher la balance.

— Savez-vous si cela aurait pu être sa propre bourse? Est-il possible que, pour une raison quelconque, elle l'ait apportée dans la chambre de la patiente, à votre insu, et l'ait rapportée plus tard?

— Je ne sais pas.

— Mais vous êtes certaine qu'elle a sorti de la chambre de la patiente quelque chose qui ressemblait à une bourse ?

— Oui, j'en suis absolument sûre. Mais je ne sais pas à qui appartenait cette bourse.

Monsieur Armstrong se tourna vers le docteur Marshall. Les hommes se regardèrent fixement pendant quelques secondes, jusqu'à ce que le docteur Marshall fasse un signe de tête affirmatif et silencieux. Monsieur Armstrong se tourna de nouveau vers Judith.

— Merci, dit-il avec un sourire. Vous pouvez retourner à votre poste.

Judith sourit à son tour et se leva, les yeux cherchant rapidement un signe de reconnaissance de ceux qui étaient assis de l'autre côté de la table. Mais personne ne la regardait, ils semblaient occupés à échanger des regards furtifs.

Judith eut vraiment l'impression que son propre emploi était assuré, du moins pour l'instant. Avant de sortir de la pièce, elle eu un dernier regard pour Mary, qui était encore assise dans le coin. Le visage en larmes, Mary la regarda avec un vague sourire.

Judith se sentait désolée pour sa collègue, mais n'y pouvait rien. Elle devait dire la vérité, pour ne pas risquer de perdre son propre emploi. Et après, elle savait qu'elle ne prendrait plus jamais de risque pareil.

Chapitre treize

La cloche sonna au tableau de la station, et garde Hardcastle soupira d'exaspération.

— Lisa Baxter! Encore!

Elle se tourna vers Judith:

— Sois un ange, et va voir ce qu'elle veut, cette fois-ci. Elle est tellement casse-pieds, ce matin! Je suis déjà allée quatre fois à sa chambre. Je suis sur le point de la tuer. J'ai mieux à faire que de l'aider à vernir ses ongles d'orteils!

Judith se retint pour ne pas rire et se rendit à la chambre 218. L'un des inconvénients de s'occuper de clients riches était que ces derniers prenaient souvent les infirmières pour des domestiques, et ne comprenaient pas que le personnel avait des choses plus importantes à faire que de satisfaire leurs moindres caprices.

À la Clinique Dorchester, cela semblait même pire au deuxième étage, réservé aux patients les plus jeunes et où régnait parfois une atmosphère de fête. Des starlettes certaines que le fait de payer le prix fort pour se débarrasser de quelques ridules autour des yeux leur ouvrirait la porte de la gloire, jusqu'aux jeunes hommes riches dont l'ego avait besoin d'un petit coup de pouce sous forme d'implants pectoraux bien placés: tout le deuxième étage ressemblait davantage à un campus universitaire qu'à une clinique privée. Malgré tout, Judith se sentait plus à l'aise avec cette jeune faune et, depuis qu'elle avait commencé à travailler à la clinique, elle avait souhaité pouvoir être affectée plus souvent à cet étage.

En entrant dans la chambre, elle s'empressa de baisser la radio, qui hurlait si fort qu'elle l'avait entendue depuis l'autre bout du corridor. Il n'y avait pas eu de plaintes, mais il fallait respecter des règles pour éviter que les choses ne dérapent.

Comme la plupart des chambres du deuxième, celle de Lisa n'était pas décorée comme celles des autres étages : luxueuse et confortable, mais au look plus jeune. Le petit divan de cuir placé en coin était rouge foncé plutôt qu'orange pâle. Le couvre-lit présentait un motif psychédélique, rouge et vert, au lieu de l'imprimé habituel, plus sombre, vert menthe et pêche. Dans un coin, un énorme panda ajoutait au décor une note noir et blanc.

Assise sur son lit, genoux écartés, Lisa brossait ses longs cheveux d'une main, l'autre encore posée sur le bouton d'appel. Elle se tourna vers l'infirmière.

— Pas trop tôt, geignit-elle d'une voix comique, le nez encore recouvert de bandages qui l'obligeaient à respirer par la bouche.

Ses cheveux blonds tombaient en mèches droites et dépeignées sur ses épaules. Sur son front, une épaisse frange la faisait paraître encore plus jeune qu'elle ne l'était.

Elle portait un pyjama de satin blanc à travers lequel étaient nettement visibles les pics jumeaux de ses mamelons. Judith se rappela la vue de son corps nu, les mamelons couleur café, leur façon de se froncer au toucher...

Cela faisait déjà plus de deux semaines que Judith avait fait sa connaissance, mais ce matin-là, quelque chose s'était mal déroulé dans la salle d'opération, et l'intervention avait dû être reportée. Par conséquent, tout avait été annulé, Lisa avait été renvoyée chez elle et avait dû revenir quelques jours plus tard.

Inutile de le dire, de retour à la clinique, elle était très exigeante, et piquait constamment des crises avec les membres du personnel à qui on avait conseillé de lui faire plaisir sans rechigner. On craignait que si Lisa Baxter n'était pas tout à fait contente de son séjour, elle se plaigne ensuite à ses amis susceptibles un jour de devenir des patients potentiels de la clinique. Puisque le bouche-à-oreille était la seule forme de publicité pour la Clinique Dorchester, il importait d'éviter de se retrouver avec des patients insatisfaits.

— Que puis-je faire pour toi, Lisa ? demanda Judith en se tournant vers le lit.

Elle s'arrêta à un mètre, un peu intimidée par le ton impatient de la fille, et ne voulant pas l'irriter davantage.

— Ouvre la fenêtre, il fait trop chaud ici !

— On te l'a déjà dit, on ne peut pas ouvrir les fenêtres tout de suite. Il fait trop froid dehors, et tant que ton nez sera couvert de bandages, tu ne peux pas risquer d'attraper un rhume.

— Alors, enlève les foutus bandages !

Judith se mordit les lèvres pour étouffer un sourire. Lisa fulminait de colère, criait presque, mais sa voix nasillarde, incroyablement déplacée, lui donnait l'allure d'un personnage de dessin animé.

— Encore deux jours, ma chère, répondit Judith en s'approchant du lit. On te permettra de rentrer tout de suite après. Reste tranquille, c'est tout.

Elle tenta de rester calme et de parler d'un ton rassurant, car ses collègues l'avaient avertie de toujours rester polie et gentille, même si cette patiente devenait difficile. Si Lisa commençait à se plaindre aux directeurs, au moins elle n'aurait rien à redire contre Judith.

Pour apaiser la fille, elle s'approcha du lit et lui enleva doucement sa brosse à cheveux. Debout derrière Lisa, elle lui passa ses doigts dans les cheveux, allongeant la tignasse pâle sur le dos de ses mains.

— Tu deviens plutôt impatiente, affirma-t-elle en tentant de paraître sympathique. Je parie que tu as vraiment hâte de sortir d'ici. Ton copain est-il venu te voir ?

— Non, répondit Lisa qui se calmait graduellement. Il est tellement braillard, il a peur des hôpitaux !

— Je ne peux pas imaginer que tu fréquentes un braillard ! dit Judith en riant.

— On n'est pas vraiment ensemble. Il n'est pas tellement mon genre, mais c'est un si bon baiseur.

Le souffle coupé, Judith faillit laisser tomber la brosse à cheveux. De toute évidence, évoluer dans la haute société n'empêchait tout de même pas cette fille d'utiliser un langage cru.

Elle tenta de trouver quelque chose d'autre à dire, pour changer de sujet, car elle avait l'impression que si Lisa n'était pas tout à fait heureuse avec son copain, effleurer le sujet pouvait la remettre en colère. Mais avant que Judith puisse trouver autre chose à dire, Lisa reprit la parole.

— As-tu un copain ? demanda-t-elle.

— Pas vraiment, répondit Judith.

— Je parie que tu t'envoies en l'air avec les médecins d'ici, hein ? Ils sont tous tellement appétissants ! Est-ce que j'ai des chances, d'après toi ? J'ai une amie qui m'a dit qu'elle avait pris son pied avec ce médecin qui s'appelle Harvey, l'autre mois. Elle a dit qu'il était vraiment quelque chose ! Le connais-tu ?

Judith fit semblant de ne pas l'avoir entendue et lui rendit la brosse, les doigts tremblants. Lisa continua à parler, comme si elle ne se souciait pas vraiment de savoir si l'infirmière écoutait, mais à présent, Judith ne l'écoutait plus.

Lentement, elle s'éloigna du lit, comme un automate, l'esprit complètement absorbé par ce que Lisa venait de dire.

Robert Harvey avait couché avec l'une de ses patientes ? Un médecin avec une patiente... Bien sûr, ce n'était pas vraiment étonnant. Un si bel homme était probablement populaire auprès de sa clientèle féminine. Et Judith n'avait plus le droit de jeter la première pierre, après ce qu'elle avait fait avec Mike Randall...

Il y avait aussi Édouard avec lady Austin... Ce n'était pas étonnant non plus, mais là, c'était un peu trop pour Judith.

— Il faut que je retourne à mon poste, dit-elle dans un souffle avant d'ouvrir la porte et de sortir.

Dans le corridor, elle dut s'appuyer contre le mur. Le nom de Robert Harvey avait une fois de plus un effet marquant sur elle, et ramenait des souvenirs si intenses qu'elle sentit sa peau réagir et frissonner malgré la température confortable. Elle se rappela également Édouard, leur moment ensemble dans son bureau, la façon dont il l'avait caressée avec sa langue...

Ces images encore vives ramenaient cette envie qu'elle avait tenté d'apaiser après l'audience disciplinaire. En général, elle avait plutôt réussi, ayant évité de se retrouver seule avec ses collègues comme avec ses patients. Elle s'était aussi arrangée pour maîtriser ses ardeurs, se concentrant sur ses tâches et se rappelant, chaque fois qu'elle voyait un corps attirant, la terreur qu'elle avait ressentie en recevant la convocation. Mais son corps était maintenant saisi comme par un violent ressac, son excitation était plus forte que jamais, tous ses sentiments réprimés remontant en force à la surface.

Elle retourna lentement à la station, les genoux flageolants, les pas incertains. Elle espérait avoir des tâches à accomplir au retour, de quoi s'occuper l'esprit et oublier sa chair qui soudain réclamait avidement son dû. En tournant le coin, elle tomba sur Ray, le préposé à qui elle devait d'avoir abouti au lit avec Mike Randall.

— Salut! gazouilla-t-il en la prenant par les épaules pour l'empêcher de tomber. Tu n'as pas l'air bien. Ça va?

Judith se sentit rougir. Elle était incapable de penser. Une sensation trop familière s'était emparée d'elle, et sa chair était soudainement allumée, palpitante. Elle se redressa en posant une main à plat sur la poitrine de son collègue, et de l'autre, se toucha le front.

Ray lui prit le bras et ouvrit la porte qui donnait sur une salle de rangement en l'y faisant entrer.

— Qu'est-ce qu'il y a ? T'as vu quelque chose d'interdit ?

— Non, ça va aller, répondit Judith en souriant faiblement. J'ai juste eu l'impression de m'évanouir un moment, mais ça va mieux.

— Ton visage est tout rouge, dit-il en la faisant s'appuyer contre un évier et en lui caressant la joue avec son doigt. Tu es toute chaude. Veux-tu sortir un moment ?

— Non, ça va aller, répéta-t-elle.

Sur une pile à côté de l'évier, il prit une serviette et la mouilla avec de l'eau froide. Puis, il la replia soigneusement et lui essuya délicatement le visage, en tamponnant tendrement ses joues rouges.

— Écoute, dit-il, merci de ton aide, l'autre nuit. Je te cherchais pour te remercier. Est-ce que tout s'est bien passé ? J'espère que tu n'as pas eu de problèmes à cause de moi...

Judith leva les yeux vers lui. Pourquoi devait-il mentionner cette nuit-là ? S'il avait fait son travail, elle ne se serait jamais retrouvée au lit avec Mike Randall. La meilleure façon de lutter contre la tentation, c'était de l'éviter complètement. À présent, il était trop tard. Mais au fond d'elle-même, elle devait avouer que ce n'était pas vraiment la faute de Ray ; c'était elle qui n'avait pas pu résister à l'appel du plaisir.

Encore maintenant, la mention de ce soir-là ne fit que déclencher son excitation, et c'était la dernière chose qu'il lui fallait. Elle leva les yeux vers Ray, sentit se serrer sa vulve, et elle se demanda s'il savait quelle tempête faisait rage en elle à ce moment précis.

Il lui prit le menton avec ses doigts et frôla légèrement ses lèvres des siennes.

— Encore merci, murmura-t-il. Tu as été vraiment chouette.

Son baiser fit éclater les dernières défenses que Judith avait tenté d'ériger autour d'elle. D'instinct, elle appuya son corps contre le sien, oubliant le regard surpris qu'elle put lire sur son visage. Elle glissa lascivement ses bras autour du cou de l'homme, lui retourna son baiser, et soupira lorsqu'elle sentit ses bras lui encercler la taille.

Leurs lèvres se touchèrent à peine, mais se frôlèrent d'une manière sensuelle, à maintes reprises. Elle ferma les yeux et fondit dans leur étreinte, tout en ouvrant légèrement la bouche pour l'inviter à découvrir sa douceur. Elle l'entendit rire à quelques reprises, à la fois amusé et heureux de son comportement. Il continuait de l'embrasser, ses lèvres devenaient insistantes.

Bientôt, elle sentit la langue du jeune homme chercher la sienne, et la caresse augmenta rapidement son excitation. Involontairement, elle écarta les jambes et pressa ses hanches contre la cuisse musclée. Il sembla immédiatement deviner ce qu'elle voulait, car sa main se glissa aussitôt sous la jupe de Judith, une main qui était chaude et sèche — douce, mais rugueuse, un peu comme de la laine.

Judith devint rapidement impatiente : elle goûtait les caresses, mais voulait davantage. Elle lui prit la main et la posa sur sa chatte, guida rapidement ses doigts à l'intérieur de sa culotte, et recula un peu pour lui en donner un meilleur accès, sa bouche ne laissant jamais la sienne.

Alors qu'il caressait doucement le monticule soyeux, elle s'empara de son bras, l'obligeant à frotter dans un mouvement aller-retour sa fente humide. Elle le retint fortement, lui serrant le biceps à deux mains et posant sa joue contre son épaule solide, sa bouche maintenant haletante.

Debout et immobile, Ray laissa Judith bouger sur sa main et chevaucher frénétiquement son poignet, appuyée sur son bras comme sur un poteau rigide, ses doigts aspirés par le tunnel humide.

Jamais Judith ne s'était masturbée ainsi. En ouvrant les yeux, elle fut presque étonnée de voir qu'elle n'était pas seule, ayant pu se croire une fois de plus avec son amant imaginaire. Tout ce qui comptait, c'était son propre plaisir.

À cet égard, Ray était parfait. Il anticipait ses besoins, serrant le poing et utilisant le bord de son poignet pour titiller de haut en bas sa petite tige gonflée. Il semblait amusé de voir cette petite louve se tortiller contre sa main, abuser de son bras pour atteindre son plaisir, rebondir presque sur son poignet. Mais il ne bougea pas, et ne fit absolument rien pour l'arrêter.

— Es-tu toujours comme ça? murmura-t-il à son oreille. Je devrais peut-être demander plus souvent d'être de quart de jour...

Judith répondit par un gémissement. Tant pis s'il se moquait d'elle. À présent, elle voulait qu'il satisfasse les besoins de son corps, et se fichait de ce qu'il pensait.

Des voix parvenaient de l'autre côté de la porte, et Judith savait trop bien que n'importe qui pouvait les surprendre à tout moment. Cependant, le risque de se faire prendre ne l'excitait que davantage.

Ses mamelons poussaient contre le tissu à dentelle qui les retenait prisonniers, mais Judith n'en avait cure. À présent, le centre de son univers se trouvait entre ses jambes, sa chair tendre et glissante suppliant d'être torturée, soumise au plaisir.

Elle avait le visage en feu. Elle s'appuya contre le bras de Ray, et ses seins gonflés frôlèrent la bosse de son biceps. Elle continua inlassablement de sauter de haut en bas, plus vite, plus fort.

Elle scella ses lèvres sur l'épaule de Ray, étouffant le cri de joie qui lui montait à la gorge, ne se souciant plus de l'endroit où elle se trouvait, de qui elle était. Son corps demandait et elle devait donner.

Son orgasme arriva et passa comme une flèche dans son entrecuisse, avec une percée soudaine et violente. Elle gémit fortement, s'effondrant contre le bras de Ray. Son cœur parut bondir de sa poitrine tellement il battait furieusement. Chaque battement envoyait une pulsation lancinante dans sa vulve, comme les répliques du séisme qui continuait de gronder à travers elle. Elle haleta encore et poussa un dernier long gémissement.

Ray eut tout juste le temps de l'attraper avant qu'elle tombe, retirant sa main de la petite culotte puis guidant son corps relâché vers un fauteuil pivotant gris, à côté du grand évier. Comme il y manquait une roue, il avait été laissé là pour être réparé. Malgré cela, il permit tout de même à Judith de se reposer jusqu'à ce qu'elle reprenne ses sens.

— T'es vraiment quelque chose, dit Ray en riant doucement, accroupi à côté d'elle.

Encore haletante, Judith le regarda et sourit :

— Je suis désolée. Je ne sais pas ce qui m'a pris.

En guise de réponse, il sourit et laissa glisser son regard sur le corps de Judith. Elle lui sourit également.

Même s'il ne semblait plus étonné par ce qu'elle avait fait, elle avait le sentiment qu'il ne voulait pas la toucher; il la regardait avec curiosité, mais sans désir.

Judith rit à son tour.

— J'en avais vraiment besoin, dit-elle. Ma vie, c'est l'enfer depuis que je travaille ici.

Même s'il parut intrigué, Ray ne répondit pas. Judith continua à parler, et les mots venaient naturellement, comme s'il avait été un ami proche et un confident.

— On dirait que partout où je vais, les gens essaient de me

séduire, expliqua-t-elle. Leurs regards, leur toucher, même leurs mots m'excitent. Je ne sais plus quoi faire... J'ai peur de perdre mon emploi.

Un sanglot s'éleva dans sa gorge et elle cessa de parler.

Pour une fois, c'était bon de pouvoir exprimer ses sentiments, de parler de l'effort qu'elle devait faire pour maîtriser sa passion. D'instinct, elle savait qu'elle pouvait faire confiance à Ray, même si elle ne le connaissait pas beaucoup. Elle pouvait encore le mettre dans de beaux draps pour l'avoir laissée aider Mike Randall à sortir de la baignoire, l'autre nuit, en lui demandant de faire le travail à sa place, et elle supposait volontiers qu'il ne trahirait pas son secret. Plutôt que de la surprise, elle vit une fois de plus un éclat amusé dans ses yeux.

— Tu viens de commencer ici, dit-il. On ne te l'a pas dit, hein ?

— Dit quoi ?

— Tout ça est voulu. C'est comme ça que ça se passe.

Judith fut incapable de comprendre où il voulait en venir, et pensa simplement qu'il essayait de s'amuser à ses dépens.

— De quoi tu parles ?

— Du programme de soins particuliers... Tu n'en as pas entendu parler ?

Elle hocha vaguement la tête. En effet, elle avait entendu mentionner l'expression quelques fois, sans savoir ce que c'était ; elle n'avait même jamais songé à le demander.

— Cette clinique offre bien plus que des soins médicaux, Judith, dit Ray d'une voix lente, en insistant sur chaque mot. On est ici pour vraiment s'occuper des patients, pour faire tout ce qu'ils veulent, tout.

Cela n'avait encore aucun sens pour Judith. En fait, elle le comprenait parfaitement mais n'osait y croire. Avant qu'elle puisse lui demander plus d'explications, il se leva, se dirigea vers la porte, et la regarda une fois de plus avant de sortir.

— Ne résiste pas, dit-il. Laisse-toi aller. Profites-en.

La porte se ferma derrière lui. Ses paroles rappelèrent à Judith ce qu'Édouard lui avait dit dans son bureau. Si son corps avait besoin de plaisir, elle n'avait qu'à céder. Ray venait simplement d'énoncer quelque chose de semblable. Mais Judith n'était pas sûre s'ils parlaient de la même chose.

Elle se leva lentement et lissa le devant de son uniforme avec la paume de sa main. Une fois de plus, elle devait retourner à la station avant qu'ils viennent la chercher. Ce sentiment devenait trop familier.

* * *

Sa tête s'enfonça dans son oreiller. Judith ouvrit et cligna plusieurs fois les yeux, en scrutant le plafond pour voir si les images apparaîtraient à nouveau.

Une fois de plus, elles dansaient devant elle; des lieux, des visages. Lorsqu'elle fermait les yeux, les images disparaissaient, pour être remplacées par des mots dans ses oreilles. Elle se retourna et tira la couette par-dessus sa tête en essayant d'y échapper. Mais ils ne la laissaient pas tranquille, à dormir paisiblement.

D'abord, c'était l'ombre d'Édouard sur le rideau du lit de lady Austin. Sa façon d'embrasser et de toucher la patiente pendant que Judith restait silencieuse de l'autre côté du rideau, à les observer. Elle aurait dû tout de suite savoir qu'il se tramait quelque chose.

Plus tard, les paroles de lady Austin avaient ajouté à l'énigme lorsqu'elle avait mentionné Robert Harvey: «Il ne peut plus s'empêcher de me toucher quand je viens ici.» Et elle avait demandé à Judith de la toucher, au point de se plaindre lorsque Judith avait refusé!

Maintenant, l'infirmière était stupéfaite. Tout comme l'autre matin, alors qu'elle était arrivée à la conclusion bête qu'on l'avait hypnotisée pour servir d'esclave sexuelle aux directeurs de la clinique. En fait, c'était le contraire, d'après Ray. Pas étonnant qu'Édouard ait trouvé ses accusations aussi hilarantes !

Elle avait vu ceux qui l'entouraient comme des sources de plaisir, probablement parce que leur propre sensualité se nourrissait de la sienne, comme si elle était devenue prédatrice malgré elle.

À présent, elle comprenait également ce que voulait dire madame Cox : « Après avoir passé quelques semaines ici, vous aurez un point de vue différent sur ces situations. » Bien sûr. Elle était au tout début de cet épanouissement, à l'époque, et la force de son désir était à peine éveillée.

Mais qu'est-ce qui se passait, au juste, à la clinique ? Ray avait mentionné le programme de soins particuliers, dont elle avait entendu parler pour la première fois par le docteur Marshall à la réunion mensuelle du personnel... « Comme mademoiselle Stanton n'a pas terminé sa période d'essai avec nous, je ne parlerai pas en détail de notre programme de soins particuliers, qu'elle ne connaît pas encore... » À l'époque, elle n'y avait pas fait attention, mais maintenant, elle voyait bien qu'elle aurait dû se renseigner.

Il y avait aussi cette phrase révélatrice de Mike Randall, qu'elle avait prise pour une plaisanterie : « Est-ce que tu n'es pas censée faire tout ce que tes patients te demandent ? »

Finalement, elle comprenait à présent le sens des paroles de Jo à propos de Tania dans la douche : « Pas un homme sur cette planète ne peut titiller un clitoris comme elle. D'ailleurs, c'est pour ça qu'elle a obtenu son emploi ici... » Ce matin-là, Judith avait vaguement conclu que Tania avait peut-être couché avec quelqu'un pour décrocher son poste. Dans les faits, c'était exactement le contraire! Elle avait été embauchée précisément à cause de ses talents...

Mais quelle était la place de Judith? Personne ne lui avait dit que le contact entre les patients et le personnel était permis. Durant sa formation, à l'école, on lui avait inculqué exactement le contraire. Était-ce seulement son imagination qui s'emballait encore? Plus elle y pensait, plus cela lui semblait improbable. Par ailleurs, les choses seraient tellement plus simples si c'était vrai. Était-ce un vœu pieux de sa part?

Elle se redressa dans son lit. Bien sûr, ce n'était pas seulement son imagination. À présent, elle pouvait baser ses suppositions sur quelque chose de tangible. Elle devait aller au fond de cette histoire. Et cette fois, elle ne ferait pas la bêtise d'affronter quelqu'un avec des accusations ridicules; elle allait trouver elle-même une réponse.

Il n'y avait nul besoin de poser de questions: elle n'avait qu'à garder les oreilles et les yeux ouverts, et même à épier autour d'elle au besoin. Surtout, ne rien dire, au cas où elle se trompait. Quelque chose cette fois lui disait qu'elle était sur la bonne voie. Du moins, sur une bien meilleure piste que cette stupide théorie d'hypnotisme.

Étrangement, elle ne craignait pas d'avoir découvert la vérité, si tout s'avérait exact. La pensée d'avoir été hypnotisée et d'agir contre sa propre volonté l'avait désorientée et effrayée. Maintenant, son excitation était nourrie par un soudain sentiment d'assurance, et elle espérait avoir raison.

Elle se recoucha, espérant maintenant voir quelque chose au plafond, la solution à cette énigme. Elle avait besoin d'autres indices, de plus d'information. Tout viendrait vers elle, si elle savait se tenir aux aguets. La vérité se dévoilerait d'elle-même. C'était inévitable.

Chapitre quatorze

Lorsque les portes de l'ascenseur s'ouvrirent sur le corridor du sous-sol, Judith crut plutôt voir s'ouvrir un livre; un livre dans lequel tout était écrit, toutes les réponses à ses questions.

Elle parcourut lentement le couloir, et les semelles de ses chaussures couinèrent de façon comique sur le plancher de carrelage. Elle ne savait pas ce qui l'avait poussée à descendre pour aller voir Desmond, mais elle sentait qu'il pouvait l'aider dans sa recherche.

À sa façon, l'homme était mystérieux, et cela le rendait étrangement attirant. Allait-il lui parler? La dernière fois, il n'avait pas dit un mot...

Judith savait qu'elle trouverait le moyen de le faire parler. Avec toute l'information qu'elle avait jusqu'ici, elle ne pouvait arriver qu'à une conclusion: Ray avait dit vrai, et en tant que membre du personnel, Desmond aussi était censé prodiguer un plaisir physique aux patients. C'est probablement ce qui s'était passé lorsqu'elle l'avait laissé seul avec le major.

Comment s'en assurer? Elle devrait bluffer, faire semblant qu'on l'avait mise au parfum, et se rendre à la salle de physiothérapie. C'était un peu faible, mais tout de même crédible.

Elle tourna le coin et s'arrêta sur-le-champ. À la porte de la salle de physiothérapie, sur le plancher, se trouvait une grosse bobine de chaînes. Des chaînons épais, d'un éclat froid, enroulés sur un cylindre de métal qui lui arrivait presque à la taille. Son cœur battit la chamade. À quelles fins la clinique pouvait-elle avoir besoin de ces chaînes ? Étaient-elles destinées à remplacer les chaînes déjà suspendues dans la salle de traitement ? Ou bien avait-on l'intention d'agrandir les installations et de construire une autre salle de traitement ? Dans un cas comment dans l'autre, Judith ne savait toujours pas pourquoi on utilisait des chaînes en physiothérapie, mais elle allait bientôt le découvrir.

Ces chaînes semblaient lui lancer un regard froid et moqueur, qui reflétait la lumière crue des plafonniers avec un éclat cruel, mais invitant. Elles évoquaient à la fois le danger et l'attrait, comme si c'étaient des instruments de torture et de plaisir. Elle les longea rapidement, y vit son minuscule reflet multiplié par mille, et dut se retenir pour ne pas courir jusqu'au salon du département de physiothérapie.

Desmond ne la vit pas entrer. Il se trouvait dans la salle de traitement adjacente, en train d'aider un patient à s'asseoir dans son fauteuil roulant, son large dos tourné vers la porte. Comme l'autre jour, il portait un polo blanc et un pantalon de survêtement. Et tout comme alors, ses mouvements étaient doux et caressants lorsqu'il déposa délicatement le corps qui semblait si fragile, comparativement au sien.

Judith attendit en silence, sans vraiment savoir comment faire connaître sa présence. Elle jeta un regard furtif autour d'elle en essayant de voir si quelqu'un d'autre se trouvait là. À cette heure tardive de l'après-midi, la plupart des patients avaient déjà reçu leur traitement et étaient retournés à leur chambre.

— Salut, Judith. Je peux t'aider ?

Judith se retourna et reconnut Vicky, une physiothérapeute menue, aux cheveux noirs, qui déjeunait souvent à la cafétéria en même temps qu'elle. Vicky maniait gauchement son manteau, essayant de le mettre tout en tenant son sac à main.

— J'attends Desmond, j'ai un mot à lui dire...

Vicky sourit.

— Ne le garde pas trop longtemps, il est passé 16 heures. On est censé être fermé, maintenant.

Elle passa devant Judith et sortit. Alors que la porte se refermait, Judith risqua un autre coup d'œil dans la salle de traitement. Desmond, maintenant agenouillé à côté du fauteuil roulant, tentait d'ajuster le support de la jambe, de toute évidence avec difficulté.

Pour une raison quelconque, le mécanisme était coincé, et il essayait de le forcer. D'où elle se trouvait, Judith voyait bouger les muscles de l'épaule et du haut du bras de Desmond, et les doigts serrés autour d'un gros bouton qui s'entêtait à rester fixe.

La patiente, une femme d'âge moyen, grimaçait à tout bout de champ. Ses deux jambes étaient complètement recouvertes de bandelettes, et elle semblait mal à l'aise et impatiente. Il fallait régler le support de jambe dès que possible pour soulager sa douleur.

Judith était sur le point d'entrer dans la salle de traitement et de demander à Desmond s'il avait besoin d'aide, lorsque la porte d'entrée s'ouvrit derrière elle et qu'une autre infirmière entra en poussant un fauteuil roulant. Elle passa devant Judith en l'ignorant et se dirigea tout droit vers la salle de traitement.

— Voilà, dit-elle à Desmond et à la patiente. Je crois qu'il vaut mieux utiliser celui-ci. L'autre devait être envoyé en réparation.

Elle avança le fauteuil à côté de l'autre et fit signe à Desmond de déplacer la patiente.

Il se redressa en déroulant son corps robuste, et se pencha pour saisir la patiente dans ses gros bras. La dame glissa timidement ses mains autour de son cou et il la souleva comme une paille. L'infirmière éloigna le fauteuil défectueux et rapprocha l'autre.

Desmond se pencha, redéposa doucement la patiente et regarda en silence l'infirmière qui faisait sortir le fauteuil et la patiente.

S'occupant ensuite à ranger, Desmond replaça des pots sur l'étagère et jetait les serviettes sales dans le grand panier à lessive. S'il avait vu arriver Judith, il n'en montrait rien.

Une fois de plus, elle s'aperçut qu'elle ne l'avait pas entendu dire un seul mot, et se demanda s'il était muet. Elle s'approcha de la table de traitement et se hissa sur le cuir lisse. Les jambes pendantes, elle se mit à fixer Desmond, tentant de se figurer quoi lui dire pour qu'il arrête de l'ignorer.

Lorsqu'il se retourna vers elle, un grand sourire apparut sur son visage, et ses dents blanches contrastèrent encore davantage avec sa peau noire.

— Je peux t'aider ? demanda-t-il.

Elle fut si surprise d'entendre sa voix de baryton qu'elle mit quelques secondes à réagir. Oui, Desmond parlait, et chacun de ses mots était une caresse de velours, comme si elle coulait d'une caverne chaude et profonde.

Il se rapprocha, droit devant elle, la tête légèrement penchée, comme un enfant intrigué. De toute évidence, il ne savait aucunement ce qu'elle était venue faire; comment le pouvait-il ? Judith cherchait quoi dire, comment trouver réponse aux questions qui s'accumulaient dans son esprit, mais sans le demander directement. Elle décida de bluffer.

— On m'a parlé du programme de soins particuliers, entre le personnel et les patients. Je sais tout...

Il eut un sourire en coin et Judith se dit qu'il se doutait peut-être qu'elle mentait. Ou qu'elle n'y était pas du tout... Non, s'il n'avait pas été au courant, il aurait eu l'air perplexe, et non amusé.

— Mais il y a des choses qui m'intriguent, poursuivit-elle, et je veux en savoir plus.

Il baissa les yeux, lui regarda rapidement les jambes, et le sourire disparut de son visage. Il ne répondit pas. Judith sentait qu'elle tenait une piste, sinon ce serait évident à son expression. Il savait, il pouvait confirmer ses doutes. Mais plutôt, il se détourna et alla de nouveau ranger les pots sur les étagères, et son indifférence indiquait à Judith qu'il n'avait rien à lui dire.

— Je veux savoir, répéta-t-elle d'un ton ferme.

— Quelle importance que tu saches, finit-il par répondre. L'important, c'est ce que tu ressens...

Elle aurait voulu qu'il reste et la fixe un peu plus longtemps. Elle aurait peut-être souri et tenté de le séduire, d'une façon ou d'une autre. Mais maintenant, son esprit s'activait plutôt à chercher des mots, à trouver quelque chose à dire qui le rendrait un peu plus volubile.

Exaspérée, elle leva les yeux. C'était plus difficile qu'elle ne l'avait cru. Au-dessus de sa tête, les chaînes étaient encore fixées au plafond, suspendues, immobiles, en paquets, les bracelets de cuir défaits, ballants. Les chaînes... À quoi servaient les chaînes ? Au traitement ou au plaisir ? Elle devait le découvrir.

Desmond avait encore le dos tourné. Judith leva la main, prit l'un des bracelets et tira fortement. La ficelle qui retenait le paquet céda sans peine et la chaîne se déroula et tomba en cascade avec un bruit de ferraille.

Soudain, Desmond se retourna et regarda Judith. Dans ses yeux, elle lut à la fois de la surprise et de l'admiration, et sut immédiatement qu'elle avait vu juste. Maintenant qu'elle avait son attention, que lui restait-il à faire ?

Le morceau de cuir reposait, léger, sur ses genoux, la chaîne dégagée sur toute sa longueur. Saisissant délicatement le bracelet entre ses doigts, Judith tendit la main et le présenta à Desmond.

— Je veux savoir, insista-t-elle.

Le ton de sa propre voix la surprit, à mi-chemin entre la supplication et l'ordre. Il dut avoir un certain effet sur Desmond, car il revint silencieusement vers elle. Cette fois, il ne souriait pas, et son expression était plutôt sévère.

Il vint si près que, d'instinct, elle écarta les jambes. Leurs corps se touchèrent et elle sentit son ventre ferme appuyer contre ses seins, pensant — et espérant — qu'il la touche aussi avec les mains. Plutôt, il leva lentement les bras et tira une chaîne à côté de celle qu'elle avait déroulée.

La chaîne descendit avec le même bruit de ferraille, et le bracelet lui frôla l'épaule avant d'atterrir sur la table de traitement. Desmond tira alors sur une autre chaîne, et ainsi de suite, jusqu'à ce que six d'entre elles pendent autour de Judith, deux à chaque bout de la table et deux sur chaque côté. Pendant quelques instants, le bruit fut assourdissant, puis il y eut un silence absolu.

Il baissa les yeux et fixa les siens, dans une demande silencieuse, à savoir si elle voulait qu'il continue. Elle tenta de lire son regard, mais en vain. À quoi pensait-il? Une minute plus tôt, il paraissait totalement désintéressé, et maintenant, il faisait exactement ce qu'elle avait souhaité…

Il posa ses grandes mains sur les cuisses de Judith et elle sentit leur chaleur à travers sa robe. Elle écarta les jambes encore plus. Malgré sa taille impressionnante, Desmond avait les hanches très étroites et Judith pouvait le laisser s'approcher suffisamment pour que leurs corps se touchent aisément.

Il se contenta de la fixer, comme s'il attendait qu'elle lui dise de continuer. En réponse, elle serra ses cuisses et croisa ses chevilles derrière, et sentit presque immédiatement le serpent se dérouler contre sa fourche.

C'est alors qu'elle se rendit compte des soins supplémentaires que prodiguait Desmond à des patients blessés: il était également l'esclave de leurs désirs. Elle n'avait pas à prononcer un seul mot, et il comprenait ce qu'elle voulait qu'il fasse, et en fait, il prenait probablement son propre plaisir dans l'obéissance silencieuse.

Ses grosses mains s'élevèrent à la poitrine de Judith et ses gros doigts commencèrent à déboutonner l'avant de son uniforme. Elle commençait à s'habituer à se faire déshabiller... mais cette fois, l'homme ne tentait pas de la séduire. Il la dénudait parce qu'il sentait que c'était ce qu'elle voulait.

Les boutons paraissaient incroyablement petits dans ses gros doigts, mais Desmond agissait sans maladresse, les défaisant lentement, l'un après l'autre. Ses doigts sombres contrastaient avec la blancheur de l'uniforme de Judith, sa peau était comme du cuir contre le coton tout propre.

À mesure qu'il se frayait un chemin vers le bas, Judith sentit l'air frais de la salle s'insinuer sous sa robe et se mêler étrangement à la chaleur de son corps. Il défit le dernier bouton et aida la robe à glisser de ses épaules, sans jamais toucher sa peau.

Une fois de plus, il revint à sa poitrine, tout en s'emparant du fermoir du soutien-gorge, sur le devant. Judith regarda ses mains, fascinée de voir ses doigts sombres si près de sa propre peau blanche, toujours sans la toucher. Il dégrafa le soutien-gorge et le lui enleva, le plia doucement et le posa sur la table d'appoint.

Il glissa ensuite les mains sous les aisselles de Judith, et la souleva doucement de la table pour la remettre sur ses pieds. Elle se sentait comme un petit enfant déshabillé par un adulte. Il la touchait avec autant de douceur qu'un bébé, et ses mouvements étaient tout aussi affectueux.

Lorsque Judith fut debout, sa robe tomba sur le plancher et Desmond se pencha pour la prendre, la replier soigneusement et la poser à côté du soutien-gorge. Puis, il s'agenouilla à côté de la jeune femme et entreprit de lui enlever ses chaussures, l'un après l'autre, lentement, méthodiquement. La culotte de dentelle suivit rapidement, Desmond utilisant uniquement ses pouces pour abaisser la bande élastique.

Une fois Judith complètement déshabillée, nu-pieds sur le plancher froid, il se redressa et la souleva une fois de plus par les aisselles pour l'étendre sur la table, en laissant dépasser les mollets et les pieds. Il prit place entre ses genoux écartés et se mit à l'œuvre, posant d'abord les deux mains sur la hanche de Judith.

Lorsqu'elle sentit enfin ces mains sur elle, Judith frissonna de volupté. Se relevant sur les coudes, elle souleva la tête et les regarda lui masser doucement les jambes, velours noir sur soie blanche. Une vague chaude déferlait des mains à sa peau, pour ensuite remonter son corps jusqu'à ses seins.

Ses mamelons se contractèrent facilement, son excitation prenait vie. Les mains de Desmond étaient assez grandes pour pouvoir saisir sa cuisse entière, pour l'envelopper comme un bas épais et doux. Elle les sentait monter et descendre le long de ses deux jambes, masser ses muscles fatigués, les pétrir et les éveiller.

Même s'il était fort et expérimenté, son toucher était également sensuel, et les bouts de ses doigts effleuraient parfois à peine la tendre face intérieure des jambes de Judith, remontaient lentement en louvoyant, et s'arrêtaient tout près de sa vulve lisse, avant de changer de direction et de redescendre en glissant vers son pied nu.

Après un moment, il se concentra sur ses pieds, lui pinça les orteils et les tira l'un après l'autre, inséra son gros doigt entre eux et les sépara vigoureusement.

Maintenant détendue, Judith se laissa retomber et s'abandonna à ce traitement. Les dernières choses qu'elle vit avant de fermer les yeux étaient les chaînes. Elle se rappela que c'était la véritable raison de sa venue, mais elle ne s'en souciait plus tellement. Cela pouvait attendre.

Desmond lui saisit les chevilles, une de chaque main, et lui souleva les pieds en les tirant vers son visage. Avant que Judith puisse réaliser ce qu'il faisait, elle sentit les lèvres de l'homme se refermer et sa langue s'enrouler autour de son gros orteil.

Un éclair d'excitation courut le long de sa jambe jusqu'à son entrecuisse, et elle gémit bruyamment. La bouche de Desmond passa alors d'un pied à l'autre, léchant et suçant tour à tour chaque orteil.

Le sentiment était incroyablement fort, et la langue soyeuse et humide baignait les pieds de Judith d'une douce chaleur. Elle sentit un flux de rosée s'amasser à la jonction de ses jambes, et son excitation monta. Jusqu'ici, il n'avait touché que ses jambes et ses pieds, mais de toute sa vie, elle ne s'était jamais sentie aussi électrisée.

Elle voulait qu'il se rapproche, qu'il travaille tout son corps, mais décida d'attendre avant de le lui demander. Elle savait qu'il finirait par s'y mettre. Et son intuition s'avéra bientôt juste.

Délaissant les pieds, il lui caressa lentement les hanches vers le haut, ses pouces lui frôlant les aines, ses autres doigts vers l'extérieur. Il évita la douce jonction, ses mains toujours placées de chaque côté, ses doigts se contentant de tracer les contours des fesses blanches.

Ses pouces se rejoignirent au niveau du nombril, et ses doigts continuèrent de glisser vers le haut pour parcourir tout l'abdomen, lui frôlant légèrement le dessous ses seins. Judith gémit de nouveau. Sous son toucher, sa peau devenait toujours plus chaude, presque brûlante.

À présent, il était penché sur elle, à seulement quelques centimètres de son corps alangui, car Judith était si détendue qu'elle ne pouvait plus bouger. Elle ouvrit les yeux et le regarda, mais lui regardait ailleurs.

Au bout de la table, entre ses pieds écartés, elle vit la bosse de son érection qui poussait le nylon du survêtement blanc. Est-ce qu'il la désirait? Sûrement. Bien sûr, Judith le désirait tout autant. Mais pas tout de suite.

Il lui passa ensuite lentement les mains sur les bras, avant d'arriver aux poignets.

Judith aimait sa façon de la dominer par sa prestance, elle songea que lorsqu'il lui retiendrait les mains, elle ne pourrait échapper à son emprise. Mais pourquoi aurait-elle voulu lui échapper, de toute façon?

Lentement, les mains de Desmond remontèrent vers le haut, le bout des doigts en premier. Judith frissonna lorsqu'elle sentit ses pouces frôler légèrement les côtés de ses seins. Elle aimait sa façon d'avancer, graduellement, un centimètre à la fois, en couvrant des zones de son corps qui n'étaient habituellement pas aussi sensibles, tout en négligeant complètement ses seins et sa vulve. Mais à présent, Judith devenait également impatiente. Combien de temps allait-il continuer à l'agacer ainsi? Elle écarta un peu les jambes en espérant qu'il comprenne le message.

Mais il ne sembla pas capter son souhait. Il s'arrêta brièvement sur ses épaules et les entoura, refermant douillettement son emprise, les pouces pointant vers le bas, vers la naissance de ses seins. Ses poignets n'étaient qu'à deux ou trois centimètres au-dessus des mamelons en érection, et pour les toucher, il n'aurait eu qu'à plier les coudes.

Il se contenta plutôt de continuer de l'explorer, suivant du bout des doigts la courbe lente des frêles épaules puis refermant ses mains autour de la gorge de Judith.

Celle-ci sentit son cœur battre la chamade lorsqu'elle s'aperçut qu'il pourrait très bien l'étrangler sur-le-champ. De sa poigne, il pouvait lui encercler complètement le cou. Un moment, elle cessa de respirer, soudain inquiète.

Mais bientôt, il lâcha prise, ses doigts remontèrent le long de son cuir chevelu et s'enfouirent dans sa douce tignasse blonde. Il lui tenait à présent la tête à deux mains, et ses gros doigts épais tirèrent la barrette qui lui retenait les cheveux pour la faire rapidement glisser.

Puis, il la délaissa pour poser ses mains à plat de chaque côté de sa tête, et elle finit par sentir son visage descendre vers le sien. Bientôt, ses lèvres se posèrent sur les siennes, épaisses, douces et charnues, et ravirent doucement sa bouche. Cependant, seules ses lèvres la touchaient. Le reste de son corps la surplombait, massif et dominant, si près sans toutefois être en contact, les coudes verrouillés pour l'empêcher de l'écraser.

C'est à ce moment qu'elle voulut sentir le corps de Desmond sur le sien, même si cela voulait dire être écrasée par cette masse de muscles. Ses mains refusèrent par contre de bouger lorsqu'elle tenta de les soulever de la table pour le toucher, comme si elle avait été paralysée. Son esprit et son corps n'étaient plus reliés, ses membres étaient incapables d'obéir aux ordres de son cerveau. Toutefois, elle savait qu'elle n'avait pas à bouger. Bientôt, Desmond allait s'occuper de tout.

Et même si leurs corps n'avaient aucun contact, Judith pouvait percevoir son énergie mâle rayonner à travers les vêtements, et l'envelopper. Il avait les lèvres de plus en plus mouillées à mesure que ses baisers passionnés étreignaient les siennes et qu'il les chatouillait de la langue.

Judith avait chaud sur la table de traitement, prise en sandwich entre les deux entités noires, une en cuir et l'autre en chair, toutes deux aussi douces et caressantes.

Les lèvres épaisses de Desmond laissèrent sa bouche et glissèrent doucement le long de sa mâchoire pour se nicher dans son cou. En ouvrant les yeux, Judith ne vit que les muscles de son épaule solide, ses gros bras encore verrouillés de façon à ne pas s'effondrer sur elle.

Plus bas, cependant Judith sentait de temps à autre le phallus en érection frôler sa cuisse à travers le nylon du pantalon, et la queue palpitante semblait s'impatienter rapidement. De toute évidence, Desmond devait faire un effort immense, à la fois physique et mental, pour ne pas tomber sur elle et la posséder. Mais Judith savait d'instinct que cet homme ne se souciait pas de son plaisir à lui. Il était là pour la servir.

Elle sentit son oreille lui frôler la joue et fut surprise par sa chaleur. Desmond semblait entièrement fait de tissu, parfois velours, parfois cuir. Toujours doux, toujours sombre, toujours chaud.

Elle fut tentée de sortir timidement la langue pour lui caresser le lobe de l'oreille, mais avant même qu'elle puisse bouger, la tête de Desmond avait déjà repris son cours, suivant maintenant le trajet sinueux de son épaule, couvrant sa peau chaude de baisers encore plus torrides, son menton frôlant parfois ses seins gonflés.

Judith se mit à haleter. Les lèvres de Desmond semblaient déclencher quelque chose chaque fois qu'elles lui touchaient la peau, comme si une série de fils électriques étaient directement reliés à son entrecuisse. Jamais elle n'avait été si excitée, et la façon qu'il avait de la titiller ne semblait pas dépasser les doux baisers sur des parties de son corps qui n'avaient pas l'habitude d'être ainsi caressées. Elle ne pouvait que deviner ce qui allait arriver s'il osait enfin lui toucher les seins...

Elle le découvrit une seconde plus tard. Il prit son temps, bien sûr : ses lèvres lui touchaient à peine la peau, s'avançaient à pas de tortue vers son mamelon en érection, s'arrêtaient, remontaient vers son épaule, puis reprenaient leur descente.

Judith frissonnait et gémissait, sentait monter en elle une incroyable et écrasante envie d'envelopper ce corps ferme avec le sien. Elle voulait également lui prendre la tête à deux mains et diriger sa bouche vers ses seins gonflés. Malgré cette tempête qui faisait rage en elle, elle jouissait de sa lenteur méthodique et délibérée, et de chacun de ses baisers, peu importe où il les posait.

Elle se tortilla sur la table, car son corps sortait maintenant de son sommeil, allumé d'un feu qui semblait s'étendre jusqu'à ses orteils. En même temps, ses mains retrouvaient leur force et elle s'empara des hanches étroites de Desmond, les tirant vers son entrecuisse, pour sentir la vibrante virilité contre sa propre chair.

Mais il se retira aussitôt. Judith fut légèrement déçue, et plutôt perplexe. Elle était plus que prête pour lui, et il la désirait forcément — pourquoi ne voulait-il pas se laisser toucher ?

Il contourna la table et se plaça derrière sa tête. En quelques mouvements rapides, il lui prit un à un les poignets pour les envelopper habilement avec les bracelets de cuir attachés aux chaînes. Il tira l'extrémité libre de chaque chaîne pour ajuster sa longueur de telle façon que les bras de Judith soient tirés vers le haut et qu'elle ne puisse plus les bouger.

Il retourna ensuite au pied de la table et lui saisit les chevilles de la même façon. Seul le dos de Judith touchait maintenant la table, mais à peine, et ses membres étaient prisonniers des chaînes. Sa tête pendait vers l'arrière, et ses boucles blondes maintenant dégagées frôlaient la surface.

Son cœur se mit à battre plus fort, à la fois d'appréhension et d'excitation. Ses doutes se confirmaient, à présent. Bientôt, elle allait savoir exactement à quoi servaient les chaînes. Même si elle avait anticipé une explication verbale, la démonstration allait maintenant convenir à merveille.

Toutefois, sa position devint bientôt inconfortable. Les articulations de ses épaules et de ses hanches étaient étirées à la limite et déjà un peu douloureuses. Ce genre de contrainte était nouveau pour elle, et la façon séduisante et malicieuse dont ses jambes écartées exhibaient sa chair humide l'excitait encore davantage.

Faisant lentement le tour de la table, Desmond continuait d'ajuster les chaînes, ce qui obligeait constamment Judith à ouvrir les jambes davantage. Le courant d'air du système de ventilation descendait tout droit vers sa vulve, mais cette caresse n'était pas suffisamment fraîche pour soulager le feu qui baignait sa chair moite.

Finalement, Desmond se pencha et ouvrit un tiroir dans le grand classeur situé près de la porte, retirant une grande pièce de cuir et l'apportant à la table. Il la déplia lentement, et du coin de l'œil Judith vit que c'était une sorte de corset, comprenant une demi-douzaine de courroies et de boucles qui cliquetèrent lorsqu'il le posa à plat sur la table.

Soutenant le dos de Judith d'une main, il glissa le corset sous elle, puis se mit à le serrer autour de sa taille. La pièce de cuir couvrait étroitement son abdomen, de la base des seins jusqu'à l'orée de son monticule frisé. De chaque côté, un épais crochet métallique était également fixé au corset.

Desmond glissa un bras sous le dos de la jeune femme, la souleva encore plus haut, saisit un à un les crochets de sa main libre, et les accrocha aux deux dernières chaînes encore placées au milieu de son corps.

À présent, Judith était suspendue à l'horizontale, bien au-dessus de la table, ses bras et ses jambes contraints et écartés, sa taille harnachée de façon à être bien soutenue.

Desmond vint se placer derrière elle et lui prit la tête entre ses mains pour la ramener à son niveau. Hissée comme elle l'était, il n'aurait plus à se pencher pour la toucher.

Il eut un sourire malicieux lorsque ses lèvres vinrent toucher celles de Judith, tête-bêche. Cette fois, ses baisers étaient tout à fait différents. Sa langue se mit immédiatement à chercher celle de la jeune femme, lui caressait l'intérieur de la bouche, et ressortait parfois pour lui lécher doucement le menton.

Bientôt, il lui tint la nuque d'une seule main, tandis que l'autre s'avançait sur un nouveau territoire. Judith ne voyait que la noirceur de son cou, mais sentait ses mains se rapprocher de ses seins gonflés. Elle gémit contre sa bouche. Enfin.

Ses doigts les prenaient tour à tour, la grande main capable de couvrir en entier la peau laiteuse, le mamelon durci sous sa paume. Bientôt, il lui lâcha complètement la tête et la laissa pendre par-derrière, puis retourna sur le côté de la table.

Il laissa rapidement ses mains la parcourir en entier, saisit et relâcha ses deux seins, lui caressa la taille à travers le cuir fin du harnais, puis descendit pour suivre la courbe de ses hanches.

À ce moment, Judith ne voyait plus que l'étagère murale, mais à l'envers. Elle décida donc de fermer les yeux. Les mains de l'homme sur sa peau nue semblèrent alors encore plus chaudes qu'avant, et l'image des doigts noirs sur sa peau pâle réapparut dans son esprit.

Il posa une main sur ses jambes, caressa la partie sensible derrière ses genoux, puis passa à l'intérieur, où la peau devenait douce comme celle d'un bébé. Soudain, elle sentit le bout de son doigt épais qui frottait le bourgeon gonflé de son clitoris.

Judith laissa échapper un faible cri, et les muscles de son ventre se contractèrent violemment alors qu'elle se sentit transpercée par un éclair du fond de son entrecuisse au bout de ses mamelons, comme si le doigt était électrifié.

Puis, le doigt glissa le long de ses replis glissants, suivant la profonde vallée jusqu'à disparaître à l'intérieur de son vagin lisse. Elle le sentit en elle, chercher le cœur de sa caverne, et déclencher son plaisir de l'intérieur. Elle gémit de nouveau.

Desmond retira son doigt puis, lentement, remonta sa main sur le pubis de Judith, survolant la touffe bouclée, lui lissant les poils. Un moment, il s'y mit à deux mains, manœuvrant en allers-retours, pour répandre la sève d'amour de ses replis humides jusqu'à sa touffe pour la peigner de ses doigts mouillés.

Chaque fois qu'il glissait au-dessus de son clitoris rigide, Judith haletait, chaque passage apparemment plus court que le précédent, et son bourgeon se mourait maintenant de sentir cette main le frotter au lieu de seulement le titiller.

Après un moment, elle souleva la tête à grand-peine, et regarda Desmond. Il se retourna et lui rendit son regard, comme s'il se sentait observé. Pendant un moment, ils se fixèrent ainsi: Judith tentant de déchiffrer les intentions dans les yeux de Desmond et ce dernier ne laissant rien paraître.

Puis elle laissa retomber sa tête; elle sentit l'homme immédiatement s'appuyer en soulevant un genou sur la table, et il abaissa rapidement son visage jusqu'à sa poitrine. Il y alla d'une attaque directe, ses lèvres se posant carrément sur un mamelon pour s'en emparer doucement.

Judith sentit le centre de son excitation se déplacer immédiatement: ses seins palpitaient sous l'assaut de la bouche avide et envoyaient des vagues délicieuses dans son abdomen. Puis Desmond posa également une main sur sa poitrine, tandis que l'autre soutenait son dos, penchant le corps d'un côté puis de l'autre pour faciliter l'accès à sa bouche.

Les seins de Judith ballottèrent d'un côté à l'autre, et la tendre peau gonflée frôlait de temps à autre le bord du corset de cuir. Desmond les embrasa avec sa bouche, ses lèvres foncées pinçant sa peau en replis minuscules, sa langue faisant le tour du mamelon érigé, et tremblotant sur lui à une vitesse vertigineuse.

De plus en plus excitée, Judith commença à se tortiller d'une façon incontrôlable, en augmentant le mouvement que Desmond avait donné à son corps, et en tirant sur les chaînes qui soutenaient ses chevilles.

Elle n'aurait jamais cru pouvoir en supporter autant : son excitation était extrêmement intense, et son esprit, incapable de prévoir le moment où son plaisir finirait par la libérer. Elle sentait également monter l'excitation de Desmond, qui, toutefois, n'en laissait rien paraître, et la caressait toujours délicatement de la bouche et des mains.

À un moment donné, la main de Desmond s'égara de nouveau, surplomba rapidement le corset de cuir et chercha une fois de plus la vulve moite. Son index glissa sur les replis lisses, dans tous les sens, titilla doucement le clitoris rigide et augmenta graduellement la pression de son toucher. Comme la langue de l'homme continua de torturer le mamelon, la ligne de contact entre les seins et l'entrecuisse de Judith devient bientôt surchargée.

Son plaisir la transperça, elle rua violemment, tendit chaque muscle de ses membres et fit bruyamment cliqueter les chaînes à quelques reprises. À travers ses yeux mi-clos, elle vit sourire Desmond, amusé devant les résultats de ses soins.

La tête de Judith retomba et son esprit s'engourdit. Comme d'habitude, elle avait l'impression de flotter sur l'air, comme c'était souvent le cas lorsqu'elle était balayée par le plaisir. Seulement, cette fois, elle était vraiment suspendue en l'air, même si ses poignets et ses chevilles ne ressentaient plus la contrainte des bracelets de cuir. Elle soupira et sourit, encore secouée par son orgasme.

Elle sentit Desmond s'affairer autour de la table, passer d'une chaîne à l'autre, et graduellement abaisser son corps jusqu'à ce que son dos atteigne presque la surface. Il ne toucha toutefois pas aux bracelets, n'ayant manifestement pas l'intention de la libérer tout de suite. Lorsque toutes les chaînes furent ajustées et Judith soulevée à la hauteur des hanches de Desmond, il glissa un bras sous son dos et la souleva pour décrocher le harnais.

Judith était perplexe devant cette opération. Pourquoi ne dégrafait-il pas les boucles à ses chevilles et à ses poignets? Combien de temps avait-il l'intention de la garder en suspension?

Il se rendit au pied de la table et leva les bras jusqu'au plafond, décrochant une sorte de frein qui empêchait les chaînes de glisser le long des rails.

Dans la tête de Judith, le bruit fut assourdissant et l'empêcha de penser clairement. Immédiatement, elle cessa de se demander ce qu'il tramait. Seul son corps était en état de percevoir ce qui se passait, et elle sentit la tension sur ses hanches et ses épaules diminuer lorsque Desmond fit glisser les chaînes, ramenant ensemble les chevilles et les poignets.

Les mains de Desmond s'emparèrent de la taille minuscule de la jeune femme, l'encerclant presque complètement de ses gros doigts, et il la fit rouler sur le ventre. Il lui croisa rapidement les jambes dans un sens, puis dans l'autre pour intervertir les chaînes, et fit de même avec ses bras. Le vacarme fut assourdissant, mais le résultat raviva l'excitation de Judith.

Elle était maintenant étendue sur le ventre, ses jambes et ses bras écartés une fois de plus. Et la tension revint dans ses épaules et ses hanches, du moins jusqu'à ce que Desmond la soulève de la table et accroche de nouveau le harnais aux chaînes.

Judith comprit enfin où il voulait en venir. Desmond n'avait aucune intention de la libérer: il ne voulait que la retourner et replacer les chaînes de façon à ce qu'elle soit maintenant suspendue face vers le bas, mais les bras et les jambes encore bien écartées.

Les cheveux de Judith tombaient comme un rideau de part et d'autre de son visage, et en regardant vers le bas, elle voyait pendiller ses seins tirés par la gravité, ses mamelons frottant légèrement la surface de la table. Au début, ils se fronçaient légèrement sous la caresse du cuir, ce qui devint bientôt inconfortable, car la peau ne glissait pas vraiment, et traînait plutôt péniblement alors que son corps se balançait, en suspens.

Judith était sur le point de protester, lorsque Desmond souleva ses deux seins d'une main. De l'autre main, il tenait un flacon de poudre de talc, qu'il saupoudra sur la table, pour ensuite l'étendre d'une façon uniforme en un grand cercle. Mettant le flacon de côté, il étendit alors sa main poudrée sur les seins de Judith.

Son corps se balançait légèrement et elle sentit tout de suite sur ses mamelons la douce caresse du cuir poudré. Ce changement inattendu fit monter un soupir d'appréciation à ses lèvres. Puis, les mains de Desmond donnèrent une légère poussée sur ses hanches, et son corps se mit à osciller de côté.

Elle regarda ses mamelons frôler latéralement la table, et les pics jumeaux parurent durcir et s'allonger afin d'augmenter l'intensité de la caresse. L'odeur mentholée de la poudre s'élevait à ses narines ouvertes et lui réchauffait l'esprit.

Malgré ses poignets attachés, Judith avait les mains chaudes, et maintenant, elle avait envie de bouger, de caresser, et d'exciter Desmond. Elle savait par contre que c'était impossible. Le géant noir savait ce qu'il avait à faire, comptait bien amener Judith au sommet du plaisir et pour le moment ne semblait pas disposé à se laisser toucher par elle.

Cependant, Judith brûlait d'envie de le sentir, de caresser chaque centimètre de cette masse de chair, de se perdre dans l'étreinte de ses gros bras, de découvrir la queue noire qui palpitait sous le fin tissu de son pantalon. Pour le moment, c'était hors de question. Elle avait demandé à savoir, et elle devait demeurer une élève docile jusqu'à ce qu'il termine son exposé.

Alors que son corps continuait de se balancer, des pensées se mirent à courir à travers son esprit, et elle comprit graduellement la véritable nature de cette étrange situation. Même si au départ, il semblait être l'esclave de ses désirs à elle, et ne vouloir que lui procurer du plaisir, il semblait à ce stade-ci se produire un renversement des rôles. Judith ne contrôlait plus rien, elle n'avait pas demandé explicitement le traitement que Desmond était en train de lui accorder. À son tour, elle était devenue son esclave, soumise.

La situation était renversée, une fois de plus. Tout comme lorsqu'elle avait bondi sur Jo dans la réserve, ses intentions s'étaient fait déjouer par sa recherche du plaisir.

Tout cela ne s'était pas déroulé par hasard, mais par la force de sa propre volonté. Même à présent, avec Desmond, elle avait silencieusement accepté d'être suspendue ainsi, bien qu'à tout moment elle ait pu faire marche arrière. Cependant, ses instincts lui avaient dit que l'obéissance était la clé d'un plaisir exquis.

C'était bel et bien le cas. Elle avait les mamelons en feu, et la caresse sèche du cuir poudré générait une chaleur étrange qui irradiait dans tout son corps. Puis, elle sentit la main de Desmond sur le côté de ses fesses qui arrêtait le balancement. Quoi d'autre, encore ?

Son corps cessa de bouger, et Judith n'avait pas non plus la force d'engendrer un mouvement quelconque. Une fois de plus, sa vulve suppliait qu'on la fasse jouir et elle se demanda combien de temps il faudrait pour que le plaisir la balaie de nouveau.

Elle entendit bouger Desmond, et perçut le bruissement du pantalon de nylon, soudain plus fort. Qu'allait-il faire maintenant ? Avec le peu de forces qu'il lui restait, elle souleva la tête et la tourna légèrement dans sa direction pour satisfaire sa curiosité.

Le cou de Judith devint rapidement douloureux et elle dut de nouveau laisser tomber la tête, non sans avoir eu le temps de remarquer qu'il était maintenant nu. Elle soupira de frustration. Il était là, à seulement quelques centimètres d'elle, mais elle ne pouvait le toucher. Elle souleva de nouveau la tête, tentant désespérément de saisir son regard. Puis, elle se rappela qu'il était là également pour son plaisir à elle, et qu'elle n'avait qu'à demander...

— Viens ici! dit-elle d'une voix forte.

Elle le sentit se diriger docilement vers le bout de la table. À travers la masse entortillée de ses cheveux, elle voyait son phallus, long, épais, couleur charbon, et la minuscule ouverture dans le gland noir, silencieuse et dilatée vers le plafond. Elle se lécha les lèvres, car elle voulait maintenant le goûter.

Comme s'il lisait dans ses pensées, il lui souleva le menton d'une main, doucement, et de l'autre, écarta la chevelure de son visage, puis poussa lentement son membre palpitant dans la bouche affamée de la jeune femme.

Judith était ravie. Il savait ce qu'elle voulait, il avait obéi à ses ordres. Et maintenant, il palpitait sur sa langue, glissait lentement d'avant en arrière, allait et venait dans l'humide étreinte de ses lèvres. Elle gémit bruyamment. Malgré sa position d'infériorité, elle dominait encore; sa soumission n'était pas complète.

À présent immobile, Desmond lui soutint la tête à deux mains, et la laissa s'activer. Mais bientôt, elle se fatigua et ralentit le rythme. Elle crut qu'il allait prendre la relève en bougeant les hanches, mais il lui donna plutôt une petite poussée sur l'épaule et le corps de Judith recommença à se balancer, cette fois de la tête aux pieds plutôt que de côté.

Ses mamelons retrouvèrent la douce caresse de la table poudrée, et son excitation monta de nouveau, ravivée avec fureur. Sa bouche s'impatientait, suçait et léchait avec délices la queue raidie, et le bout de sa langue poussait sur la bouche minuscule qui coulait en anticipation. Elle le sentit se durcir encore sous cet assaut, mais le reste de son corps ne tressaillait même pas.

De toute évidence, elle était seule à bénéficier de cette érection, comme si elle pouvait poursuivre à jamais ses caresses sans que l'homme dépasse le point de non-retour. Il était là pour qu'elle en jouisse, il était tout à elle.

Elle le goûtait comme s'il avait été le premier et le dernier homme, le goûtait de tous ses sens, le relâchait parfois complètement et le sentait frôler sa joue en le taquinant avec le nez. Tout son visage jouait avec lui, comme un chaton avec une souris en caoutchouc, se déplaçait sur lui d'avant en arrière et de côté, le caressait de la bouche, de la langue, des lèvres, du menton, des joues et même du nez.

Pendant tout ce temps, le bout des doigts de Desmond sous sa mâchoire l'aidait à garder la tête haute, et la soutenait sans toutefois la guider. Elle restait maîtresse des caresses qu'elle prodiguait. Après un moment, elle fut tentée de mettre de nouveau son obéissance à l'épreuve.

— Ça suffit, dit-elle en libérant son étreinte. Maintenant, continue comme avant.

Il se détourna en silence, et le cœur de Judith commença à battre la chamade en anticipation. Qu'allait-il faire ensuite ? De toute évidence, il ne pouvait deviner ce qu'elle voulait, car elle ne le savait elle-même. Mais il devait avoir une certaine idée en tête...

Elle le sut bientôt, lorsqu'il s'agenouilla sur la table, entre ses jambes écartées. Avec les hanches, il lui caressa l'intérieur des jambes et elle sentit sa queue massive en sonder l'entrée. Elle le voulut aussitôt en elle.

— Baise-moi ! s'entendit-elle geindre. Qu'est-ce que tu attends ?

Il la pénétra et elle gémit de plaisir. Encore là, l'oscillation reprit, d'avant en arrière, et il lui mit les mains sur les fesses tout en la poussant et en la laissant revenir vers lui avec son tunnel humide.

Elle le sentit à maintes reprises entrer en elle, puis s'échapper, la queue noire la possédait avec tout son mouvement, le gland gonflé s'insérait et étirait les parois glissantes de son vagin en un assaut délicieux.

Les hanches de Desmond frôlaient l'intérieur des cuisses de Judith, la peau sombre caressant la chair laiteuse. Il la tenait par les genoux, la repoussait, la laissait revenir sur lui en glissant. Il ne bougeait toujours pas, et laissait travailler l'oscillation.

Les mamelons de Judith, de nouveau surexcités, allaient et venaient rapidement sur la table, se reliant à son entrecuisse par une longue ligne de chatouillis à l'intérieur de son abdomen. Elle gémit de nouveau, et se tordit les poignets pour s'emparer de la chaîne.

Le métal semblait froid dans sa paume, mais elle le saisit de toute sa force, plia les coudes et se hissa encore plus haut. Son niveau d'énergie l'étonnait. Le balancement qu'imprimaient les mains de Desmond n'était plus suffisant, elle avait besoin d'augmenter la vitesse, l'envergure, l'intensité. Elle tira fort, ses biceps brûlant sous son propre poids, en essayant d'augmenter l'élan de son corps. Elle avança et se laissa retomber de nouveau, s'empalant sur la queue massive de Desmond, le sentant la pénétrer encore plus.

Il eut un rire bruyant, et sa voix grave se réverbéra dans toute la salle. En claquant sur son derrière, la main de Desmond envoya des aiguilles dans son entrecuisse, suivies d'une chaude vague de plaisir. Le géant noir semblait amusé par cette petite femme insatiable qui tirait désespérément sur ses chaînes, les faisait cliqueter avec frénésie, et s'en servait pour se tortiller les hanches contre la grosse queue.

Elle avait besoin de bouger sur lui, incapable de se contenter d'un simple balancement passif. Mais le harnais qui l'entourait à la taille et la position compliquée de ses chevilles étaient à son désavantage. Tout ce qu'elle pouvait contrôler, c'étaient ses bras; tout ce qu'elle pouvait faire, c'était de se soulever laborieusement pour retomber librement.

Sa vulve s'empala à maintes reprises, la queue massive la remplissait de plus en plus chaque fois, à la limite, mais agréablement ajustée. La tension était également considérable sur ses seins. Ils pendaient librement, remontaient légèrement lorsqu'elle se laissait retomber, et heurtaient la table avec un claquement sec, qui envoyait des éclairs de plaisir-douleur dans tout son corps.

Desmond n'avait pas à bouger; elle pouvait s'occuper de son propre plaisir. Déjà, elle le sentait monter, brûler en elle, le long de la ligne qui reliait ses seins à sa minuscule tige gonflée.

L'orgasme de Judith ressembla à la plongée d'une grosse pierre dans un étang: il envoya une impulsion immense à travers son entrecuisse, suivie d'innombrables ondes similaires venant toutes du même point, qui irradiaient à travers tout son corps en cercles d'intensité décroissante.

Elle lâcha prise avec un ultime hoquet, et sa tête tomba vers l'avant une dernière fois. La sueur de son effort dégoulina le long de son dos et sous le harnais de cuir, et se rassembla en une ligne humide entre ses fesses. Elle haleta, épuisée, mais heureuse.

Cependant, ce n'était pas fini. Desmond était encore en elle, palpitant sous les répliques saccadées de son vagin. Au moment même où elle cessait de sentir les vagues chancelantes de plaisir qui s'évanouissaient dans l'oubli, il se mit à bouger.

D'une main, il saisit l'une des courroies du harnais pour l'empêcher de se balancer, et se mit à pousser avec les hanches. Judith soupira de volupté, son minuscule bourgeon encore sensible, mais prêt à être réveillé de nouveau. De l'autre main, il lui claqua les fesses à maintes reprises, provoquant une douleur vive sur la peau sensible, la faisant gémir chaque fois. Son élan devint bientôt frénétique, ses hanches poussaient avec force en elle et se retiraient, sa queue massive se durcissait de nouveau.

À présent, il bougeait si vite que Judith sentait même battre ses couilles sur son entrecuisse, les hanches de l'homme obligeant ses cuisses à s'écarter encore davantage, chaque coup envoyant une onde à travers son corps et, une fois de plus, faisant vaciller ses seins.

Elle l'entendit grogner derrière elle, sa voix faisant écho à la sienne alors qu'elle sentait son plaisir monter pour la troisième fois, insidieux, pétillant lentement vers la surface et s'amplifiant à la fois. Elle était trop épuisée même pour gémir, son corps inerte peinant à sentir autre chose que le plaisir qui la balayait.

En même temps, elle sentit Desmond la tirer contre ses hanches et l'y garder. Sa queue secoua violemment en elle, et Judith entendit un cri étranglé sortir de la bouche de l'homme. Une seconde plus tard, elle sentit le lourd corps retomber sur elle, les mains à plat sur la table, de chaque côté de ses seins, le visage sur son dos.

Son membre était encore en elle, sa taille diminuait rapidement, son miel s'écoulant lentement, et l'odeur âcre remplissait la pièce. Elle reconnut l'arôme qu'elle avait remarqué après l'avoir laissé seul avec le major Johnson : l'odeur du plaisir mâle. À présent, elle savait.

Mais elle se rappelait également ce que Desmond lui avait dit. L'important n'était pas ce qu'elle savait, mais ce qu'elle sentait. Et elle pouvait affirmer hors de tout doute qu'elle se sentait merveilleusement bien.

Il glissa son bras en travers de la poitrine de Judith et la souleva, tandis que de son autre main il manipula le crochet pour dégager le harnais. De toute évidence, l'homme avait perdu de sa force, tout comme Judith, ivre de plaisir, encore chancelant sous l'effort.

Les chaînes furent tour à tour dégagées, aux mains de Judith d'abord, puis à ses pieds. À présent, elle reposait à plat sur la table, ses chevilles et ses poignets encore prisonniers des brace-lets, mais la tension des chaînes était maintenant neutralisée.

Desmond resta un moment au-dessus d'elle, léchant du bout de la langue la sueur de son dos. Après un moment, il défit les boucles qui retenaient les bracelets à ses poignets et massa doucement sa peau tendre.

En levant les yeux, Judith fut presque étonnée de voir les gros doigts noirs sur son poignet mince et pâle. Le cuir doux n'avait laissé aucune marque, ce qui était plutôt étonnant, étant donné le poids que ses bras avaient dû soutenir.

La grosse main de Desmond écarta lentement les cheveux du visage de Judith et ses lèvres déposèrent un frêle baiser sur sa joue. Elle ferma les yeux et sourit. Un moment, il resta sur elle, appuyé sur les coudes, la joue doucement posée sur la sienne, la chaleur de son corps l'enveloppant en une étreinte réconfortante dans laquelle elle s'oublia.

Chapitre quinze

Elizabeth Mason portait un parfum agréable, mais au bout d'un moment, celui-ci pouvait devenir un peu envahissant. Elle était assise sur un divan de cuir à côté de la patiente, et paraissait à l'aise, comme si elle avait été en train de prendre le thé au lieu d'enlever des pansements.

Judith était debout à son côté, penchée vers elle et tenant un plateau de métal. Cette proximité, bien que nécessaire, devenait rapidement épuisante pour l'infirmière, et son dos lui faisait mal.

De plus, Judith détestait le bavardage continuel du médecin, qui ne semblait pas sentir le besoin de s'arrêter pour respirer de temps à autre. Tout ce que disait la docteure Mason paraissait puéril, surtout sa façon de décrire à Lisa Baxter chaque étape de l'enlèvement des pansements.

— Maintenant, tout ce qu'il me faut, ce sont ces petits ciseaux, dit-elle, comme une mère s'adressant à un jeune enfant. Pour une simple petite entaille dans le tissu. Soyez sage et ne bougez pas. Ça va, chérie ?

Lisa ne répondit pas, mais n'avait pas besoin de le faire. Elle regarda Judith, puis roula des yeux exaspérés.

La main du médecin était rapide et expérimentée, et écartait chaque couche de bandage pour la jeter dans un petit contenant que lui tendait Judith.

Judith ne comprenait pas pourquoi ils n'avaient pas apporté

une table à roulettes ou une autre sorte de plateau mobile, au lieu de se servir d'elle comme d'une domestique. Cela aurait sûrement paru déplacé dans la chambre, mais beaucoup plus utile. Sinon, il était plus pratique d'emmener la patiente dans une salle de traitement.

Le médecin et la patiente étaient plutôt assises sur le divan de cuir rouge foncé, comme deux amies en train de bavarder. Entre-temps, Judith avait atrocement mal aux reins, même si elle n'avait qu'à tenir un petit plateau avec quelques paires de ciseaux et un bol pour la gaze souillée.

À sa droite, le soleil brillait à la fenêtre, et baignait le bras de Judith. Elle le sentait brûler, mais à cause de cette installation inhabituelle, elle ne pouvait changer de place.

Une couche à la fois, le pansement fut retiré et l'intervention bientôt terminée. Lisa tendit immédiatement le bras vers la table d'appoint pour prendre un miroir et le lever vers son visage. Son nez, un peu gonflé, portait de fines marques rouges, et elle avait deux grandes taches pourpres accrochées sous les yeux. Cependant, c'était tout à fait normal et, après quelques jours, il n'allait rien paraître. Le nez en soi ne semblait pas très différent, bien que légèrement plus court.

La docteure Mason sourit d'un air suffisant, de toute évidence satisfaite de son travail, mais la bouche de Lisa tressaillit à quelques reprises et un sanglot s'échappa de ses lèvres.

— C'est... c'est horrible ! geignit-elle nerveusement.

La docteure Mason garda son air suave.

— Vous n'avez pas à vous inquiéter, dit-elle. Lorsque l'enflure aura disparu, ce sera tout juste parfait.

— Non ! s'écria Lisa. C'est affreux ! Je déteste ça !

La docteure Mason cessa rapidement de sourire, soupira et se leva.

— Il n'y en a que pour quelques jours, fit-elle d'une voix qui commençait à laisser poindre une certaine impatience. Lorsque tout sera guéri, quand vous serez rentrée chez vous, tout le monde vous dira à quel point c'est joli...

— Je ne peux pas affronter les gens avec un nez pareil ! s'écria Lisa. Je ne pourrai jamais rentrer chez moi ! Je n'oserai jamais regarder mon visage !

— Vous devrez bien, ajouta la docteure Mason, soudain plus sèche. Madame Cox sera ici dans quelques minutes pour vous signer votre congé. Vous rentrerez demain.

— Demain ? Mais je ne veux pas ! Pas avec une allure pareille !

La docteure Mason soupira encore, se releva prestement, et regarda Judith.

— Tâchez de lui faire entendre raison, ordonna-t-elle. J'ai mieux à faire.

Elle sortit de la pièce en claquant la porte. Judith se mordit la lèvre inférieure. Elle était quelque peu choquée, car il n'était pas conforme à la déontologie de laisser une patiente dans un tel état de détresse. Maintenant, c'était à elle de calmer Lisa à la place de la docteure Mason. Cette chère Lisa qui faisait des manières depuis des jours, ce qui devenait de plus en plus difficile à gérer.

Judith alla posa le plateau et le bol sur la table de chevet et revint s'asseoir près de la fille.

— Elle a raison, tu sais, lui dit-elle. Dans quelques jours, les marques seront toutes parties et tu auras le plus joli nez.

— Vraiment ? dit Lisa dans un sanglot. Je le déteste, il est trop court.

— Je le trouve très joli. Il te faudra un peu de temps pour t'y habituer, c'est tout.

En guise de réponse, la fille pencha la tête sur les épaules de Judith, et laissa rouler ses larmes sur l'uniforme de l'infirmière. Judith ne savait plus quoi dire. Elle devait surtout faire très attention avec Lisa : comme sa période d'essai n'était pas terminée, toute plainte de sa patiente serait mal vue et pourrait même compromettre son avenir. Elle ne pouvait prendre ce risque alors qu'elle était si près de découvrir la vérité sur le programme de soins particuliers.

De plus, elle savait que madame Cox était censée venir voir Lisa pour lui signer son congé, et elle voulait que la fille se calme avant.

Elle la regarda du coin de l'œil. Lisa, dont la tête était encore doucement posée sur l'épaule de l'infirmière, semblait déjà s'être calmée. Judith, soulagée, la prit par la taille et, de l'autre main, caressa doucement ses cheveux soyeux.

Au fond, Lisa était gentille. Seulement, c'était une enfant gâtée qui n'était peut-être pas tout à fait prête à entrer dans le monde des grands. Au bout de quelques secondes, Judith la sentit se blottir contre elle, se tortiller contre le coton blanc de son uniforme, et put même percevoir la chaleur de la jeune peau à travers le pyjama de soie.

La petite main de Lisa atterrit sur la cuisse de Judith, chaude et légèrement humide. Lisa leva les yeux vers elle.

— Est-ce que tu me trouves jolie ? demanda-t-elle, une larme perlant encore au coin de son œil droit.

— Bien sûr, répondit Judith. Je te trouve très jolie.

— Je te trouve jolie, moi aussi…

Les lèvres pâles de Lisa touchèrent la joue de Judith et mirent du temps à se retirer. Judith regarda sa patiente et sourit à son tour. Elle était contente d'avoir réussi à changer l'état d'esprit de la fille, et satisfaite de l'attitude amicale de Lisa.

— Tu es bien gentille, dit Judith.

Dès lors, les yeux de Lisa devinrent secs et s'allumèrent d'un étrange éclat.

— C'est vrai ? demanda-t-elle d'un ton plutôt sarcastique.

Judith fut surprise par ce changement soudain et ne répondit pas.

— Je pense plutôt que je suis une salope, poursuivit Lisa. C'est ce que les gens me disent souvent. Je ne sais pas si c'est vrai, mais ça me plaît. Parce que je peux obtenir tout ce que je veux, et faire obéir tout le monde...

Sa main remonta sur la cuisse de Judith, s'insinua sous sa jupe, et son index vint toucher l'entrecuisse de l'infirmière.

Judith tressaillit, à la fois étonnée et, curieusement, apeurée. À ce moment, elle vit la différence entre la fille qu'elle avait rencontrée dans la salle d'opération quelques jours avant, et qui une minute à peine pleurait à côté d'elle, puis cette autre Lisa, exigeante et gâtée. On aurait dit une double personnalité, et Judith ne savait pas très bien quoi en penser. Mais par-dessus tout, elle cherchait la meilleure façon de ne pas mettre sa patiente en colère.

— On m'a dit qu'ici, les employés sont censés faire tout ce que les patients leur demandent, continua la fille. C'est vrai ?

Judith respira à fond. Qu'est-ce que Lisa savait, au juste ? De toute évidence, cette idée que le personnel était censé se plier aux désirs des patients était venue de quelqu'un... Mais qui le lui avait dit ? En un sens, c'était un peu injuste qu'une jeune patiente en soit informée, alors que Judith elle-même n'arrivait pas à se le voir confirmer hors de tout doute. Par-dessus tout, ce qui l'intriguait était de savoir pourquoi Lisa mentionnait ces fameux soins particuliers à ce moment-ci...

Désirait-elle seulement une confirmation de l'infirmière, ou oserait-elle lui demander de s'engager dans une sorte de jeu de rôles sexuels ?

Baissant les yeux, Judith vit les mamelons de Lisa durcir sous le pyjama blanc, et elle sentit les siens réagir à leur tour. La fille le remarqua aussi et éclata de rire.

— Tu en as envie autant que moi, non ? J'aurais dû m'en douter... Alors, sois une bonne infirmière et fais ce que je demande. Si je ne peux pas avoir le nez que je voulais, au moins je garderai un bon souvenir de ma visite ici...

Elle eut un sourire malin et, d'une forte poussée de la main, écarta la cuisse de Judith, qui frissonna malgré elle. Lisa rit de nouveau, de toute évidence contente de la faire réagir, comme si ce n'était qu'un jeu.

Pour Judith, par contre, il n'y avait pas de quoi rire. Une fois de plus, elle allait être victime de son propre désir, même si, cette fois, elle en était fort consciente et pouvait résister. Malgré tout, elle sentait qu'elle devait obéir, car elle avait un peu peur de Lisa, sachant qu'elle ne pouvait refuser de faire ce qu'elle lui demanderait sans courir de risque de la mettre en colère.

Au fond d'elle-même restaient des relents de culpabilité qui la faisaient hésiter, ne sachant si elle pouvait se plier aux exigences de la fille, du fait qu'elle était sa patiente. Suite à l'épisode avec Mike Randall, Judith s'était promis de ne plus jamais céder...

Et surtout, elle savait aussi que madame Cox pouvait entrer à tout moment dans la chambre. Curieusement, cette dernière pensée ne servit qu'à alimenter ses désirs. Si elle devenait l'esclave docile de sa patiente, et qu'elle était prise sur le fait par sa superviseure, madame Cox viendrait peut-être une fois de plus à sa rescousse, dégagerait l'infirmière de l'emprise de la fille et s'occuperait elle-même de Judith...

Ce n'était qu'une mince possibilité, mais il valait la peine d'essayer. Le moment était décisif. Si Ray lui avait dit vrai, si elle était censée se plier aux demandes spéciales de ses patients, dans le fond elle n'avait pas à craindre de se faire surprendre par madame Cox. C'était peut-être le plus gros pari de sa vie, et cela rendait soudain la décision beaucoup plus grisante.

Judith serra son étreinte autour de Lisa, glissa ses doigts sous la chemise du pyjama, et sentit la douce peau de sa taille, tout en se rappelant la vitalité de la peau bronzée qui l'avait ravie seulement quelques semaines plus tôt dans la salle d'opération.

Lisa roucoula et se pressa contre l'infirmière.

— Déshabille-moi, dit-elle. Tout de suite.

Aussitôt, Judith sut qu'il n'y avait pas de retour possible. La dernière parcelle d'hésitation disparut de son esprit, mais sa main libre trembla en défaisant les quatre boutons du pyjama. La soie parut soudain étrangement froide sous ses doigts. Elle s'activa fébrilement, excitée à l'idée de redécouvrir d'une façon charnelle le corps nu qui, elle le savait, se cachait sous cette mince étoffe. Comme ce serait bon de presser sa bouche sur toute cette peau veloutée... Elle avait souvent pensé à Lisa, mais n'avait jamais cru que cet instant arriverait. Et maintenant, tout cela était en train de se passer...

Dans le cou de Judith, la bouche de la fille cherchait déjà un point sensible, et ses lèvres approchaient et frôlaient légèrement le lobe de l'oreille. Judith ferma les yeux un moment pour laisser fondre leurs corps chauds et réveiller ses sens.

Lisa sentait bon : un parfum riche, probablement coûteux, qui émanait également de ses cheveux. Lorsque Judith eut fini de déboutonner le pyjama, elle regarda encore Lisa, comme pour deviner ce qu'elle lui demanderait ensuite. En réponse, Lisa se débarrassa de son haut en se tortillant, la soie glissant de ses épaules et dénudant ses seins.

Les mamelons semblaient plus foncés et plus petits qu'avant, mais la peau était exactement telle que Judith se la rappelait, d'un brun foncé, bronzé, les poils ténus de son abdomen blanchis par le soleil, pâles et dorés.

Lisa lâcha la jambe de Judith et posa sa main sur ses propres seins, puis les caressa de la paume. En même temps, elle regardait Judith d'un air malicieux.

— Touche-moi.

Sa voix était dure, maintenant : c'était un ordre indiscutable. Tout comme le premier matin dans la salle d'opération, Judith appuya sa main sous le sein gauche de la fille et le poussa légèrement, puis le laissa retomber, mais sans retirer ses doigts. Elle vit le mamelon de nouveau se contracter et rétrécir légèrement, pour devenir encore plus foncé. Ses doigts suivirent le contour du globe moelleux, glissant autour du mamelon sans vraiment le toucher.

— Suce-le. Maintenant.

Judith ne pouvait pas résister au ton implacable de Lisa. En fait, elle sentit son désir augmenter à la perspective de devenir son esclave, de n'avoir d'autre choix que d'obéir. Elle inclina silencieusement la tête et laissa sa bouche glisser de l'épaule de la fille jusqu'au mamelon durci, le chatouillant doucement de la langue pour en accroître la rigidité.

Presque immédiatement, le corps de Lisa s'alanguit contre le sien, et elle sentit battre le cœur de celle-ci contre sa joue. Relâchant la taille minuscule, Judith poussa la jeune fille contre le divan, en position à demi allongée.

Lisa lui saisit les mains pour les amener jusqu'à ses seins nus, les guidant et les pressant de pétrir sa peau chaude. Judith obéit en silence et, au bout d'un moment, Lisa lâcha la main de l'infirmière pour plutôt s'emparer de sa tête, la tirant immédiatement vers ses seins. Une fois de plus, Judith se plia à l'ordre silencieux. Elle allait obéir aux moindres désirs de Lisa.

Elle suça avidement les mamelons, étonnée de son propre empressement, trouvant plaisir à lécher les boutons rigides qui semblaient grossir dans sa bouche. Bientôt, elle entendit gémir Lisa, et cela l'excita encore davantage.

Elle sentit ses propres seins palpiter au même rythme que son cœur et les replis de sa vulve, sa moiteur s'amplifiant rapidement à la jonction de ses jambes. Son clitoris lui faisait mal tellement il était rigide, mais curieusement, Judith ne voulait pas qu'on la touche. Elle désirait seulement caresser ce corps adorable dont elle rêvait depuis la première fois qu'elle l'avait vu.

À présent, Lisa retenait à deux mains la tête de Judith contre sa poitrine, guidant le visage de l'infirmière d'un mamelon à l'autre, se tortillant sous le doux assaut de la bouche de celle-ci.

Judith, grisée, voulait avaler en entier les seins de la fille, et sa langue animée dardait les mamelons en érection et les torturait sans cesse. Ses mains s'affairaient aussi, glissaient sur toute la chair douce, d'abord tendrement, mais parfois avec rudesse, pétrissaient vigoureusement les globes moelleux, pinçaient les mamelons et la peau sensible qui les entourait.

Après un moment, toutefois, Lisa repoussa l'infirmière et lui saisit les épaules.

— Baisse-toi, dit-elle. À genoux. Tout de suite.

Lisa écarta les jambes et Judith obéit sans protester, esclave maintenant volontaire, le cœur battant, anticipant la demande suivante.

Le tapis était âpre sous ses genoux, mais la sensation se changea bientôt en une sorte d'engourdissement, et tout son corps palpitait d'une passion qui lui faisait oublier tout le reste. Une fois de plus, elle appuya son visage contre les seins de Lisa, et ses bras encerclaient maintenant la taille de la fille, ses mains palpaient rapidement la douceur du dos, et ses avant-bras caressaient toute cette peau chaude et douce, offerte d'une façon si invitante.

Lisa leva les bras et cessa de vouloir guider les caresses de Judith, satisfaite de voir que la jeune infirmière n'avait plus besoin d'ordres. Elle continua de gémir bruyamment, et son corps se tortillait légèrement sous la chaleur de leur passion combinée.

Judith était contente de voir l'effet de ses caresses sur Lisa, mais elle se demanda tout à coup si quelqu'un pouvait les entendre du corridor. Soudain, elle eut une vision : plusieurs personnes rassemblées là, l'oreille collée à la porte, intriguées et excitées par ce qu'elles entendaient. Elle trouvait grisante l'idée d'attirer l'attention, encore plus d'être prise en flagrant délit.

Par la fenêtre, les rayons du soleil lui brûlaient maintenant le dos et la tête, mais cela non plus n'avait aucune importance. Tout ce qu'elle voulait, c'était procurer du plaisir à sa patiente, exciter le corps superbe de celle-ci et en être l'esclave docile.

Elle étreignit Lisa, enfouit son visage dans la douce poitrine et sentit la chaleur fluide des seins de la jeune femme contre ses joues. Sa propre excitation monta et fit place à un fort désir de découvrir plus de peau veloutée, plus de courbes douces. Mais elle n'y pouvait rien. Elle devait attendre que Lisa le demande.

Lisa cajolait la tête de Judith, qu'elle caressait de ses lèvres, les doigts perdus dans ses cheveux dorés. Bientôt, ses hanches se mirent à trembler légèrement, et après un moment, Lisa lâcha la tête de Judith pour essayer, d'un mouvement des hanches, de se débarrasser de son bas de pyjama.

Judith n'eut pas à se faire dire quoi faire. Avec ses doigts, elle saisit la bande élastique du pantalon de soie et la tira, tout en aidant Lisa à soulever ses hanches du divan afin de se débarrasser du vêtement.

Le tissu glissa vers le bas, le long des jambes bronzées de la fille, et Judith l'enleva avant de retourner s'installer entre ces jambes écartées. Son odeur était sans pareil, douce et capiteuse. Un moment, Judith continua d'embrasser les seins de Lisa, puis traça lentement un long sentier de baisers jusqu'à son abdomen, sur le chemin du doux trésor.

Finalement, son fessier vint se poser sur ses talons, et ses lèvres commencèrent à doucement flotter au-dessus de la touffe ondulée. La toison était également dorée, blanchie par le soleil, et bien taillée. Elle était plutôt épaisse, mais douce comme des cheveux de bébé, chatoyante sous les chauds rayons qui entraient par la fenêtre et parfumée de la rosée de Lisa.

Un moment, Judith laissa pendre ses bras au-dessus des cuisses nues, en caressant l'intérieur avec ses joues, tournant la tête d'un côté, puis de l'autre, pour laisser ses lèvres caresser elles aussi la douce peau. À quelques centimètres à peine de sa bouche, la vulve humide bâillait et luisait, le clitoris était visible entre les lèvres écartées, minuscule mais palpitant d'excitation, en rythme avec le vagin moite qui se serrait de temps à autre.

Lisa se rapprocha les jambes, obligeant presque Judith à tendre sa bouche vers la chair en attente.

— Suce-moi! gémit à haute voix la fille. Suce-moi tout de suite!

Judith tira timidement la langue et goûta les doux replis, d'abord légèrement, en les touchant à peine, mais elle couvrit bientôt toute la région de coups de langue plus longs et délibérément lents.

Lisa gémit d'une voix forte, et poussa ses hanches vers le visage de Judith. On aurait dit qu'elle était déjà au bord de l'orgasme, les jambes tremblantes, alors que ses muscles se tendaient et se détendaient tour à tour. Judith glissa les mains sous les cuisses de la fille et les hissa sur ses épaules, rapprochant encore davantage de son visage le bassin en convulsion.

Sa bouche s'empara du minuscule clitoris et le suça doucement, tout en y laissant trembloter sa langue. Lisa gémit de plaisir et ses jambes s'alourdirent sur les épaules de Judith, ses genoux se redressèrent et ses orteils pointèrent vers le mur opposé. En même temps, elle cessa de respirer quelques secondes et poussa un grand cri, et Judith sentit la vulve se contracter violemment contre sa bouche.

Tout le corps s'alanguit, et Judith perçut la vague qui balayait l'entrecuisse de la patiente, qui se répercutait contre sa propre bouche. Elle tourna légèrement la tête et continua de caresser les douces hanches avec son visage.

Ouvrant les yeux un moment, elle reconnut une silhouette près de la porte entrouverte : madame Cox.

La femme les regardait fixement, sans expression, mais Judith reconnut immédiatement les doigts serrés sur les feuillets qu'elle tenait, les jointures blanches et la poigne si forte qu'elle semblait sur le point de déchirer le papier.

En silence, la superviseure marcha jusqu'au lit d'un pas mal assuré, et se contenta de laisser tomber les feuillets sur la table de chevet. Pendant tout ce temps, elle continuait de fixer Judith, sans que l'expression de son visage trahisse ses sentiments ; ni colère ni surprise.

Encore agenouillée, tout habillée, entre les jambes écartées de Lisa, Judith continuait de caresser la peau douce, soudain heureuse du succès de son plan improvisé. Les yeux mi-clos, elle regarda la femme et sourit d'un air suffisant. Assurément, madame Cox ne dirait ni ne ferait rien, sinon, elle serait déjà intervenue.

À ce moment, Judith obtint la confirmation de ce que Ray lui avait dit. Cela ne faisait plus aucun doute. Et madame Cox avait compris que Judith savait. Qu'allait-il arriver ensuite ? C'était accessoire. L'important, c'était que Judith n'avait plus peur de perdre son emploi. Dans son esprit, il était clair qu'ils n'allaient pas se débarrasser d'elle.

Madame Cox se retourna et partit. Judith leva les yeux vers Lisa. La fille la regardait avec un sourire malicieux, les yeux mi-clos elle aussi, apparemment ivre de plaisir. Les deux femmes s'étaient arrangées pour obtenir ce qu'elles cherchaient : pour Lisa, que quelqu'un la fasse jouir et, pour Judith, être prise en flagrant délit par sa superviseure.

Judith était tout de même déçue, car elle n'avait pas prévu que madame Cox quitte ainsi la pièce. Elle voulait que la femme vienne à sa rescousse, étrangement, qu'elle soit saisie par la scène offerte par Judith et Lisa. Madame Cox était sortie, manifestement désintéressée, et Judith devrait trouver une autre façon de l'attirer, de la séduire.

Alors qu'elle était agenouillée entre les jambes écartées de Lisa, Judith souhaita un moment que les rôles puissent être inversés, qu'elle soit celle assise là, et que madame Cox torture sa tendre chair comme une esclave docile.

En même temps, ses pensées lui faisaient peur. C'était la deuxième fois qu'elle avait un contact intime avec une femme, et ce désir était nouveau pour elle. Toute sa vie, elle n'avait fantasmé que sur les hommes, mais à présent, son appétit était sans limites. Son comportement aussi avait changé. Jusqu'à récemment, elle avait été plutôt inexpérimentée et assez passive, mais à présent, elle voulait du contact d'une façon presque agressive, par pulsions incontrôlables.

Elle voulait donner et recevoir du plaisir, encore et encore, être à la fois esclave et maîtresse, tour à tour, des autres ainsi que de son propre désir. Elle sentit bouger à quelques reprises les jambes de Lisa contre son visage. Elle soupira et leva les yeux vers elle. Lisa fit un clin d'œil, de toute évidence contente d'avoir joui. Judith était heureuse, aussi, mais dans son esprit, rien n'était réglé.

Elle était si proche de son but qu'elle avait cru presque le toucher. Ce qu'elle désirait par-dessus tout, c'était que madame Cox revienne pour la faire jouir, et que ça se produise tôt ou tard. Mais quand?

Chapitre seize

« Il ne manque que le tapis rouge », se dit Judith.

Elle se tenait immobile à la station des infirmières, et remplissait ses rapports, imperméable à la fébrilité qui l'entourait. Les autres infirmières couraient de part et d'autre en sautillant comme des petites filles. L'arrivée imminente de Marina Stone provoquait dans l'air une tension semblable à un orage sur le point d'éclater, électrique et vivifiant.

Marina, cette grande actrice qui savait tenir le public en haleine, le faire pleurer ou le faire rire tour à tour, remuer en lui des émotions impérissables... Bref, la plus grande star du Royaume-Uni allait arriver d'un instant à l'autre.

D'après Judith, tout le monde réagissait de façon excessive. Après tout, derrière la scène, c'était probablement une femme comme les autres. Surtout, dès son arrivée à la Clinique Dorchester, ce serait une patiente comme les autres.

La star était venue quelques années auparavant, et n'était apparemment presque jamais sortie de sa chambre. Ceux qui ne l'avaient pas rencontrée avaient même douté de sa présence alors.

Autour de la station des infirmières et dans le corridor, Judith était la seule à garder son calme. Jusqu'ici, personne ne savait vraiment pourquoi Marina avait décidé d'entrer à la clinique. On supposait que c'était pour un second remodelage, mais aussi, peut-être, pour une liposuccion du menton. Mais quelle importance ?

L'un des préposés sortit la tête vers la rue, même s'il était strictement interdit d'ouvrir les fenêtres de ce côté de l'édifice, à cause des bruits de la circulation et des gaz d'échappement.

— Ils arrivent! cria-t-il avant de fermer la fenêtre.

Le silence se fit pendant un moment, mais la tension continua de monter. Les membres du personnel se regardèrent tous avec un grand sourire, et après un moment, les bruits reprirent. Tout le monde y allait de ses questions futiles:

— Combien de temps il lui faudra pour monter, d'après vous?

— Est-ce que la chambre est prête?

— Et les fleurs? Où avez-vous mis les fleurs?

— Le téléphone est-il installé dans son bureau temporaire?

À voir toute cette agitation, Judith se dit que même un membre de la famille royale ne pourrait jamais provoquer une telle fièvre. Et ce n'était pas fini, bien sûr. La Grande Vedette n'était même pas encore montée à l'étage.

À présent, elle était probablement accueillie par le docteur Marshall, et peut-être un autre médecin, celui qui allait l'opérer, et peut-être même madame Cox. Bien sûr, tout cela serait discret et de bon goût; ni bouquet, ni flash.

Si elle était satisfaite de son séjour à la clinique, Marina allait peut-être le dire à certains de ses prestigieux amis, une publicité qui ne pouvait être que favorable. Par conséquent, il fallait que tout soit parfait.

— Ils montent, annonça garde Parsons en raccrochant le téléphone. Ayez l'air occupés.

Soudain, la vie revint à la normale, ou du moins, à quelque chose qui ressemblait à la normale. Tout le monde était encore très excité, mais personne ne pouvait rien laisser paraître. Les consignes avaient été très détaillées. Il n'y aurait aucune demande d'autographe, aucune visite inutile, et naturellement, aucune fuite à la presse. Marina allait recevoir la meilleure chambre, avec un petit bureau adjacent pour son assistant personnel et d'autres membres de son entourage. Tout allait être contrôlé à partir de là, car Marina n'aurait pas à appuyer sur un vulgaire bouton d'appel en cas de besoin; elle payait des gens pour le faire à sa place.

Bien sûr, on allait traiter Marina Stone comme tous les autres patients, avec classe et professionnalisme, tout en gardant à l'esprit son statut particulier.

Les portes de l'ascenseur s'ouvrirent et la star sortit, flanquée du docteur Marshall et de madame Cox, l'air chic comme toujours. Même si elle était plus petite qu'à l'écran, Marina Stone avait un certain panache qui forçait l'admiration. Son manteau vert foncé paraissait simple, mais coûteux, le style et la couleur parfaitement assortis à ses cheveux bruns retenus en un chignon élaboré. La position de sa main gantée sur son sac paraissait calculée, et son maquillage était discret, mais impeccable. Elle exsudait la classe, et sa simple sortie de l'ascenseur avait l'allure d'une entrée grandiose, d'une scène bien répétée, sortie tout droit de l'un de ses films.

Le docteur Rogers la suivait d'un pas, comme un petit chien fidèle. Judith trouvait plutôt inusité de le voir sans la docteure Mason, pour une fois. Il semblait pâle et encore plus frêle derrière Marina, et avec son air juvénile, il avait plutôt l'allure d'un garçon d'ascenseur que d'un médecin. Mais s'il était là, cela signifiait sans équivoque qu'il était responsable de l'opération, et que la grande Marina venait pour une liposuccion, spécialité du docteur Rogers.

Trois autres personnes sortirent de l'ascenseur: le personnel de Marina. La première à suivre le docteur Rogers était une grande femme, probablement sa secrétaire, qui portait une mallette d'une main et une pile de feuillets de l'autre. Elle regarda immédiatement alentour avec des yeux perçants et inquisiteurs, et un regard bref mais rigoureux, même au plafond.

L'autre femme était plus courte, et son manteau ouvert révélait un uniforme rose. Elle portait un grand sac de plastique luisant et une mallette pour affaires de toilette. Même si Marina venait pour une intervention chirurgicale, il n'était pas question de ne pas bien paraître, et pour des gens comme elle, emmener sa coiffeuse n'était pas exagéré.

La dernière personne à sortir de l'ascenseur fut un homme grand et solidement charpenté, aux cheveux très courts et aux larges épaules. Judith ne pouvait déterminer s'il était le chauffeur ou le garde du corps de Marina, ou peut-être les deux. Il paraissait toutefois fort impressionnant, presque effrayant. Lui aussi portait un sac : une énorme sacoche de cuir noir, remplie au maximum de sa capacité, gonflée de partout. Dans sa grosse main, toutefois, elle paraissait légère comme l'air.

Tel était l'entourage de la vedette, les quelques personnes dont elle ne pouvait se passer, même à l'hôpital. Au début, on avait dit au personnel qu'elle allait amener sa propre infirmière, mais Marina avait changé d'idée à la dernière minute, et il fut annoncé que quelques infirmières bien choisies allaient tour à tour s'occuper d'elle exclusivement. Les noms de ces infirmières n'avaient pas encore été annoncés, et l'anticipation alimentait des rumeurs folles.

Au début, on supposait que mademoiselle Stone allait choisir elle-même, puis on déclara que ce serait exclusivement des infirmiers. Mais à la fin, la décision appartenait au docteur Marshall, d'après des recommandations de madame Cox et du chirurgien en service.

Judith doutait être choisie, surtout parce qu'elle ne s'était jointe au personnel que récemment. Cependant, lorsque la vedette s'arrêta à la station d'infirmières en se rendant à sa chambre, madame Cox la prit à part et posa sa main sur son épaule.

Judith regardait toujours Marina qui, arrivée près de la station, bavardait avec l'infirmière en service, mais toute son attention était concentrée sur madame Cox, dont elle sentait le souffle chaud sur son cou. Son cœur se mit à battre furieusement. La dernière fois qu'elle avait vu madame Cox, c'était dans la chambre de Lisa Baxter, la veille au matin. Elle n'avait rien entendu dire depuis, n'avait pas été appelée au bureau, et ne savait toujours pas si le fait d'avoir été prise en flagrant délit signifiait un congédiement instantané.

Elle craignait ce qu'elle était sur le point d'entendre, et en même temps, elle tirait une étrange griserie du contact de cette femme qui l'impressionnait tant. L'objet de ses fantasmes n'était qu'à quelques centimètres d'elle, une main posée sur son épaule et la bouche voluptueusement proche de son oreille.

— Le docteur Rogers a demandé que vous soyez affectée à cette équipe pour l'opération, murmura madame Cox sur un ton confidentiel. Il serait dans votre meilleur intérêt d'accepter...

Elle ne laissa pas à Judith la chance de répondre et alla rejoindre Marina alors que la vedette poursuivait sa visite jusqu'à sa chambre.

Judith sentit monter une certaine excitation dans sa gorge et des larmes à ses yeux. Cela ne voulait dire qu'une chose : l'incident de la veille avec Lisa Baxter avait en quelque sorte joué en sa faveur. Elle débordait de joie, saisie une fois de plus par un sentiment de victoire. Les choses se déroulaient tout à fait comme elle aurait pu l'espérer, même si elle n'avait pas encore la confirmation finale de ce que Ray lui avait confié... Pourquoi était-ce donc si compliqué de lui confirmer ce qu'elle savait déjà ? Combien de temps lui fallait-il attendre encore ?

Marina finit par entrer dans sa chambre, la dernière au fond du corridor, suivie par son personnel, et la porte se referma derrière eux. De partout fusèrent des soupirs, un mélange d'admiration, de soulagement et d'envie. Tout reprit aussitôt son cours normal, mais c'était un faux-semblant, et cela allait sans doute le rester, au moins le temps que la vedette serait présente.

* * *

Judith avait l'esprit en effervescence. Normalement, elle avait droit à trois jours de congé consécutifs à ce moment-ci. Surtout après avoir accepté d'assister le docteur Rogers en chirurgie. Cependant, depuis qu'elle avait senti le souffle de madame Cox dans son cou, étant incapable d'apaiser sa faim profonde et son brûlant désir de retrouver la femme, elle n'avait plus aucun désir de se prévaloir de son congé. En fait, elle n'avait même plus envie de rentrer chez elle après son quart de travail. Plutôt, elle avait élaboré un plan qu'elle peaufinait depuis trois jours.

L'ascenseur s'ouvrit au dernier étage de l'édifice, où étaient situés les bureaux de la direction et des médecins, et Judith en sortit d'un pas déterminé. Elle parcourut le corridor silencieux et consulta sa montre : 22 heures. Tout le monde était parti, mais la voiture de madame Cox se trouvait encore dans le terrain de stationnement; sans doute travaillait-elle tard.

Cette fois, Judith n'allait pas laisser sa superviseure prendre le dessus. Tout comme elle s'était arrangée pour tirer ce qu'elle voulait de Desmond, elle avait l'intention de pousser madame Cox à révéler ce qu'il en retournait, à lui confirmer ce que Ray lui avait dit. Après, elle n'avait plus qu'à trouver un point faible dans l'armure de la femme. Elle avait l'intention de faire céder madame Cox, de l'amener une fois de plus à faire jouir sa tendre chair. Cette fois, Judith n'allait pas sortir de ce bureau avant d'avoir obtenu ce qu'elle était venue chercher.

La lumière crue qui venait du plafond donnait au corridor un aspect étrange, trop luisant, surréel. Elle se sentait enveloppée de cette lumière, comme un nuage brillant, chaud et aveuglant, qui la soulevait presque du sol et la faisait s'avancer vers la lumière.

Elle longea une série de portes, chacune ornée d'une étincelante plaque de laiton gravée d'un nom. Tous les bureaux des médecins et des directeurs se trouvaient à cet étage. Tous semblaient identiques, à part le nom sur la porte. Et pour Judith, chaque nom en était venu à signifier quelque chose de très particulier.

Naturellement, le bureau d'Elizabeth Mason se trouvait juste à côté de celui de Tom Rogers. Il y avait sûrement entre eux une sorte de lien, à part le fait d'être collègues, et même plus que de l'amitié, mais Judith n'avait pas encore pu le découvrir. Et puis, c'était sans importance, cela ne la regardait pas. Cependant, ces deux-là faisaient partie des rares personnes qui n'avaient semblé voir en Judith qu'une infirmière compétente. Dès le premier jour, dans la salle d'opération, ils l'avaient regardée d'une étrange façon, mais après, ils ne lui avaient jamais envoyé ce regard déconcertant, doublé d'un intérêt à peine déguisé, qu'elle avait remarqué chez tant de ses collègues. Comme s'ils avaient senti, en la voyant, qu'elle était différente, et qu'elle allait convenir à leur monde.

Soudain, Judith se rappela qu'elle avait vu la Mazda rouge de la docteure Mason dans le stationnement : il y avait donc une chance pour qu'elle soit encore à son bureau, probablement en train de travailler jusqu'à une heure tardive. Judith hâta le pas, car elle ne voulait pas la voir et était pressée d'arriver à l'autre aile, la partie ancienne de la clinique où se trouvait le bureau de madame Cox.

Fébrile, agitée par un délicieux frisson, elle lut le nom d'Édouard Laurin avant de tourner le coin, et se rappela la fois où elle était venue l'affronter concernant une supposée conspiration en vue d'hypnotiser le personnel et d'en faire des esclaves sexuels. Un moment inoubliable.

Sa théorie, quoique de prime abord ridicule, n'était cependant pas si éloignée de la vérité. Oui, il y avait bel et bien des esclaves à la Clinique Dorchester, mais c'étaient des serviteurs consentants, des esclaves de leur propre désir.

Elle tourna le coin et ouvrit en la poussant la porte coupe-feu qui séparait les deux parties de l'édifice. Dans cette aile-ci, seulement deux personnes avaient leurs bureaux, qui étaient attenants : madame Cox et le docteur Marshall. Une collègue avait dit à Judith que le docteur Marshall était parti, plus tôt dans la journée. Il ne restait donc plus que madame Cox dans cette partie isolée de l'édifice. Personne ne savait que Judith était ici, surtout à cette heure ; personne ne pouvait l'entendre.

Elle avait l'intention d'entrer sans frapper dans le bureau de madame Cox et de bien verrouiller la porte derrière elle. Elle eut toutefois la surprise de trouver la porte déjà fermée à clé. Elle testa à quelques reprises la poignée de la porte en la serrant fermement, les mains moites d'anticipation, et tentait désespérément de tourner tout en se demandant si sa force l'abandonnait.

Mais c'était bien fermé, cela ne faisait aucun doute. Et Judith ne pouvait se résoudre à frapper. En arrivant, elle avait été si certaine que tout allait se conformer à son plan que ce revers ressemblait davantage à un échec. À présent, tout lui faisait obstacle. Elle appuya son oreille contre la porte, espérant vainement entendre ne serait-ce qu'un bruit ténu qui lui indiquerait une présence. Mais aucun son ne lui parvint. Soit la porte était trop épaisse, ou bien il n'y avait personne. Où donc pouvait être madame Cox ?

Avec un soupir de résignation, elle lâcha la poignée, frustrée et en colère. Peut-être la superviseure était-elle déjà sortie par un ascenseur pendant que Judith montait par l'autre? Elle n'avait pas choisi le bon moment, voilà tout. Son plan devait être mis en veilleuse.

Alors qu'elle retournait lentement vers l'ascenseur, sa main s'égara et saisit machinalement la poignée du bureau du docteur Marshall, presque par réflexe. Elle se figea sur ses pas en réalisant que cette porte n'était pas verrouillée; avec une légère torsion du poignet, elle fit tourner la poignée dans un faible déclic. Elle la relâcha d'un coup, comme si elle avait été brûlante, et attendit, le cœur battant.

Elle s'attendait à entendre une voix de l'intérieur, ou quelque autre signe de présence. Étonnamment, il n'y eut que le silence. Du bout des doigts, les lèvres sèches et les joues brûlantes d'excitation, elle poussa la porte.

Cette dernière s'ouvrit en silence sur une pièce obscure, l'éclat du corridor largement plus fort que la faible lumière qui venait d'une petite lampe allumée sur le bureau. Toujours pas un bruit. Judith respira profondément et se risqua à entrer dans la pièce d'un pas hésitant. À mesure que ses yeux s'habituaient à la semi-obscurité, elle jeta un regard autour.

Le bureau du docteur Marshall ressemblait à celui de madame Cox, mais il était un peu plus grand. La table de travail occupait une place de choix et était presque identique à celle de la superviseure, tout comme la grande unité murale, chargée de livres. Se sentant soudain plus audacieuse, Judith traversa la pièce pour regarder une série de photos posée sur une étagère, le long du mur opposé; le docteur Marshall et madame Cox, beaucoup plus jeunes, une photo datant probablement de quelques années; à l'ouverture de la clinique, un médecin rayonnant coupant un ruban rouge; un collage du docteur Marshall avec un certain nombre de personnalités célèbres, peut-être toutes d'anciens patients; des coupures de presse encadrées, à propos de la clinique.

De toute évidence, cet homme était fier de ce qu'il avait bâti, et à raison. Mais comment pouvait-il quitter son bureau sans verrouiller la porte ? Judith trouvait cela plutôt inquiétant; elle aurait intérêt à trouver une très bonne explication s'il surgissait derrière elle en lui demandant des comptes...

En regardant autour, elle remarqua quelque chose de familier sur le plancher, entre le bureau et la porte latérale. La sacoche qu'avait apporté le garde du corps de Marina Stone, quelques jours seulement auparavant, était grande ouverte. Seulement, cette fois, elle n'était plus gonflée, pleine à craquer. Mais elle n'était pas vide non plus.

Judith s'accroupit et regarda à l'intérieur. Le cœur battant, elle avança une main tremblante. Des liasses de billets de banque, des coupures de 5 à 20 livres, toutes neuves, soigneusement empilées. En les remuant rapidement, elle vit qu'il y avait là une petite fortune. Toutefois, la sacoche était loin d'en être pleine, contrairement à ce que Judith avait remarqué à l'arrivée de Marina... C'était donc qu'il avait dû y avoir une somme colossale, s'il n'y avait eu là que de l'argent.

Judith connaissait vaguement les coûts d'opérations chirurgicales et pour un séjour de quatre jours à la clinique. Ce qui l'amenait à conclure que le sac avait pu contenir beaucoup plus que la somme nécessaire. Marina avait possiblement apporté beaucoup trop d'argent, mais pourquoi ? Où était passé le reste ? Et comment le docteur Marshall pouvait-il laisser autant d'argent sur le plancher de son bureau, et la porte non verrouillée ?

N'importe qui pouvait entrer et s'en emparer, sans que personne le voie. C'était très imprudent de la part du docteur Marshall, et tout à fait idiot.

Une pensée malicieuse lui traversa l'esprit. Il y avait là plus que son salaire annuel. Elle fut tentée de s'emparer du sac et de partir... mais en même temps, l'idée de s'enrichir rapidement lui importait peu. Elle était venue ici dans un autre but, et elle n'était pas prête à partir sans savoir.

Alors qu'elle se relevait lentement, elle entendit une voix faible et des bruits provenir d'une porte entrouverte. Elle s'y dirigea à pas feutrés et pencha légèrement la tête dans l'entrebâillement. De l'autre côté se trouvait le bureau de madame Cox. Les doigts engourdis, Judith l'ouvrit et essaya de voir d'où venaient les bruits et les voix.

Le bureau de madame Cox était désert et l'obscurité était quasi complète, mais les bruits que Judith avait entendus venaient de là, cela ne faisait aucun doute. Elle se glissa dans la pièce et referma derrière elle. Au départ, le seul éclairage provenait, faiblement, d'une fenêtre, qui se trouvait directement au-dessus d'un lampadaire jetant une lueur orange vers le haut.

Puis, Judith aperçut une minuscule lumière jaune, une fine ligne au bas du mur opposé, qui montait à angle droit avant de se dissiper et de disparaître. Au bout de quelques secondes, elle comprit qu'il y avait une autre porte, qu'elle n'avait pas remarquée lors de ses visites précédentes.

Elle marcha dans l'obscurité vers cette source de lumière, ne sachant trop ce qu'elle allait trouver de l'autre côté. Toutefois, elle savait qu'il était trop tard pour revenir sur ses pas, et à ce stade, elle était si intriguée qu'elle ne pouvait que continuer pour tenter d'en savoir davantage.

Arrivée au mur, elle rencontra un obstacle majeur : il ne semblait pas y avoir de poignée, comment ouvrir la porte ? Ses doigts suivirent fébrilement la fente dans le mur, qui devenait plus mince et disparaissait, et elle eut bientôt envie d'abandonner. Une vague de désespoir la saisit. Elle était si près du but, pourquoi tout semblait-il échouer maintenant ?

Puis, de l'autre côté, elle entendit un gémissement bruyant. Au début, elle sentit son sang figer dans ses veines. Un cri profond, une longue plainte; une voix de femme. Un instant plus tard, Judith fut balayée par une étrange chaleur : la réaction de son bas-ventre lui fit comprendre que ce n'était pas un gémissement de douleur, mais de plaisir. En même temps, ses mamelons durcirent et son souffle s'amenuisa. Son cerveau cessa de réfléchir et son instinct prit la relève.

Peu importe ce qui se passait derrière ce mur, c'était grisant, à plusieurs égards. Ses mains s'agitèrent avec frénésie, et palpèrent le mur de haut en bas, cherchant désespérément une sorte de poignée, une façon d'ouvrir la porte.

Arrivée au sommet, elle poussa par inadvertance sur le coin. Avec un déclic, il bougea d'une façon inattendue. Soudain, la ligne jaune s'épaissit et la porte s'entrouvrit. Tout en léchant nerveusement ses lèvres sèches, Judith glissa un regard à l'intérieur.

La première fois qu'elle était venue dans cette partie de la clinique, elle s'était demandé ce qu'il pouvait y avoir d'autre à cet étage, car il lui avait semblé plutôt étrange de ne voir que deux bureaux occuper une si grande surface. Mais maintenant, elle savait.

Cette pièce était plus vaste que les deux bureaux combinés, mais elle ne semblait être accessible que par cette porte secrète. Au départ, Judith se dit que c'était une sorte de musée. De toute évidence, l'installation était antique.

La pièce semblait plutôt étroite, mais assez longue, et des lits de cuivre étaient alignés le long du mur, chacun flanqué d'anciennes armoires métalliques. Au début, Judith ne voyait que six lits, mais c'était suffisant pour constater que cette salle n'avait rien de luxueux, contrairement au reste de la clinique. En fait, elle paraissait plutôt glauque.

Les lits étaient vieux, et la peinture de plusieurs armoires s'écaillait. Au plafond, de vieux tuyaux de plomb étaient nettement visibles, tout comme les barreaux aux fenêtres. Dans l'ensemble, on aurait plutôt dit une salle d'hôpital victorien, probablement la clinique telle qu'elle se présentait au tournant du siècle dernier.

La lumière jaune provenait de plusieurs bougies. De tristes rideaux gris et en lambeaux étaient accrochés aux fenêtres. Pendant un moment, Judith se demanda si elle pouvait entrer, car là non plus, il ne semblait y avoir personne. Mais elle entendit aussitôt un autre gémissement, plus fort, qui trahissait des sensations qui étaient presque les siennes, et qui exerçaient sur son entrecuisse une telle attraction qu'elle devait absolument continuer pour faire face à ce qu'elle allait trouver de l'autre côté.

Elle s'avança lentement, pas à pas, dans une autre époque, un autre monde. En tout, il y avait une quinzaine de lits, alignés le long du mur, et au-delà, le reste de la pièce était aménagé sous forme de salle d'opération.

Lorsqu'elle s'approcha du premier lit, une odeur d'amidon lui assaillit les narines. Le matelas lui arrivait à la taille, et les draps frais étaient soigneusement rentrés. En regardant jusqu'à l'autre bout de la pièce, elle vit plusieurs personnes, deux couples qu'elle ne reconnaissait pas. De toute évidence, elle avait surpris une sorte de rencontre secrète, et osait s'y inviter. Elle continua toutefois de marcher comme en rêve, vers la scène irréelle qu'elle commençait à distinguer.

Le premier couple était composé d'un patient et d'un chirurgien, le premier étendu sur une vieille table d'opération étroite, dans une mise en scène fort différente de tout ce que Judith avait pu voir dans sa courte carrière.

Le patient était allongé sur le dos, couvert de pansements de la tête aux pieds, et le chirurgien était debout à côté, le dos tourné à Judith. Au lieu de porter un vêtement moderne, en coton vert, il était complètement nu sous un grand tablier de caoutchouc foncé. Elle ne voyait qu'une paire de fesses rondes et lisses, surmontées des courroies du tablier bien nouées à la taille.

De toute évidence, le chirurgien était une femme bien proportionnée, mais il n'y avait aucun moyen de savoir qui pouvait se cacher sous le capuchon usé en coton de couleur foncée. Judith se rappela ces images qu'elle avait vues dans son manuel d'histoire de la médecine. C'était de cette façon que les médecins s'affublaient deux cents ans plus tôt, dans les premières années de la médecine moderne, avant l'invention du masque chirurgical.

En se rapprochant, Judith remarqua quelques boucles brunes qui dépassaient de sous le capuchon : impossible de ne pas les reconnaître. Elle se rapprocha suffisamment pour voir les mains : ce ne pouvait être que celles d'Elizabeth Mason.

La docteure Mason se retourna et regarda Judith, et cette coiffure inhabituelle ne laissait voir que ses yeux d'émeraude. Elle s'arrêta un moment, une main encore serrée autour de la cheville du patient, l'autre tenant un morceau de gaze de coton. Rien dans ses yeux ne trahissait ses émotions ; si elle était étonnée de voir Judith, elle ne le montrait pas.

Son tablier serré révélait l'arrondi de ses seins et les pics de ses grands mamelons érigés. Plus bas, le petit trou de son nombril était également accentué par l'épais caoutchouc du tablier, qui tombait ensuite tout droit, presque jusqu'au plancher. Judith se hasarda à regarder vers le patient étendu sur la table, bras et jambes bien écartés.

De toute évidence, cette silhouette était masculine, mais la tête était entièrement recouverte de pansements, à l'exception de son nez, dont les narines se dilataient sporadiquement.

Ses mains étaient recouvertes d'épais bandages semblables à des ballots surdimensionnés, et attachées à une série de poignées fixées au bout de la table. Tout le corps était soigneusement enveloppé de plusieurs couches de gaze de coton, de la tête aux pieds, comme une momie, sauf pour la partie la plus importante : son phallus en érection, pourpre et rigide, d'allure sombre et mystérieuse au milieu de toute cette gaze blanche.

Son gabarit permit cependant à Judith de deviner son identité, et elle remarqua aussi qu'une mèche de ses cheveux pâles s'échappait des bandages qui lui entouraient la tête. Telle était donc la nature véritable de cette relation particulière entre Elizabeth Mason et Tom Rogers...

Sans se soucier de la présence de Judith, la docteure Mason était occupée à attacher les jambes de Tom à l'autre bout de la table. Le patient était prêt pour l'opération... Qu'allait-elle lui faire ? C'était facile à imaginer, du moins pour Judith. Cependant, elle trouvait incroyable, quasi fantastique, de voir dans une telle mise en scène ces deux médecins prestigieux, des chirurgiens qu'elle avait assistés dans la salle d'opération, et la scène était encore plus surréelle dans l'éclat jaune des chandelles dont la cire coulait sur le bord de la fenêtre. C'était aussi grotesque qu'excitant.

Elle les entendit tous deux respirer bruyamment, la docteure Mason à travers l'étrange masque qu'elle portait, le docteur Rogers avec grande difficulté à cause des bandages qui lui entouraient le visage. Même si la docteure Mason ne semblait pas s'offusquer de l'avoir comme spectatrice, et que Judith était tentée de rester pour observer la scène, la jeune infirmière était cependant trop intriguée par le reste de cette pièce étrange pour cesser de l'explorer si tôt. Elle reprit son chemin, comme le visiteur d'une exposition vivante, en spéculant sur chaque détail de la pièce sombre.

Un peu plus loin se trouvait un autre couple, dans une autre mise en scène que Judith avait hâte de découvrir. Elle reconnut immédiatement le docteur Marshall, debout près d'un genre de tréteau. La vue de son corps nu n'était pas du tout ce que Judith aurait pu imaginer. Elle fut sidérée et coupée dans son élan, se demandant jusqu'où elle pouvait aller, si elle pouvait faire connaître sa présence et se rapprocher. Un moment, elle observa de loin, ne sachant comment il réagirait s'il la voyait là.

Ses bras et son torse étaient pâles, mais musclés, et couverts d'une épaisse toison de poils argentés. De légères gouttes de sueur perlaient sur sa poitrine luisant sous la lueur des bougies.

Il leva les yeux et la vit, mais resta silencieux. Un moment, Judith soutint son regard avec plus ou moins d'assurance, s'attendant à ce qu'il lui dise de s'en aller, et fut presque étonnée de voir qu'il n'en fit rien. Lorsqu'il détourna les yeux, Judith comprit qu'il n'était pas dérangé par sa présence, et elle s'approcha de lui, fascinée par sa verge qui était dressée et agitée de mouvements convulsifs et sporadiques, et par le tremblement du mince anneau de métal qui perçait son prépuce à mesure que sautillait le gland pourpre de son phallus.

La femme avec lui était renversée sur un appareil en bois, les poignets et les chevilles ligotés de cuir, le dos fortement arqué et soutenu par une selle de cuir noir. Dans l'esprit de Judith, il ne pouvait s'agir que de madame Cox.

Avec hésitation, Judith continua à se rapprocher, incapable de freiner ses propres pieds. Elle devait aller plus loin, en voir davantage. Alors qu'elle s'approchait d'eux, le docteur Marshall leva de nouveau les yeux vers elle et, cette fois, un sourire malicieux apparut au coin de sa bouche.

Son phallus érigé pointait vers les jambes écartées de madame Cox, mais se trouvait encore loin de la vulve ouverte. Judith était toujours aussi stupéfaite de le voir dans une situation aussi inhabituelle, mais elle savait que ce n'était que le début de ses découvertes. Il y en aurait d'autres à venir.

Elle détourna les yeux pour jeter un regard rapide vers madame Cox. Les seins de la femme étaient dressés vers le plafond, les mamelons durs et longs. Et Judith vit enfin à quel point elle avait été sotte, ce matin-là, au bureau de la superviseure, lorsqu'elle s'était demandé pourquoi les mamelons qui pointaient à travers l'uniforme de la femme semblaient si déformés. Bien sûr, les mamelons en soi n'avaient rien d'inhabituel, à part le fait qu'ils étaient tous deux percés de grands anneaux de métal. Des anneaux pendouillaient et reflétaient la lumière des bougies, et la légère traction qu'ils semblaient opérer sur les mamelons érigés suffit à déclencher l'excitation de Judith.

La femme que Judith avait attendue était étendue là, droit devant elle, exposée et sans défense. Et pourtant, cela ne ressemblait en rien à aucun des nombreux scénarios sur lesquels elle avait fantasmé !

Sur une petite table à côté du tréteau se trouvait une série d'outils que Judith ne pouvait identifier, des instruments chirurgicaux anciens, des pièces de musée. Il y en avait d'autres dans une vieille valise en cuir usé ouverte à côté.

Ce que tenait le docteur Marshall était également mystérieux : une tige de métal légèrement incurvée, d'une vingtaine de centimètres de long, avec une poignée de bois brun et une extrémité courte et épaisse, arrondie, de la taille d'un gros raisin. Il n'y avait aucun moyen de connaître l'usage original de cet instrument, mais il était facile de deviner à quoi il allait servir.

Judith contourna lentement le tréteau en oubliant les soupirs qui venaient du coin éloigné de la pièce où se trouvaient la docteure Mason et son « patient ». Elle était plutôt fascinée de voir la position précaire de madame Cox : bâillonnée, la bouche ouverte, avec une courroie de cuir nouée.

Judith avait déjà entendu parler de cette façon ancienne, jadis normale, d'empêcher de hurler des patients bruyants ou violents.

Toutefois, l'expression qu'elle vit dans les yeux mi-clos de madame Cox n'avait rien à voir avec la douleur ou la détresse. C'était du délice à l'état pur.

Le fait de la voir ainsi ralluma l'excitation de Judith et, une fois de plus, son cœur se mit à battre d'anticipation. Elle regarda le docteur Marshall et ne put contenir un sourire de triomphe, malicieusement satisfaite de voir madame Cox étalée ainsi. Bien sûr, cela signifiait que la femme ne pouvait s'en aller devant Judith, et même si l'infirmière n'avait aucun contrôle sur cette situation gênante, elle ne pouvait s'empêcher d'y prendre plaisir. Elle ne connaissait pas les autres intentions du docteur Marshall à l'égard de la superviseure, mais elle savait déjà qu'elle avait maintenant un important moyen de le savoir.

À présent, l'homme tenait également quelque chose de son autre main, une sorte de courroie de cuir, usée et légèrement râpée. Une seconde, Judith ferma les yeux en essayant désespérément de consigner cette scène dans sa mémoire. Jamais elle n'avait imaginé rien de tel, de si excitant. Pendant un instant, elle craignit de rouvrir les yeux, au cas où tout cela ne serait qu'un rêve. Par contre, elle fut encore plus grandement motivée à regarder, le flot insistant de rosée entre ses jambes étant amplifié par cette vision bizarre et excitante.

Elle fut soulagée en ouvrant les yeux : c'était bien réel, même si incroyable. La scène était surréelle sous la lueur vacillante des bougies dont chaque flamme se distinguait par l'intensité, la hauteur et la projection, en jetant des centaines d'ombres différentes sur le corps nu qui était arqué sur le tréteau. En effet, la peau de la femme semblait avoir été peinte, et des taches brillantes contrastaient avec les autres parties du corps peu éclairées.

Le docteur Marshall fit un pas de plus vers sa victime et leva la main pour doucement frotter, avec l'extrémité de la tige métallique, le clitoris qui faisait saillie. La femme gémit bruyamment.

Judith savait maintenant que les plaintes qu'elle avait entendues lorsqu'elle était de l'autre côté de la porte, provenaient en fait de la bouche bâillonnée de madame Cox. Cela ne faisait aucun doute, à voir les taches luisantes de rosée qui avaient dégouliné sur l'intérieur de ses cuisses et brillaient dans la lumière jaune.

Des gémissements sonores provenaient également de l'autre côté de la pièce. Judith tourna la tête, brièvement, mais assez longtemps pour voir qu'Elizabeth Mason, montée sur la table, avait entrepris de chevaucher l'homme et était sur le point de s'empaler sur son membre imposant. En un éclair, Judith comprit la raison de cette installation élaborée : couvert de bandage de la tête aux pieds, Tom Rogers était tout à fait isolé dans son propre monde, tous ses sens muselés, incapable de percevoir quoi que ce soit avec ses sens, mis à part sa queue érigée.

Revenant vers madame Cox et le docteur Marshall, elle voyait que la situation était plutôt différente. C'était une sorte de torture lubrique systématique, basée sur la lenteur du traitement. Elle l'avait elle-même appris, lorsque Desmond l'avait attachée. L'excitation de madame Cox allait bientôt atteindre un tel point que tout son corps semblerait sur le point d'exploser, mais on lui refuserait tout de même l'orgasme final, le point ultime, le début et la fin de tout.

Judith regarda une fois de plus autour d'elle, incapable de bien voir toute la pièce, mais subjuguée par ce qu'elle pouvait discerner. L'un des lits était muni d'entraves attachées aux montants de cuivre des extrémités. Certains avaient d'épais matelas avec des draps amidonnés, tandis que quelques-uns n'étaient que des matelas de paille rugueux et nus.

Toutes les fenêtres étaient barricadées. De toute évidence, ce n'était pas nécessaire, car au septième étage, il était difficile d'épier de l'extérieur, mais cela ajoutait quelque chose d'effrayant à l'atmosphère déjà lugubre qui régnait dans la salle.

Judith marchait comme en rêve, entre les deux couples indifférents à sa présence en cette chambre secrète. Ils ne semblaient même pas du tout curieux de savoir comment elle avait trouvé l'endroit, non plus. Le docteur Marshall et Elizabeth Mason la regardaient tous deux avec un sourire amusé, puis se regardaient. Personne n'avait prononcé un mot depuis son arrivée. Le docteur Marshall fut le premier à parler.

— Déshabillez-vous, garde, ordonna-t-il. Votre uniforme n'est pas conforme aux règles en vigueur dans cette salle.

Judith faillit répliquer qu'elle ne connaissait aucune de ces règles, mais retint ses paroles à temps. Mal placée pour protester, elle ne pouvait qu'obéir.

Sur la table d'opération, le corps de Tom Rogers, couvert de bandages, commença à se tortiller. Ses bras tiraient sur les épaisses bandes de gaze qui le retenaient, et ses minces hanches poussaient vers le haut pour pénétrer la femme qui le chevauchait. Elizabeth ne bougeait pas beaucoup, et se contentait de le laisser s'épuiser pour elle. Son derrière se balançait doucement, lentement, d'avant en arrière et de côté, apparemment pour diriger la queue de l'homme vers son tunnel.

Elle commença à jeter sa tête d'avant en arrière, d'abord en une lente giration, puis sa cadence devint plus rapide et ses mouvements se changèrent bientôt en une série de secousses si violentes que son capuchon noir glissa et sa tignasse sombre et bouclée rebondit sur tout son visage, et des mèches lui balayant les yeux et entrant dans sa bouche.

Judith sentait presque le plaisir de la femme, son propre entrecuisse saisi par un étau fort et chaud. Malgré son installation cauchemardesque, cette pièce était faite pour le plaisir: différent, interdit, archaïque et décadent.

Pendant que Judith enlevait ses vêtements, ses yeux passaient constamment d'un couple à l'autre, ses pieds brûlants trouvant un certain soulagement sur les carreaux froids, et sa peau nue prenant une allure douce et uniformément veloutée à la lumière des bougies. Lorsqu'elle fut nue, le docteur Marshall lui fit signe de venir vers lui. Judith s'approcha avec hésitation.

D'instinct, elle savait qu'il se disait très peu de mots à cet endroit. C'était un monde de soupirs et de gémissements. Cependant, elle aurait aimé qu'on lui parle : elle avait besoin de savoir, de voir s'évanouir ses derniers doutes. Mais une fois de plus, les paroles de Desmond lui revinrent à esprit. Ce qu'elle savait était sans importance : tout ce qui comptait, c'était comment elle se sentait.

Elle marcha nue, bizarrement à l'aise, le corps baigné dans la lumière jaune. Son cerveau semblait envahi par l'odeur de la cire fondue. Devant elle se trouvait une femme à laquelle elle avait voulu se soumettre. Ce n'était pas du tout ce qu'elle avait entrevu. Bien au contraire. Mais c'était mieux que rien, cela dépassait ses espoirs. À elle d'en faire ce qu'elle voulait. Du moins, elle en avait la chance.

Le docteur Marshall lui tendit l'instrument métallique et recula d'un pas en l'invitant silencieusement à procéder. Dans la main de Judith, la poignée de bois était douce et chaude, vieille et usée. Elle la regarda de plus près, se demandant ce que cela pouvait être. Ce n'était peut-être même pas un instrument chirurgical, mais elle en doutait. Tout, dans cette pièce, était authentique, il ne pouvait en être autrement.

En s'approchant des jambes écartées de madame Cox, elle vit trembler ses cuisses. À ce moment, la chair de Judith s'enflamma, et sa propre vulve fut avide de sentir l'exquise torture de cet instrument inconnu. Elle tendit le bras.

Au début, elle laissa le bout arrondi glisser vers le haut sur la face intérieure de la jambe de la femme, et le fit glisser en douceur sur quelques centimètres, plus lentement lorsqu'elle se mit à avancer sur la zone mouillée. Entre les poils pubiens noirs et humides, elle vit luire faiblement le petit bourgeon du clitoris, et le reste de la vulve était à peine visible, car les jambes écartées la protégeaient de la lumière. Elle y dirigea l'instrument et le laissa malicieusement glisser vers le haut, lentement, en sentant le métal creuser un léger sillon contre le muscle tendu.

Enfin, l'extrémité métallique atteignit le bourgeon rigide. Judith se retint, le frôla légèrement au début, puis le ramena vers l'entrée sombre et secrète qui se cachait dans l'ombre. Elle était ivre de désir et sa propre excitation s'accrut lorsqu'elle entendit le premier gémissement sortir de la gorge de la femme. La victoire lui appartenait.

Combien de temps devait-elle attendre avant d'accorder à la femme le plaisir qu'elle implorait ainsi? Elle ne le savait pas encore, mais elle n'était surtout pas pressée. Elle allait savourer son triomphe en regardant la femme se tortiller sans fin sous les froides caresses de métal, l'amener tout près de son orgasme, mais le lui refuser à la dernière minute.

Judith se sentait cruelle, et vit alors l'occasion parfaite de laisser sortir toutes ses frustrations. Elle avait toujours l'intention de titiller la femme aussi longtemps qu'elle le voudrait. Une fois de plus, elle glissa l'extrémité de l'instrument dans le vagin, puis prit la poignée à deux mains pour faire rapidement tourner la tige.

Les hanches furent secouées par un spasme alors que le bout arrondi tournait à l'intérieur. Judith tenta d'imaginer à quoi cela pouvait ressembler, le fait d'avoir cette boule de métal froide pivoter en elle, tourner sur elle-même et caresser les douces parois de son tunnel. Elle frissonna à la pensée, son imagination étant si puissante qu'elle sentait presque la boule de métal en elle aussi. Était-ce douloureux ou agréable? C'était probablement un étrange mélange des deux sensations, en proportions plus ou moins égales.

Lentement, elle poussa la tige aussi loin que possible à

l'intérieur du tunnel de la femme, et la retira avant de la réin-sérer, puis répéta ce mouvement à maintes reprises en augmen-tant graduellement la vitesse.

Chaque fois que l'extrémité arrondie venait effleurer l'entrée, la femme gémissait, et bientôt, les insertions devinrent de petits coups rapides. Judith la dirigeait lentement vers la vulve ouverte, puis d'une brève secousse, la poussait avec force.

À présent, sa victime haletait à pleine gorge, et son souffle s'échappait au rythme de chaque coup de tige. Judith rejeta sa tête en arrière et poussa un ricanement sonore, malicieusement heureuse de la réaction de la femme. Cela dépassait ses attentes, et elle savait que ce n'était pas fini.

Elle prit la tige pour se remettre à caresser les jambes, fit passer le bout d'une jambe à l'autre avec de brusques torsions du poignet et frappa doucement la chair souple, qui produisait un faible bruit de gifle mouillée. Elle laissa l'instrument de métal glisser lentement le long des cuisses écartées et, de temps à autre, légèrement frôler le clitoris gonflé. Sur le tréteau, madame Cox semblait se détendre et Judith se dit qu'elle allait la soumettre à une torture en montagnes russes, avec des épisodes intensément agréables alternant avec un titillement plus doux et calme.

Au bout d'un moment, toutefois, elle fut presque déçue de voir le docteur Marshall s'avancer vers elle. Il marchait lentement en regardant le corps de madame Cox, mais jamais son visage, la bouche maintenant serrée en une expression sévère et cruelle. Ses yeux jubilants trahissaient son désir, et Judith remarqua plusieurs gouttelettes qui perlaient de la bouche sombre de son phallus en érection, encore dirigé vers le plafond. Il les avait observées en silence, de toute évidence ragaillardi par le spectacle de cette femme que titillait une jeune infirmière novice.

Incertaine de ses intentions, Judith se retira un moment. Il la regarda avec un sourire complaisant.

— Regardez-la, dit-il d'un ton cynique. Quand je l'ai rencontrée, il y a quelques années, elle était tout comme vous, douce et innocente. Maintenant, voyez ce qu'elle est devenue... Une créature dévergondée, torturée, mais magnifique dans sa quête de plaisir. J'avoue qu'elle ne cessera jamais de m'étonner.

S'arrêtant entre les jambes écartées de la femme, il passa lentement le bout de la courroie de cuir sur la chair blanche, son bord éraflé produisant un léger grincement. Il la caressa ainsi un moment, puis donna de petits coups de courroie d'une cuisse à l'autre. Au début, il se contenta de la laisser osciller d'elle-même, mais il lui donna peu à peu de la force, jusqu'à ce qu'elle claque sur la chair tendre qui devenait lentement rouge et gonflée.

La femme secoua les hanches à quelques reprises, puis les jambes. Les fins muscles se contractaient avec force contre les sangles, et lorsque sa vulve apparut dans la lumière pâle, Judith vit l'entrée de son vagin se serrer violemment de plaisir dans la douleur. Elle comprit alors la réaction de cette femme lorsqu'elle lui avait avoué trouver agréable qu'on la frappe avec un trousseau de clés.

Alors, à cet égard, le docteur Marshall avait raison. Judith avait beaucoup en commun avec cette femme étendue là, le dos arqué et les extrémités ligotées. Leurs trajectoires s'étaient déjà croisées dans une quête du plaisir, et fusionnaient maintenant d'une façon inattendue. Judith n'était qu'une novice par rapport à madame Cox. Elle avait encore beaucoup à apprendre, mais elle était attirée par la perspective d'être guidée à travers ce domaine du plaisir-douleur.

Pendant quelques secondes, l'homme recula et la femme cessa de gémir. Soudain, Judith s'aperçut que tout était maintenant silencieux dans la pièce. Une sensation étrange et forte s'empara d'elle et, lorsqu'elle regarda autour, elle eut la surprise de voir que la docteure Mason et le docteur Rogers étaient partis. Le seul témoin de leur rencontre inhabituelle était un amas de bandelettes de gaze éparpillées sur le plancher autour de la table d'opération. Ils étaient restés discrets, enclos dans leur propre monde de plaisir, et respectueux, tout en oubliant les autres alentour.

Car la pièce était faite pour cela, d'après ce que pouvait voir Judith. C'était un lieu où les gens venaient vivre leurs fantasmes sans s'imposer aux autres. Tout avait été soigneusement conçu pour offrir une large gamme de mises en scène, dans le respect de la tradition médicale ancienne, tout cela rempli d'imagination et de mystère, d'excitation et de lubricité.

En une soirée, Judith en avait découvert davantage qu'elle ne l'avait jamais espéré. Une fois de plus, elle n'avait pas eu à poser une seule question. Plus que jamais, elle comprenait le sens des paroles de Desmond : savoir la vérité, c'est une chose, mais la découvrir avec son corps, c'est beaucoup mieux.

Elle se détendit l'esprit et laissa ses sens prendre la relève. Cette pièce, son aspect, ses faibles lueurs jaunes et vacillantes, ainsi que l'odeur de cire brûlée : tout cela fusionnait pour former une vive et grisante caresse mentale qu'elle ressentait dans son entrecuisse. C'était plus intense que tout ce qu'elle n'avait jamais vécu de sa vie. Elle avait hâte de voir ce que cette rencontre inhabituelle lui réservait d'autre.

Perplexe, elle vit le docteur Marshall s'agenouiller derrière le dos arqué de madame Cox et enlever son bâillon de cuir. Avec un sourire cruel, il leva les yeux vers Judith.

— Comme vous êtes parvenue à nous trouver, dit-il, voudriez-vous donner le coup de grâce à madame Cox ? Vous pouvez utiliser votre main, ou votre langue, comme il vous plaira.

D'abord, Judith ne put se figurer ce qu'il voulait dire, mais elle comprit immédiatement en le voyant insérer le bout de son phallus en érection dans la bouche de la femme.

Toutefois, Judith n'y était pas prête. Il était trop tôt pour faire jouir la femme, du moins de son point de vue à elle. Il devait d'abord y avoir autre chose. Elle devait torturer sans fin sa victime, puis amener la femme à lui rendre la pareille. Elle ne faisait que commencer; c'était beaucoup trop tôt.

Cependant, elle se rappela aussi que cette séance avait sans doute commencé un certain temps avant son arrivée, et bien sûr, il y avait une limite à la durée du temps qu'on pouvait passer dans une position aussi gênante. Le docteur Marshall avait raison : tôt ou tard, tout arrive à sa fin, et Judith ne pouvait probablement rien dire ni faire pour changer la situation.

Le cœur battant, elle s'approcha du corps arqué. Elle vit le docteur Marshall saisir à deux mains les seins rebondis de madame Cox, les tenir bien serrés, insérer les pouces dans les anneaux de métal, et tirer légèrement dessus. En même temps, la bouche de madame Cox, même à l'envers, emprisonnait son membre en érection.

La scène était surréelle et excitante. Penchée, Judith posa timidement la main sur la vulve torturée. Elle la sentit fondre sous son toucher, et ses replis sinueux palpitèrent légèrement. Avant même qu'elle ait bougé la main, elle sentit le clitoris se raidir sous ses doigts et se mettre à battre. Judith le frotta légè-rement, presque amoureusement, et se sentit aussitôt mouillée par la rosée de la femme. Son parfum doux et capiteux s'éleva dans la pièce et engourdit la volonté de Judith. L'élan de sa main augmenta au rythme des hanches du docteur Marshall. Elle entendit gémir la femme et vit ses lèvres rouges se contracter autour de la grosse queue qui y entrait et s'en retirait avec fré-nésie.

Judith restait immobile, et ne bougeait qu'à partir du coude. Elle ferma les yeux pour écouter cette symphonie de gémisse-ments, de soupirs et de grognements. Cette étrange musique la berçait, douce et lascive, et elle sentait à peine la main qui montait sur sa cuisse nue.

Au début, elle crut que c'était son imagination, mais en ouvrant les yeux, elle vit que madame Cox s'était dégagé une main et l'avait tendue pour toucher la vulve de l'infirmière.

À présent, l'excitation de Judith était si intense que le simple contact des fins doigts de la femme sur son bourgeon rigide suffit pour déclencher son orgasme. Elle gémit doucement, et sa voix se joignit aux autres alors qu'elle était balayée par le plaisir. Comme c'était ironique : on l'avait à peine touchée, et elle parvenait la première à l'orgasme. Cependant, malgré tout le plaisir, sa jouissance avait été plutôt rapide et faible. Elle ne se sentait pas transportée à l'infini par la série habituelle de vagues enchevêtrées. Et même si elle avait ressenti du plaisir, elle se sentait trompée, aussi.

On aurait dit que même dans le ravissement sensuel, il y avait une hiérarchie, car le docteur Marshall et madame Cox haletaient bruyamment, apparemment saisis par les premières contractions de leur orgasme, qui allait sans doute être puissant.

Il fut le premier à jouir et son cri assourdissant traversa la pièce et stupéfia Judith. Elle vit son visage se contracter en une expression douloureuse, mais il était balayé par le plaisir, cela ne faisait aucun doute. Les hanches secouées, il poussa à fond son phallus dans la bouche de la femme, et ses cuisses musclées semblaient vouloir le pousser encore davantage. Fascinée, Judith vit se contracter le scrotum, et la semence se libérer entre les lèvres serrées de la femme. Marshall se retira presque immédiatement, retomba sur ses talons, et s'effondra sur le froid plancher de carrelage.

Puis, elle vit un faible tremblement secouer le corps qu'elle avait caressé. Contre sa propre cuisse, elle sentit ensuite les muscles de la jambe écartée se contracter à leur tour, peu à peu, du pied jusqu'au haut de la cuisse. Puis, la vague passa à l'abdomen de la femme, dont le doux ventre se durcit comme de la pierre sous les yeux de Judith. Elle vit les épaisses veines du cou se gonfler sous la peau distendue, et la bouche se contracter en une ultime torsion avant l'arrivée du cri de joie, fort et sensuel, qui laboura l'entrecuisse de Judith.

Le corps trembla plusieurs fois, d'abord en une rapide succession de spasmes, puis s'affaissa lorsqu'elle retira sa main du clitoris rétracté. Sans un mot, le docteur Marshall se leva et défit les liens du corps alangui, avant de prendre la femme dans ses bras pour ensuite la déposer doucement sur le plancher. Il se tourna vers Judith.

— Habillez-vous et rentrez chez vous, dit-il d'un ton autoritaire et presque cruel. Je veux vous voir dans mon bureau demain matin, à la première heure. Entre-temps, pas un mot à qui que ce soit.

Judith se mit à trembler sans pouvoir s'arrêter, soudain inquiète du changement d'attitude de Marshall. Qu'avait-elle fait pour le contrarier ? Elle ramassa ses vêtements et sortit de la pièce, ses pieds nus touchant à peine le sol devant la rangée sans fin de lits.

Chapitre dix-sept

Judith respira à fond en tentant de ralentir les battements de son cœur. Impatiente, elle attendait depuis plus de vingt minutes dans le bureau du docteur Marshall, même s'il l'avait assurée qu'il serait de retour sous peu.

Pendant tout ce temps, elle avait les nerfs à vif, et son anticipation était de plus en plus intense. Elle avait hâte de lui parler, afin qu'il lui confirme enfin le genre de traitements que la clinique offrait en plus des soins médicaux.

À ce stade-ci, ce n'était qu'une formalité, car elle savait déjà ce qu'il allait probablement dire, mais elle avait besoin de l'entendre de sa bouche, de dégager toute confusion dans son esprit. Mais elle avait l'impression d'attendre depuis des heures sans même être sur le point de connaître la vérité. Et puis, elle était en retard pour son quart.

Elle l'entendait parler dans l'autre pièce, le bureau de madame Cox, mais elle ne pouvait identifier la voix de son interlocuteur. De temps à autre, il y avait de bruyants éclats de rire, surtout d'une voix de femme, mais dans l'ensemble, tout cela se réduisait à un murmure confus dont il était impossible de déceler un mot, même à l'occasion. Elle savait que madame Cox n'était pas rentrée aujourd'hui, car c'était son jour de congé. Alors, qui était dans son bureau avec le docteur Marshall?

Assise jambes croisées sur un fauteuil pivotant, Judith le faisait tourner avec impatience en poussant du pied contre le plancher. Elle examina rapidement la pièce à mesure que celle-ci pivotait autour d'elle. Dans la lumière vive, le bureau du directeur paraissait différent : le contraste entre l'ameublement noir et les murs blancs était beaucoup plus prononcé que la veille.

Dans un coin, sur un meuble, un gros téléviseur était perché au-dessus d'un lecteur DVD. Étrangement, il n'y avait aucun disque dans le bureau, et le lecteur servait sans doute rarement, Marshall étant trop occupé pour regarder la télévision.

Elle entendit une porte se fermer dans le bureau suivant, et une troisième voix se joignit aux deux premières. Elle s'attendait à voir revenir le docteur Marshall, mais chaque seconde qui passait lui faisait réaliser qu'elle devrait attendre un peu plus longtemps. Cela ne faisait qu'ajouter à sa curiosité. Qui était cette femme à qui il parlait ? Et qui venait d'entrer pour se joindre à eux ?

Même si elle ne pouvait toujours pas déceler la teneur de leur conversation, il était clair qu'il y avait maintenant trois voix différentes, trois personnes engagées dans une vive conversation, mais leurs paroles étaient inaudibles. L'une de ces voix était celle du docteur Marshall, c'était facile. Quant aux autres, une voix masculine et une voix féminine, Judith ne les reconnaissait pas.

Les voix s'éteignirent soudainement et elle entendit se refermer une autre porte. Une seconde plus tard, celle adjacente au bureau de madame Cox s'ouvrit et le docteur Marshall revint.

— Désolé de vous avoir fait attendre, annonça-t-il en venant s'asseoir derrière son bureau. J'avais des questions plutôt importantes à régler...

Il sortit d'un tiroir un mince dossier, et l'ouvrit en sortant quelques feuillets qu'il parcourut rapidement.

— Mademoiselle Judith Stanton... dit-il, comme s'il se parlait à lui-même.

Ses yeux parcouraient rapidement l'information, et semblaient absorber celle-ci sans s'arrêter sur chaque détail.

En surface, on aurait presque dit qu'elle et lui étaient sur le point de discuter d'une importante question commerciale, et Judith était abasourdie par l'attitude de son supérieur. Considérant ce qui était arrivé la veille, il aurait dû avoir l'air gêné, à présent, mais il ne semblait pas l'être. Son visage était détendu, ses mains assurées. Il s'adossa à son fauteuil et prit un feuillet. De temps à autre, il jetait un regard rapide vers Judith, puis reprenait sa lecture.

Elle commençait à devenir anxieuse. Elle savait qu'elle n'avait rien à craindre, mais elle avait espéré qu'il soit un peu plus amical, accueillant. Elle n'avait pas encore oublié le ton de sa voix, la veille, lorsqu'il lui avait dit de rentrer chez elle. À présent, son attitude était semblable. Il était absolument froid, et de toute évidence, pas le moins du monde gêné par la scène qu'elle avait vue, comme s'il ne s'était rien passé.

— Vous êtes avec nous depuis presque trois mois, maintenant, dit-il après un moment. Habituellement, cela relève de madame Cox, mais à la lumière de ce qui s'est passé hier, il nous fallait avoir cette conversation avec vous le plus tôt possible...

Cela n'augurait rien de bon. Était-ce sa façon de lui annoncer son congédiement? Judith réfléchit rapidement et fit des liens qui, tous, aboutissaient au même résultat: la veille, elle n'aurait pas dû se trouver dans cette pièce. Personne n'avait protesté à son arrivée, mais de toute évidence, les médecins n'étaient pas contents de la voir s'incruster dans leur fête privée.

Elle avait eu la même impression lorsqu'on l'avait convoquée à l'audience disciplinaire. En les voyant dans la salle de conférence, elle avait cru qu'ils allaient la congédier parce qu'elle avait cédé à ses désirs, et elle s'était sentie trahie parce qu'ils l'avaient encouragée à exprimer sa sensualité seulement quelques jours plus tôt.

Bien sûr, ce jour-là, elle s'était trompée, car l'audience disciplinaire n'avait rien à voir avec elle, mais elle était dans le même état d'esprit. Allait-elle se tromper encore une fois ?

Marshall sortit du mince dossier une feuille rose pâle, et Judith reconnut son contrat de travail. Elle ferma les yeux pendant quelques secondes et respira à fond. La dernière image qu'elle avait à l'esprit était celle des doigts du docteur tenant le feuillet comme s'il était sur le point de le déchirer. Un sanglot lui monta à la gorge, mais elle réussit à le ravaler.

— Vous n'avez pas encore terminé votre période d'essai, dit-il, il vous reste encore deux semaines. Jusqu'ici, nous sommes très satisfaits de votre travail. Cependant, je suis sur le point de vous révéler une chose dont on ne parle généralement pas avant la fin des trois mois...

Il s'arrêta, se racla plusieurs fois la gorge, et ses yeux parcoururent rapidement la feuille qu'il tenait dans ses mains, sans jamais tout à fait regarder Judith.

Soudain, la jeune infirmière se sentit étrangement calme, les paumes légèrement moites doucement posées sur l'extrémité des accoudoirs, plus curieuse qu'inquiète, à présent. S'ils étaient contents de son travail, il y avait peut-être encore de l'espoir. Sa découverte de la veille n'allait peut-être entraîner qu'une suspension ou quelque autre mesure disciplinaire mineure...

— Comme vous le savez déjà, dit le docteur Marshall, j'ai fondé cette clinique il y a presque douze ans. Au départ, j'ai entrepris d'offrir surtout de la chirurgie cosmétique et orthopédique, mais il est vite devenu clair que...

Il s'arrêta brusquement et regarda Judith, les yeux soudainement allumés d'une curieuse étincelle.

— Avez-vous entendu parler du programme de soins particuliers ? fit-il en changeant brutalement de sujet. Quelqu'un en a-t-il discuté avec vous ?

Prise de court, Judith mit quelques secondes à répondre.

— N... Non... bégaya-t-elle.

Elle n'osait pas avouer que Ray lui en avait déjà parlé, car elle avait l'impression que cela ne pouvait qu'aggraver les choses. Si toutefois il lui demandait comment elle avait découvert la pièce secrète, elle devrait réfléchir rapidement. Elle demeura silencieuse et fit un effort de concentration pour pouvoir arriver, au besoin, à une explication crédible. Le silence et l'obéissance étaient probablement la meilleure stratégie, à présent.

Une fois de plus, le docteur Marshall se racla la gorge.

— J'espérais qu'on vous en ait parlé, dit-il. Cela m'aurait grandement facilité les choses.

Il fit une pause qui parut éternelle et se contenta de la fixer d'un air étrange.

Soutenant le regard du docteur, Judith commença à se demander si c'était le même homme qu'elle avait vu la veille au soir, complètement nu devant elle, engagé dans des activités si salaces qu'elles semblaient maintenant irréelles à la lumière du jour. Peut-être avait-elle tout imaginé; peut-être cette pièce secrète n'avait-elle existé que dans son imagination.

Elle songea à la froideur de l'homme, et aussi elle se rappela à quel point il avait été cruel seulement quelques heures plus tôt, lorsqu'il avait soumis madame Cox à cette épreuve qui tenait presque du sadisme.

Maintenant qu'il était assis derrière son bureau, avec ses vêtements et sa blouse blanche, cela semblait encore pire. Le bureau aussi paraissait froid et impersonnel. Cet homme avait du pouvoir, et Judith ne pouvait s'empêcher de le trouver dangereux, en fait. Elle sentit un frisson glacial la traverser et son cœur se mit à battre furieusement, cette fois d'appréhension.

— Comme je vous le disais, poursuivit-il, nous sommes satisfaits de vos services professionnels. Le moment est cependant venu de révéler ce que nos patients peuvent vouloir d'autre lorsqu'ils viennent ici. Je vous soupçonne d'en avoir une assez bonne idée, à présent. Oh, nous ne faisons pas de la publicité autour de cela. La plupart des gens ne sont mis au courant que par le bouche-à-oreille. Mais c'est vrai : nous exigeons de notre personnel qu'il prodigue des soins particuliers si les patients le désirent.

Il continua à parler, mais Judith n'écoutait plus. Même s'il confirmait tout simplement ce que Ray lui avait déjà dit, elle était étonnée. C'était en soi un soulagement, en fait. Tout était vrai, et elle en ressentit un frisson dans sa moelle épinière, un délicieux frisson qui, grâce à son imagination, lui donna une image vivante de ce que serait sa vie, maintenant qu'elle n'avait pas à craindre les étranges demandes de ses patients.

Judith sentit un soulagement immense. Une fois de plus, elle avait réagi à l'excès. Marshall n'allait sans doute pas même mentionner la veille au soir, sinon il l'aurait déjà fait. Désormais, elle pouvait se concentrer sur ce qu'il avait à dire. Puisqu'on le lui avait officiellement annoncé, les choses allaient être beaucoup plus faciles. Elle n'aurait plus à combattre ses impulsions, il n'y aurait aucune hésitation, aucun remords…

— Je dois avouer que vous nous avez effrayés un peu lorsque vous êtes allée rencontrer Édouard avec votre histoire d'hypnose… poursuivit le docteur Marshall. Nous savions que vous pouviez résister à cette soudaine expansion de vos désirs, mais pas aux avances. Je vous avoue que vous nous avez grandement facilité les choses en vous pliant sans hésitation à toutes les offres qui se présentaient à vous… Je crois bien ne pas avoir à énumérer toutes les parties de jambes en l'air auxquelles vous avez participé avec grand enthousiasme ces dernières semaines, aussi bien ici qu'à d'autres endroits ?

Chez Judith, la dernière trace d'inquiétude et de peur

s'évanouit pour faire place à la colère. Qu'est-ce qu'il voulait dire, exactement ? Qu'est-ce qu'il savait sur elle ? Elle bougea avec appréhension dans son fauteuil, tout en continuant de le regarder fixement, d'un air de défi. Cette fois, c'en était trop : elle devait protester. Elle n'avait aucune objection à ce qu'il parle de ce qui s'était passé la veille au soir, mais le reste ne le concernait pas : c'étaient des choix personnels.

— De quel droit parlez-vous de ça ? finit-elle par demander. Mes activités personnelles m'appartiennent à moi seule, vous n'avez rien à y voir.

Le docteur Marshall se leva et la regarda.

— En tant que directeur de cette clinique, tout ce qui se passe entre ces murs, et même à l'extérieur, dans une certaine mesure, me concerne.

Cette fois, il avait un ton arrogant, presque dictatorial. Il contourna lentement le bureau, sans jamais la quitter des yeux. Judith soutint son regard. Pendant un moment, elle crut le voir venir vers elle, mais il continua plutôt vers l'autre bout de la pièce. Il s'arrêta près du grand classeur noir qu'il déverrouilla avec une clé qu'il avait tirée de la poche de sa blouse blanche.

— Vous avez peut-être de la difficulté à accepter la nature particulière de notre clinique, dit-il en tournant le dos à Judith. Mais nous serions tout à fait heureux si vous acceptiez de vous joindre en permanence à notre personnel.

— Je ne veux pas travailler dans un endroit où chacun de mes gestes est de notoriété publique, répondit Judith.

Elle savait que le fait de l'affronter ainsi pourrait avoir de graves répercussions, mais elle était sincère. Cet emploi à la Clinique Dorchester n'était peut-être pas un poste enviable, après tout... Pas si on la regardait et on la dénonçait à tout bout de champ !

— Ne gâchez pas tout, Judith, dit le docteur d'une voix

apaisante, comme s'il parlait à un enfant difficile. Nous avons investi en vous beaucoup de temps et d'efforts. Nous croyions sincèrement que vous aimeriez travailler ici.

Tout en parlant, il fouilla d'une façon désinvolte dans le tiroir, en tira une série de DVD et regarda leurs étiquettes avant de les remettre à leur place.

Il finit par en choisir un, ferma le tiroir et le verrouilla de nouveau. Puis, il se dirigea en silence vers le coin opposé de la pièce et alluma le téléviseur et le lecteur.

— Nous trions sur le volet les nouveaux membres de notre personnel, expliqua-t-il en insérant le disque dans le lecteur. Je dois avouer que vos débuts étaient fort prometteurs...

Il se retourna et sourit avec suffisance à Judith, puis, au moyen de la télécommande, il tamisa l'éclairage et démarra l'enregistrement. Furieuse, Judith tourna néanmoins son fauteuil pour regarder le téléviseur tandis que lui prenait l'envie de partir sans plus attendre. Elle voulait quitter non seulement ce bureau, mais toute la clinique. Il ne valait plus la peine de rester. Depuis son arrivée, sa vie avait été un tourbillon confus. Elle avait passé la majeure partie de ses journées à se demander ce qui allait se passer ensuite, en plus de devoir affronter le stress de son premier emploi.

Ses nuits avaient été hantées par d'étranges rêves, les rares fois où elle avait réussi à trouver le sommeil. Ce suspense l'avait suffisamment rongée. Qu'est-ce qui l'attendait? Pourquoi n'avait-on pas été clair avec elle plus tôt? Pourquoi lui avoir caché tant de choses? Et pourquoi Marshall continuait-il d'entretenir le mystère avec ses insinuations? Son emploi à la Clinique Dorchester avait débuté d'une bien mauvaise façon, et elle sentait d'instinct que l'avenir ne pouvait lui réserver que plus de confusion et de problèmes.

Elle fit le geste de se lever pour partir, mais le docteur

Marshall, debout derrière elle, posa une main ferme sur son épaule et l'obligea à demeurer assise. Malgré un profond sentiment de contrariété, elle choisit de rester juste un peu plus longtemps. Au fond d'elle-même, la curiosité effaça lentement sa peur. Qu'avait donc Marshall à lui montrer ? Une vidéo d'information sur les services offerts par la clinique ? Des témoignages de « clients satisfaits » ? Elle se tordit nerveusement les doigts tout en jetant des coups d'œil rapides vers la porte, qui, elle le savait, n'était pas verrouillée. Si cette vidéo s'avérait être un quelconque exercice de lavage de cerveau, elle allait se jeter vers la porte à toute vitesse, et Marshall n'aurait pas le temps de l'arrêter. Elle prit une grande respiration, s'obligea à demeurer calme et regarda l'écran.

Au départ, elle ne put reconnaître l'image, un vague enregistrement d'une caméra de sécurité, noir et blanc et plutôt embrouillé. Puis, elle reconnut une silhouette nue, le dos d'une femme surmonté d'une tête blonde, debout au milieu de ce qui ressemblait à un bureau. Puis, elle remarqua un homme agenouillé aux pieds de la femme. Ce bureau paraissait familier, mais tout ce qu'elle pouvait voir, c'était le dos de ces deux personnes, et elle ne les reconnaissait pas.

Puis, il y eut un changement de caméra : c'était la même scène, mais d'un autre angle. Une image semblable apparut, avec le même homme, la même femme, mais cette fois, le visage de la femme était nettement visible. Judith faillit s'étouffer et s'arrêter de respirer, le sang figé par l'horreur, complètement sidérée, lorsqu'elle se reconnut sur la vidéo.

Oui, c'était bien elle, debout, nue au milieu du bureau, avec Édouard qui rampait sur le plancher en léchant longuement ses cuisses. Elle vit son propre visage tordu en un sourire de plaisir, sa tête renversée et ses lèvres légèrement écartées.

Judith respira à fond, et essaya de calmer le sentiment

troublant qui montait lentement en elle. Se voir ainsi l'horrifiait, mais la fascinait, et même si elle se reconnaissait clairement, elle sentait aussi qu'elle ne pouvait pas être cette femme, cette créature sensuelle qui restait là, debout, pendant qu'on la faisait jouir.

Elle se sentit curieusement excitée, surtout par l'expression de délice qu'elle voyait sur son visage. Bien sûr, elle se rappelait le plaisir qu'elle avait ressenti ce matin-là, mais c'était encore meilleur de se voir imbibée par la langue d'Édouard.

— Je m'excuse pour la mauvaise qualité de l'image, annonça le docteur Marshall, mais j'ai bien peur que les caméras du bureau d'Édouard soient un peu vieilles.

Tandis qu'il parlait, l'image changea et vira au noir. Une seconde, Judith se dit qu'il n'y avait plus rien à voir, mais après un ajustement, l'image parut plus claire. Une fois de plus, elle retint son souffle lorsque la même blonde apparut, debout à côté d'un lit sur lequel était étendu un homme nu.

La première chose qu'elle reconnut, cette fois, c'était la tache blanche du plâtre sur la jambe gauche de l'homme. Puis, elle vit sa grosse queue, raide et droite. Soudain, tout s'éclaircissait dans son esprit. Cette blonde aussi, c'était elle, et même si elle ne voyait pas son visage, elle reconnut tout de suite l'homme étendu sur le lit : cela ne pouvait être que Mike Randall.

Elle regarda en silence la blonde marcher lentement autour du lit en tirant le rideau, tout en oscillant lascivement des hanches, puis grimper sur le lit avant de s'effondrer sur le somptueux corps étendu. Puis l'image changea et elle se vit à la tête du lit, chevauchant le visage de l'homme, ses hanches tournant sensuellement sur la bouche de celui-ci, ses mains serrées sur ses propres seins.

Dans cette scène, sa tête était également renversée, puis, elle se relevait et elle regardait tout droit vers la caméra.

Judith remua de nouveau dans son fauteuil. Le souvenir de cette soirée-là, associé au sentiment étrange et électrisant de se voir nue et bouger avec tant de sensualité à l'écran, fit monter une vague de chaleur entre ses jambes, qui commença immédiatement à inonder sa culotte.

Cependant, elle ne comprenait pas comment elle avait pu regarder tout droit la caméra sans se rappeler. Elle se souvenait seulement de s'être regardée dans une grande glace, une glace plutôt ordinaire...

— Le miroir... murmura-t-elle.

Le docteur Marshall posa les mains sur ses épaules et baissa la tête pour parler à son oreille.

— Pour vous, c'était seulement un miroir, dit-il d'un ton hautain. Nous, nous pouvions vous voir de l'autre côté...

Judith continuait de regarder le téléviseur, fascinée par cette vision d'elle-même, de cette créature pulpeuse maintenant penchée vers le phallus en érection pour le prendre dans sa bouche.

— Regardez-vous, poursuivit le docteur Marshall. Vous avez goûté chaque instant. Encore maintenant, je suis sûr que dans votre chair vous le sentez encore...

Judith demeura silencieuse. Sur le téléviseur, elle voyait maintenant son propre visage tourné vers le haut et sa bouche contractée en une expression de jouissance absolue; elle entendait presque ses propres cris de plaisir. Elle vit son corps se tendre sous la force de son orgasme, puis retomber sans vie sur le corps ferme.

Elle se rappela s'être vue alors dans la glace, mais sur vidéo, c'était peut-être encore plus excitant. Sa main tomba sur son genou et elle en sentit la chaleur à travers le coton de son uniforme. Désormais, il ne lui fallait pas grand-chose pour déclencher son excitation...

En même temps, elle sentait les mains du docteur Marshall

lui peser sur les épaules. Qu'est-ce qu'il venait de dire ? Qu'« ils »
l'avaient observée de l'autre côté du miroir... Qui étaient « ils » ?
Et de quel droit l'observaient-ils ? Pire encore, comment osaient-
ils la filmer ?

Avant qu'elle puisse répondre, il lui lâcha les épaules et prit la
télécommande. Quelques secondes plus tard, le téléviseur s'éteignit et la lumière revint. Judith cligna des yeux à quelques
reprises, comme si elle s'éveillait d'un rêve.

— Je pourrais vous en montrer davantage, dit-il en retournant s'asseoir derrière son bureau. Mais pas maintenant. Qu'il
suffise de dire que nous savons ce que vous avez fait, exactement
ce que nous espérions. Maintenant, nous voulons seulement
confirmer que vous entrez en permanence dans notre personnel,
et ensuite, nous pourrons vous fournir tous les détails...

— Je ne sais pas, dit Judith en l'interrompant. J'ai besoin d'y
réfléchir.

De nouveau, elle se sentait faible et déroutée. Mais cette
fois-ci, au moins, elle voyait clairement la situation. Ils l'avaient
observée, ils l'avaient filmée, ils s'étaient trouvés avec elle dans
ses moments les plus intimes...

Curieusement, même en colère, elle ne pouvait réprimer cet
étrange sentiment de satisfaction qui lui montait lentement à
l'esprit. Si elle avait su qu'on l'observait, son plaisir aurait peut-
être été encore plus intense...

En même temps, elle n'était pas d'accord avec cette façon de
procéder, cette forme d'intrusion, et ne pouvait laisser passer cela.

Le docteur Marshall la regarda, légèrement irrité.

— Y réfléchir ? dit-il. Réfléchir à quoi ? D'après ce que je vois,
vous avez déjà accepté...

— Je n'ai jamais rien accepté, dit-elle en colère. Ce qui s'est
passé avec Édouard et Mike Randall, c'était une histoire personnelle, vous n'avez aucun droit de me faire chanter ainsi.

Le docteur Marshall soupira et referma le dossier.

— Ma chère, dit-il sur son ton sérieux habituel. Notre intention n'est pas de vous faire chanter. Nous vous avons tout simplement donné l'occasion d'exprimer votre sensualité, et il est clair à nos yeux que vous goûtez immensément le plaisir physique.

— Me donner l'occasion? Qu'est-ce que vous voulez dire?

Il la regarda, incrédule.

— Je croyais que vous aviez compris, répondit-il lentement en posant ses coudes sur son bureau. Maintenant que vous savez ce que nous attendons de notre personnel, vous ne pouvez sûrement pas continuer à penser que toutes vos rencontres dans cette clinique étaient fortuites. Tout cela était censé arriver...

Judith était décontenancée, ne sachant pas vraiment comment interpréter ses paroles.

— Tout était planifié? demanda-t-elle dans un souffle. Que voulez-vous dire?

— Dès le premier jour où vous avez travaillé ici, nous avons mis votre sensualité à l'épreuve. Vous êtes-vous déjà demandé pourquoi Robert Harvey avait eu une attitude si, comment dire, «familière» avec vous? Ce n'était pas une coïncidence. Il avait reçu l'ordre de vous séduire, de tester votre sensualité et votre expérience en matière de sexualité... Puis, vous êtes venue nous voir, ou plutôt vous êtes venue voir madame Cox, pour demander conseil sur la façon de traiter vos pulsions sexuelles. Nous étions très fiers de vous, ce jour-là; vous avez obéi et vous vous êtes exposée. Je dois avouer que cette partie n'était pas vraiment planifiée; volontairement ou non, vous nous avez donné l'occasion d'en apprendre davantage sur votre sensualité.

Il fit une courte pause tout en farfouillant les papiers sur son bureau, puis recommença à parler sans regarder Judith, comme s'il se parlait plutôt à lui-même, encore une fois.

— Bien sûr, il y a eu des revers, poursuivit-il. Lady Austin était plutôt déçue de vous, mais puisqu'elle est une habituée, elle a été compréhensive... Mais nous savions qu'avant longtemps, vous alliez céder à vos désirs. Vous vous êtes rendu un immense service en allant au bureau d'Édouard en l'accusant de vous avoir hypnotisée. Heureusement, il vous a fait comprendre que vous aviez tort et qu'il n'y avait pas de quoi vous inquiéter. C'est alors que nous avons décidé de vous soumettre à une sorte de « test », pour voir jusqu'où vous étiez prête à aller...

Judith le regarda, étonnée.

— Un test ? Quelle sorte de test ?

Le docteur Marshall attendit un moment avant de répondre. Il la regarda et secoua la tête.

— Je ne croyais pas devoir vous l'expliquer... dit-il. Après ce que je viens de vous dire, je croyais que vous seriez capable de trouver seule.

Il se leva à nouveau et marcha vers elle. À présent, Judith était au-delà de la peur, de la colère ou même de la surprise. Tout ce qu'elle savait, c'était qu'elle le méprisait, qu'elle les méprisait tous.

— Si vous voulez absolument savoir, dit-il, nous avons fait en sorte que vous vous trouviez seule avec Mike Randall. Nous savions qu'il vous ferait probablement des avances et nous voulions savoir si vous y céderiez. Madame Cox et moi étions dans la pièce voisine, à vous observer à travers une glace sans tain, tout en contrôlant la caméra, bien sûr...

Judith était remplie de terreur. Sa rencontre avec Mike Randall avait été mise en scène, elle avait été piégée... Maintenant, tout se tenait : Ray qui devait s'en aller, c'était un mensonge ! Tout cela avait été planifié, comme un joli piège tendu pour elle ! Jusqu'à maintenant, Ray était à peu près la seule personne à qui elle avait cru pouvoir faire confiance dans cet établissement, mais il l'avait trahie dès le départ.

Elle regarda de nouveau le docteur Marshall.

— Alors, l'assistant m'a menti ? demanda-t-elle d'une voix tremblante. Vous lui avez donné l'ordre de me faire croire que je devais sortir le patient de la baignoire...

Marshall parut surpris.

— L'assistant ? dit-il aussitôt. Non, vous vous trompez. Il n'était qu'un pion dans notre stratagème. Nous nous sommes tout simplement assurés qu'il resterait occupé à un autre étage pour qu'il vous demande de l'aider. Nous savions qu'il avait tendance à demander des faveurs semblables aux infirmières et nous avons tenu pour acquis qu'il le ferait ce soir-là. Nous avons eu de la chance, car cela a fonctionné du premier coup.

— Et Mike Randall ? demanda-t-elle. Qu'est-ce qu'il savait ?

— Monsieur Randall a un ami qui a déjà été un patient ici. Il savait déjà que le personnel pouvait se plier aux demandes des patients, et lorsqu'il nous l'a mentionné, nous pensions bien qu'il tenterait probablement quelque chose avec vous, ce soir-là. C'est alors que nous avons décidé d'interrompre sa dose quotidienne de deskel...

Judith resta silencieuse. Elle dut admettre qu'ils étaient habiles, très habiles. Le docteur Marshall reposa ses fesses contre son bureau et se pencha légèrement vers elle.

— Vous n'avez aucune raison de vous fâcher, dit-il. Vous avez peut-être l'impression d'avoir été piégée, et c'est vrai, en un sens, mais vous avez tout fait volontairement. Son ton devint plus dur, sa voix, cruelle.

— Croyez-vous que nous avons été injustes envers vous ? Nous ne vous avons pas obligée à séduire garde Stevens dans la réserve, la nuit où vous travailliez avec elle... Nous ne vous avons pas non plus demandé de rendre visite à Desmond en physiothérapie... Et que puis-je dire sur la jeune Lisa Baxter ? Ce n'était pas planifié non plus, vous savez...

Il se pencha davantage jusqu'à ce que ses mains se posent sur les épaules de Judith et les agrippent avec force, l'obligeant à lever la tête vers lui.

— Tout ce que nous avons fait, c'est éveiller vos sens, dit-il lentement. Et à juger par votre réaction sur ces vidéos, nous ne pouvons que supposer que vous en avez grandement apprécié l'exercice. Alors, vous pouvez difficilement nous en faire porter le blâme, n'est-ce pas ?

Il la relâcha et soupira.

— Évidemment, c'est à vous de décider si vous demeurez dans notre personnel. Dans le cas contraire, nous vous aiderons même à trouver du travail ailleurs. Mais je vous demande de réfléchir avec soin. Vous n'auriez rien à perdre et tout à gagner en restant ici.

Une fois de plus, il retourna s'asseoir derrière son bureau. Judith n'eut pas la force de répondre. Il avait raison, bien entendu, mais elle était si troublée à présent qu'elle ne savait pas vraiment quoi dire.

— Je veux y réfléchir, murmura-t-elle. J'ai besoin de temps.

Le docteur Marshall posa ses deux mains à plat sur le bureau et la regarda.

— Très bien, dit-il. Madame Cox sera de retour demain, elle pourra répondre à toutes vos questions. Désormais, vous traiterez de tout ça avec elle...

Judith se leva lentement, avec l'impression qu'il lui avait tout dit et que l'affaire était close.

— Merci, murmura-t-elle une autre fois avant de se retourner pour quitter son bureau.

En ouvrant la porte, elle l'entendit se lever derrière elle, mais c'était sans importance. Quelques mètres plus loin, dans le corridor, elle s'appuya contre le mur.

Elle tremblait encore à cause de ce qu'elle venait d'entendre, la chair encore palpitante à cause de ce qu'elle avait vu dans la vidéo. Des paroles la hantaient encore... Rien à perdre, tout à gagner...

Dorénavant, elle traiterait avec madame Cox... En effet, il y avait plusieurs avantages à la permanence, plusieurs raisons malicieusement charmantes. Il y avait un plaisir sans fin à découvrir, à ressentir. Et il y avait aussi madame Cox...

Même si le docteur Marshall n'avait pas mentionné la soirée de la veille, Judith savait maintenant ce qu'il lui fallait faire pour se rapprocher de cette femme... Elle était si près de son but, comment pouvait-elle abandonner? Elle n'avait qu'à accepter leurs conditions. Pas mal, non?

Elle y réfléchit pendant quelques minutes. Qu'avait-elle à perdre? Bien sûr, signer un contrat voulait dire qu'elle devrait rester ici pour toujours, non? Au moins, elle pourrait essayer. Il serait toujours temps de reculer, non?

Elle retourna d'un pas résolu dans le bureau du docteur Marshall. Il avait raison: réfléchir à quoi? Tout ce qui comptait, c'était ce qu'elle sentait. C'était bien vrai. Elle se mit à rire.

Elle fit irruption dans le bureau du docteur Marshall.

— J'ai décidé de... commença-t-elle.

Ses mots résonnèrent dans la pièce vide et elle cessa de parler en voyant qu'il avait disparu. Mais où pouvait-il être? Après tout, il ne l'avait pas suivie jusque dans le corridor; il n'y avait donc qu'une seule autre direction...

Elle ouvrit la porte du bureau de madame Cox et entra, cherchant immédiatement des yeux le mur sur lequel elle avait trouvé la porte de la chambre secrète, la veille au soir. Une mince fente, c'était tout ce qui trahissait l'existence de ce panneau secret. Elle marcha vers lui et colla son oreille contre la surface blanche.

Elle n'entendait que de faibles bruits, des objets remués, des meubles déplacés. À sa surprise et à sa déception, il n'y avait ni gémissements, ni soupirs. Si le docteur Marshall était là, il était peut-être seul.

Elle recula de quelques pas et regarda de nouveau le mur. Pour le premier venu, impossible de voir un panneau secret, pas même au grand jour. Judith voyait à peine la mince fente. Sinon, ce n'était qu'un mur vide semblable aux autres.

Puis, elle entendit des sons, des rires bruyants, mais en se retournant pour coller de nouveau son oreille à la porte, elle se rendit compte avec surprise que ces sons ne venaient pas de là. Elle se retourna. C'était toujours la même pièce, bien sûr, sauf pour un petit détail : une autre fente dans le mur, du côté du bureau de madame Cox.

Judith traversa la pièce d'un pas nerveux. Elle n'aurait jamais vu cette porte si on ne l'avait pas laissée légèrement entrouverte. De toute évidence, elle ne pouvait mener qu'à une autre pièce secrète. Mais combien y en avait-il, de ces panneaux secrets ? Combien de pièces dédiées au plaisir et aux fantasmes de toutes sortes pouvait-il y avoir dans cet édifice ? Et que cachait ce panneau ?

En s'approchant, elle entendit des bruits venir de l'autre côté. C'était donc de là que provenaient tous ces rires ! Puis, elle pencha légèrement la tête et elle était sur le point d'épier par la fente lorsqu'elle sentit une présence derrière elle. Une main vint appuyer contre sa bouche et une voix familière murmura à son oreille.

— Ne faites pas de bruit, l'avertit le docteur Marshall. Ces gens n'apprécieraient pas le fait d'avoir des spectateurs...

Son autre main vint se poser sur l'arrière de sa tête et la poussa légèrement à l'avant pour l'obliger à regarder à l'intérieur de cette pièce secrète.

D'abord, elle entendit un autre rire bruyant et finit par réaliser que c'était la femme à qui le docteur Marshall parlait plus tôt.

En regardant plus attentivement, elle vit une partie d'un visage de femme, et reconnut Marina Stone. Derrière l'actrice, elle ne voyait que le mur recouvert d'un épais papier tenture rouge et velouté.

En silence, le docteur Marshall ouvrit la porte un peu plus. Judith fut reconnaissante du fait qu'il tenait encore sa main sur sa bouche, car rien d'autre n'aurait pu étouffer le cri de surprise qui lui monta à la gorge.

Ce n'était qu'une petite pièce, pas beaucoup plus grande qu'un grand placard et sans aucune fenêtre, mais avec une étonnante particularité : le plancher était complètement recouvert d'une épaisse couche de billets de banque, qui formaient un matelas à hauteur de taille. Il y avait là une somme incroyable, des couches et des couches de billets fraîchement imprimés.

Judith se rappela alors la sacoche remplie d'argent que Marina avait apportée avec elle. C'était sans doute la contribution personnelle de l'actrice à cette mise en scène.

La femme était vautrée sur les billets, complètement nue, et son corps s'enfonçait sous son propre poids dans l'épaisse pile, comme dans un coussin mou. Elle était étendue sur le dos, ses hanches se tortillant sensuellement et ses bras plongeant et disparaissant sans cesse sous les fraîches couches d'argent. Elle se mit bientôt à saisir des billets à pleines poignées pour s'en couvrir le corps, puis écarta et ferma ses jambes à quelques reprises jusqu'à ce qu'elles disparaissent également sous l'argent.

Judith regardait en silence, et sentit soudain une chaleur envahir son entrecuisse. Elle était fascinée par la chair blanche et nue de Marina qui bougeait dans cette mer d'argent, tout comme par l'expression de plaisir sur le visage de la femme. Elle tenta d'imaginer ce qu'on pouvait ressentir, étendu sur cette fortune, à sentir le papier rugueux frotter contre sa chair nue, lentement engouffré sous des milliers de billets de banque.

Cependant, même sa folle imagination ne pouvait concevoir une telle chose. Elle devrait en faire l'expérience elle-même.

À ce moment, elle s'aperçut que Marina n'était pas seule. À côté de l'actrice, une énorme pile se mit à bouger. La femme se retourna sur le côté pour y faire face en faisant sensuellement glisser des billets de banque sur son corps nu. Elle rit de nouveau et ses mains s'enfoncèrent profondément dans la pile, comme si elles cherchaient quelque chose avec frénésie.

Bientôt, un bras apparut, puis une jambe, et finalement, une tête. Un homme sortit lentement de sous les billets de banque, et Judith le reconnut immédiatement : c'était Robert Harvey. Il rit à son tour et son corps nu émergea un peu plus. Bientôt, il se secoua et s'étendit sur Marina.

Ensemble, ils se tortillèrent dans cette mer de billets, les membres enchevêtrés et les hanches collées. Ils n'arrêtaient pas de rire, de s'embrasser et de se caresser, remuèrent encore les masses de billets et continuèrent à creuser jusqu'à ce qu'ils disparaissent tous les deux.

Le docteur Marshall referma la porte au nez de Judith. Elle se retourna pour le regarder, excitée et perplexe. Il lui fit un sourire plein de suffisance.

— Comme je vous le disais, vous n'avez rien à perdre et tout à gagner.

Il posa une main sur son dos et la guida rapidement vers son bureau. Alors qu'ils arrivaient à la porte, Judith s'arrêta et se retourna une autre fois, fixant le mur blanc, incapable d'effacer de son esprit l'image de ce qu'il recelait. Elle se tourna une fois de plus vers le docteur Marshall.

— Nous devons satisfaire tous les fantasmes, dit-il tout simplement.

Chapitre dix-huit

La porte de la case de Judith sembla grincer plus fort que d'habitude, ce matin. Comme la salle était encore vide, cela paraissait encore pire. Judith ouvrit et ferma la porte à quelques reprises, pour examiner les charnières et voir laquelle avait besoin d'être huilée. Ce bruit lui tombait sur les nerfs depuis un moment. Elle ouvrit la porte une fois de plus et haussa les épaules en s'assoyant sur le long banc devant sa case.

Elle était seule dans la grande salle, seule avec ses pensées. Elle devait voir madame Cox avant de commencer son quart, et elle ne savait pas encore ce qu'elle allait lui dire.

En partant, la veille au soir, elle avait déjà décidé de devenir permanente à la Clinique Dorchester. Mais maintenant, au fond d'elle-même, quelque chose la retenait; un doute persistait dans son esprit.

Qu'est-ce que madame Cox allait lui dire? Hier, le docteur Marshall lui avait assuré que la superviseure répondrait à toutes les questions de Judith, et dans l'esprit de la jeune infirmière, des centaines de questions restaient sans réponse. Et elle voulait en savoir plus avant de prendre une décision.

Pour elle, à présent, il était clair que le contact intime entre le personnel et les patients n'était pas interdit, au contraire. Même chose entre les membres du personnel. Mais comment parler aux patients des soins particuliers? Comment allaient-ils les réclamer? Devaient-ils tout simplement demander à une infirmière de les faire jouir, tout comme on exigerait un somnifère? Et aurait-elle le droit de refuser?

Jusqu'ici, Judith connaissait l'étrange salle de physiothérapie, et les deux pièces secrètes adjacentes au bureau de madame Cox. Combien y avait-il d'autres salles qui servaient des buts semblables? Des endroits destinés expressément à la recherche du plaisir? Si oui, où étaient-ils, et à quoi ressemblaient-ils? Peut-être le lui dirait-on ce matin même? La pensée d'en savoir davantage envoya un frisson dans son épine dorsale.

Lorsque le docteur Marshall eut enfin confirmé la nature véritable du programme de soins particuliers, Judith croyait tout savoir. Par contre, tout juste à ce moment elle devait candidement s'avouer qu'elle ne savait pas grand-chose! Il y avait sûrement davantage à apprendre, à expérimenter; d'autres sources de doux plaisir à découvrir...

Elle allait encore se retrouver dans le bureau de madame Cox... La dernière fois qu'elle avait vu sa supérieure, c'était dans la pièce secrète, quelques soirs auparavant. La femme se trouvait alors dans une position plutôt gênante. Aujourd'hui, allait-elle le mentionner à Judith, ou agir comme si cela n'était jamais arrivé? Serait-elle troublée? Peut-être que oui, peut-être que non. Le docteur Marshall n'avait pas du tout été embarrassé, lui...

Judith elle-même était un peu gênée, même si elle avait hâte d'en parler. Elle voulait surtout retourner dans la pièce secrète pour voir si elle avait omis de remarquer quelque chose l'autre soir; peut-être de convaincre madame Cox de lui donner une sorte de démonstration... Cette fois, Judith savait exactement comment atteindre la femme. Et elle ne la laisserait pas s'en aller.

Elle finit de lacer ses chaussures et consulta sa montre. Encore quarante-cinq minutes avant son quart. Elle décida de monter au septième, quitte à attendre près du bureau de madame Cox si celle-ci n'était pas prête.

— Bonjour! dit une voix joyeuse derrière elle. Tu arrives ou tu pars?

Judith regarda sa collègue.

— Je viens d'arriver, dit-elle.

C'était une fille qu'elle n'avait jamais vue, une jolie infirmière avec des boucles brunes à la hauteur des épaules, un visage rond et un large sourire.

— Je rentre chez moi! dit la fille d'une voix forte en tendant la main. Je m'appelle Susan. Je viens de commencer à travailler ici. C'était mon premier quart hier soir. Imagine-toi, tu commences et tu es tout de suite affectée à un quart de nuit! Écoute, ça ne pourrait pas être pire!

Elle prit la main de Judith avec enthousiasme, tout en secouant la tête et en faisant rebondir ses boucles brunes. Puis, elle ouvrit une case située en diagonale et s'assit sur le banc pour défaire ses lacets.

— On était tellement occupées hier soir! poursuivit-elle. Comme je ne pouvais pas laisser la station d'infirmières pour prendre ma pause, ma collègue m'a permis de rentrer chez moi tôt ce matin. C'est gentil, non? Tout le monde ici est très gentil, je trouve. En tout cas, on avait cette patiente à la chambre 427. Elle a subi une opération hier et au départ, elle allait bien, mais ensuite, quelque chose clochait et on a fini par la retourner à la salle d'opération en pleine nuit! Pauvre elle! Est-ce que tu es assistante à la salle d'opération? Je le faisais il y a longtemps, mais je ne le fais plus depuis quelques années. C'est comment, ici? Est-ce que les chirurgiens sont gentils, ou bien est-ce que ce sont des salauds d'impolis comme ceux avec qui je travaillais? Écoute, au bout du compte, l'essentiel, c'est qu'ils fassent du bon travail, non? Ça ne fait pas grand différence, la façon dont ils traitent les infirmières...

La fille parlait sans arrêt, posait des questions et y répondait aussitôt, sans même regarder Judith, sans même s'arrêter pour reprendre son souffle.

Assise de l'autre côté du banc, Judith se contentait de la fixer sans faire attention à ce qu'elle disait, mais essoufflée à seulement l'écouter!

Susan était très sympathique, peut-être même trop. Elle parlait d'une voix forte, souriait tout le temps et ricanait de tout ce qu'elle disait. Tout en continuant de parler, elle se leva et se mit à se déshabiller, en roulant rapidement en boule son uniforme blanc et en le fourrant négligemment dans un grand sac de toile.

Elle enleva sa culotte tout en babillant à propos de son lieu de travail antérieur, de son auto, de sa famille et de toutes sortes d'autres choses dont Judith ne voulait pas vraiment entendre parler. Mais quelque chose chez cette nouvelle infirmière l'obligeait à l'écouter et à la regarder; quelque chose d'étrangement attirant dans ce bavardage futile.

Alors que Susan enlevait son soutien-gorge, Judith remarqua que ses seins étaient plutôt menus, mais très ronds et fermes, et les mamelons petits et roses paraissaient délicieux. En fait, sa mince silhouette était plutôt attrayante. Ses membres étaient bien dessinés et un peu plus musclés que la moyenne, et sa peau très pâle était parsemée de taches de rousseur. En effet, il y avait quelque chose de jeune et de plutôt rafraîchissant chez ce nouveau membre du personnel.

À ce moment, Judith se demanda si Susan était déjà au courant du programme des soins particuliers... C'était peu probable. En effet, si elle n'avait commencé que la veille au soir, il était aussi improbable qu'elle ait même encore subi son « test ».

L'imagination de Judith commença à courir une fois de plus: qui serait affecté à tenter de séduire Susan? Robert Harvey? C'était possible, mais curieusement Judith avait l'impression qu'il ne serait pas son genre. Elle ne pouvait les imaginer ensemble.

De toute évidence, les directeurs allaient choisir soigneusement et décider quel genre de personne plairait à une fille comme Susan avant d'affecter qui que ce voit à cette tâche délicate. Leur plan était peut-être déjà en branle... Durant le quart de nuit, un collègue avait peut-être tenté de lui faire des avances ou commencé à flirter. Il n'était peut-être rien arrivé encore, surtout s'ils avaient été très occupés toute la nuit. Mais tôt ou tard, Susan allait connaître un réveil brutal, quoique délicieux.

À la lumière de ce qu'elle savait, Judith se disait, amusée, que la pauvre fille ne se doutait sans doute pas de ce qu'on attendait d'elle, maintenant qu'elle travaillait à la Clinique Dorchester. Elle était jolie, très sympathique, bien qu'un peu bavarde, et Judith se dit que la clinique avait fait un bon choix. C'était une belle recrue. Certaines personnes pourraient être déconcertées par son babillage constant, mais comme l'avait dit le docteur Marshall, il fallait satisfaire tous les goûts, et certains patients pourraient trouver cela plutôt attirant.

Maintenant à deux pas de Judith, la nouvelle infirmière était complètement nue. Elle avait retiré une serviette de bain d'un grand sac de plastique et cherchait quelque chose dans un autre sac...

— Bon, où est mon savon? demanda-t-elle tout haut. Ah! ici... Alors, comme je te le disais, le salaire qu'ils offrent ici était bien meilleur et j'espérais déménager à Londres...

Alors qu'elle continuait de parler, une pensée malicieuse se forma dans l'esprit de Judith. D'une certaine façon, Susan n'était pas très différente d'elle-même à son arrivée à la Clinique Dorchester; confiante et innocente, et ne soupçonnant probablement rien. À présent, Judith se rappelait un certain matin où elle avait été coincée par Tania et Jo dans la même salle de douches où Susan était sur le point d'entrer...

Le souvenir la fit presque rire. Elle se rappela sa frayeur, mais maintenant qu'elle avait plus d'expérience, les choses semblaient fort différentes. Elle pouvait même comprendre pourquoi Tania et Jo avaient entrepris de la séduire.

Susan poursuivait son babillage incessant tout en poussant ses dernières mèches rebelles sous un bonnet de douche d'un rose bonbon. Elle ne semblait pas du tout timide, et restait complètement nue tout en parlant à Judith, comme si elles avaient été des amies de longue date. Le monologue continua un moment, puis elle se rendit lentement à la salle des douches.

Judith se leva et la suivit de près en faisant semblant de s'intéresser à tout ce que disait la nouvelle fille, alors qu'en fait son attention était focalisée sur quelque chose de complètement différent.

Les battements de son cœur s'accélérèrent. Elle ressentait une étrange ivresse, différente de celle qu'elle avait sentie le soir où elle avait bondi sur Jo dans la réserve. Aujourd'hui, elle avait l'intention de séduire, de donner à la nouvelle recrue un avant-goût de ce qui s'en venait, mais sans nécessairement lui faire peur. Cette fois, elle ne cherchait pas la revanche.

Ou alors était-ce sa façon de prendre sa revanche sur tout le monde pour tout ce qu'ils lui avaient fait subir ? Voulait-elle infliger à la pauvre Susan l'épreuve qu'elle-même avait vécue ? Pas vraiment. Mais elle ressentait une étrange satisfaction à l'idée de donner à cette nouvelle infirmière un préliminaire aux plaisirs qui l'attendaient. Elle ne voulait lui faire aucun tort, elle voulait seulement arriver à mieux connaître sa nouvelle collègue. Qui sait, Susan allait peut-être apprécier ? Si les directeurs de la Clinique Dorchester l'avaient embauchée, c'est donc qu'ils avaient dû détecter chez elle la sensualité qui leur était primordiale.

Silencieuse, Susan ajustait la température de l'eau, apparemment inconsciente de la proximité de Judith. La salle des douches fut bientôt remplie de vapeur et Judith se tint immobile près de l'entrée, en se demandant si la fille se savait observée.

Cessant ses propos sans intérêt, elle s'était mise à chanter fort et faux, en massacrant une chanson que Judith ne reconnaissait pas. Déjà, l'arôme fruité du savon flottait dans l'air. Cette scène n'était pas très différente de celle du matin fatidique.

C'est alors que Judith décida d'avancer. Elle marcha jusqu'à Susan et se tint à côté d'elle pendant quelques secondes sans que la nouvelle infirmière remarque sa présence.

— Oh! Tu es là! s'écria la fille après un moment. Attention, tu vas te mouiller!

Judith sentit Susan sur le point de reprendre son ennuyeux monologue et appuya immédiatement sa main contre la bouche de la fille, tandis que son autre bras enlaça la taille nue et la serra.

Dans les yeux de Susan, elle lut de la surprise, mais le corps humide ne semblait pas tenter d'échapper à son emprise. Elle en fut un peu déconcertée. Elle se serait attendue à ce que sa victime proteste violemment, mais Susan semblait trop stupéfaite pour même y songer.

Judith laissa glisser sa main et vit une bouche grande ouverte. Les lèvres remuèrent à quelques reprises, mais il n'en sortit aucun son. En même temps, son autre main glissa le long des fesses rondes et les caressa légèrement.

— Qu'est-ce que tu fais là? demanda Susan au bout d'un moment. Tu es pas mal effrontée...

Judith remit la main sur la bouche de la fille.

— Tais-toi! ordonna-t-elle. Ça suffit, les conneries!

Elle poussa la fille contre le mur et appuya son corps vêtu contre elle, retenant la fille par la taille.

Cette fois, Susan ne dit rien, mais Judith voyait que sa surprise avait fait place à de la peur. Elle éclata de rire. C'était délicieusement excitant.

— Quoi donc, ma chérie? Tu n'as pas l'habitude de partager une douche?

Mais avant que Susan puisse répondre, Judith s'était emparée de sa bouche et l'avait envahie avec sa langue.

Elle tenta d'imaginer ce qui pouvait se passer dans la tête de la nouvelle infirmière, en se disant que c'était fort probablement de l'inquiétude ou même de la peur. Mais comme elle savait qu'il ne serait pas tout à fait juste d'effrayer indûment la pauvre fille, elle laissa ses mains s'égarer sur la peau humide pour voir comment Susan allait réagir.

Prenant les petits seins à deux mains, elle les caressa doucement, jouant avec les mamelons qui se raidissaient volontiers entre son pouce et son index. Susan poussa un petit gémissement et regarda ses seins comme si elle était surprise de voir qu'ils réagissaient au toucher de Judith.

— Qu'est-ce que tu fais là ? demanda-t-elle encore, cette fois dans un murmure tremblant où pointait un soupçon de lascivité.

— J'ai l'air de faire quoi ? répondit doucement Judith.

Elle pencha la tête et prit l'un des mamelons dans sa bouche, le suçant avidement.

Susan commença à trembler et à respirer bruyamment.

— Je ne suis pas sûre d'aimer ça, murmura-t-elle d'un ton dépourvu de conviction alors que Judith passait à l'autre mamelon. C'est pas très convenable, tu sais… Es-tu lesbienne ? Je ne connais pas de lesbiennes… Qu'est-ce que tu vas me faire ?

Judith dut se retenir pour ne pas éclater de rire. Malgré ce qu'elle en disait, Susan avait instinctivement écarté les jambes et l'invitait presque à la caresser plus intimement

— La ferme ! répéta Judith d'un ton las. Ferme ta grande gueule, O.K. ?

Elle était satisfaite de voir que Susan ne se débattait pas, mais perplexe que cette dernière ne semble vouloir lui rendre ses caresses non plus. Par-dessus tout, elle voulait simplement qu'elle arrête de parler !

Sa main s'égara et descendit pour caresser les cuisses de la fille. Elle entendit Susan haleter à quelques reprises, mais sans rien dire. Tant mieux. À présent, la nouvelle infirmière reculait docilement contre le mur, ses mains à plat contre les carreaux de céramique, comme si elle se soumettait d'emblée.

Judith devenait rapidement excitée, sa bouche découvrant le goût légèrement amer de la peau chaude et humide, ses mains et ses joues glissant en douce le long de chaque courbe du nouveau corps qu'elle découvrait. Elle frôla légèrement la vulve douce et la sentit devenir chaude et humide au bout de ses doigts. Bientôt, son arôme capiteux flotta jusqu'à ses narines et ne fit qu'augmenter son désir.

— Oh! geignit Susan. Ça alors! Tu sais vraiment ce que tu fais...

Judith glissa lentement sur ses genoux. Son uniforme était trempé, mais cela ne la dérangeait pas. Au-dessus d'elle, Susan tremblait toujours, probablement encore sur le coup de la surprise, mais Judith savait que cela allait bientôt changer: la nouvelle recrue aurait bientôt une tout autre raison de sentir son corps secoué sous de délicieuses secousses. Lorsqu'elle commencerait à jouer avec le petit bourgeon encore caché parmi les replis sinueux, lorsqu'elle le prendrait dans sa bouche et le sucerait doucement, Susan serait encore plus réceptive...

Elle sentait déjà la petite tige se dresser sous ses doigts, devenir rigide et gonflée, et elle laissa sa bouche glisser vers elle, sa langue sortant en anticipation du moment...

— Relevez-vous! Tout de suite! cria une voix derrière elle.

Judith figea et tourna lentement la tête vers l'entrée de la salle des douches. Un sentiment de panique la saisit lorsqu'elle reconnut madame Cox. Curieusement, elle ne put s'empêcher de remarquer l'ironie de la situation: il était incroyable que cette scène se répète d'une façon quasi identique. En même temps, elle savait qu'elle aurait peut-être de graves problèmes. Se plier aux demandes des patients, c'était une chose, mais tenter de séduire une nouvelle employée...

Elle fut tentée de continuer, juste pour voir ce que ferait la superviseure, mais elle décida que c'était trop risqué à ce moment précis et se leva lentement. Jetant un rapide coup d'œil vers Susan, elle vit le même regard surpris dans ses yeux bruns. Puis, elle se tourna vers madame Cox.

— Séchez-vous et venez me rencontrer tout de suite dans mon bureau ! ordonna froidement la superviseure en tendant à Judith une serviette.

Judith sortit rapidement de la salle des douches, son uniforme trempé. Elle se sentait trahie par madame Cox qui était entrée sans prévenir au moment même où elle amenait Susan à réagir à ses caresses. Même si elle avait espéré la revoir, ce n'était pas exactement ce qu'elle avait à l'esprit. Bien sûr, elle savait que madame Cox irait probablement trouver la nouvelle infirmière en lui offrant de la soulager...

Ce n'était pas juste, pas du tout. C'était elle qu'on devait faire jouir tout de suite, elle l'avait mérité. Combien de temps devrait-elle attendre sa récompense, combien de stratagèmes devait-elle trouver pour que les doigts fins de sa superviseure torturent et soumettent sa chair tendre ?

Avant de sortir, elle s'accrocha au chambranle de l'entrée de la salle des douches, et craignit de glisser lorsque ses chaussures humides touchèrent le carrelage. C'était un autre revers, elle devrait probablement attendre encore plus longtemps...

Mais alors, elle entendit madame Cox parler à Susan.

— Je suis vraiment désolée, dit la femme à la nouvelle fille. Elle sera sévèrement punie...

Ces mots résonnèrent dans la tête de Judith et la fit sourire : elle n'avait plus rien à craindre. Et tout à gagner.

DANS LA MÊME COLLECTION

Élise Bourque
Un été chaud et humide, 2010
Fille de soie (format régulier 2007; format poche 2010)
L'agenda de Bianca (format régulier 2005; format poche 2010)

Marie Gray
Rougir 4 (nouvelle édition de *Rougir de plus belle*), 2013
Rougir 3 (nouvelle édition des *Histoires à faire rougir davantage*), 2013
Rougir 2 (nouvelle édition des *Nouvelles histoires à faire rougir*), 2012
Rougir 1 (nouvelle édition des *Histoires à faire rougir*), 2011
Coups de cœur à faire rougir, 2006
Rougir un peu, beaucoup, passionnément (t. 5),
(format régulier 2003; format poche 2006)
Rougir de plus belle (t. 4), (format régulier 2001;
format poche 2004)
Histoires à faire rougir davantage (t. 3),
(format régulier 1998; format poche 2002)
Nouvelles histoires à faire rougir (t. 2),
(format régulier 1996; format poche 2001)
Histoires à faire rougir (t. 1),
(format régulier 1994; format poche 2000)

Bruno Massé
Le jardin des rêves, 2013
Valacchia, 2012

Missaès
Chère coupable (format régulier 2002; format poche 2006)

Jean de Trezville
Une collection privée, 2007
Libertine (format régulier 2004; format poche 2006)

Visitez notre site Web : www.saint-jeanediteur.com

Achevé d'imprimer
sur les presses de
Imprimerie H.L.N.
Imprimé au Canada - Printed in Canada